RQ
G917a
T.3
22.95

ANOSIOS

Catalogage avant publication de Bibliothèque et Archives nationales du Québec
et Bibliothèque et Archives Canada

Guay, Daniel, 1981-
Anosios
Sommaire: t. 3. Les souterrains d'Asilbruck.
ISBN 978-2-89585-071-7 (v. 3)
I. Titre. II. Titre: Les souterrains d'Asilbruck.
PS8613.U26A66 2010 jC843'.6 C2010-940414-9
PS9613.U26A66 2010

© 2011 Les Éditeurs réunis (LÉR).

Image de couverture : Chantal McMillan, Polygone Studio

Les Éditeurs réunis bénéficient du soutien financier de la SODEC
et du Programme de crédits d'impôt du gouvernement du Québec.

Nous remercions le Conseil des Arts du Canada
de l'aide accordée à notre programme de publication.

Nous reconnaissons l'aide financière du gouvernement du Canada
par l'entremise du Fonds du livre du Canada pour nos activités d'édition.

Édition :
LES ÉDITEURS RÉUNIS
www.lesediteursreunis.com

Distribution au Canada :
PROLOGUE
www.prologue.ca

Distribution en Europe :
DNM
www.librairieduquebec.fr

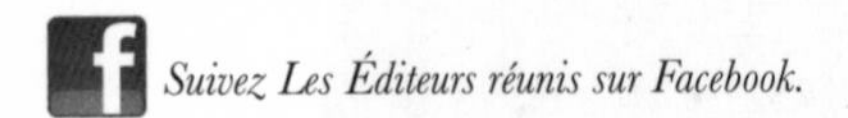

Imprimé au Canada

Dépôt légal : 2011
Bibliothèque et Archives nationales du Québec
Bibliothèque nationale du Canada
Bibliothèque nationale de France

DANIEL GUAY

ANOSIOS

3. LES SOUTERRAINS D'ASILBRUCK

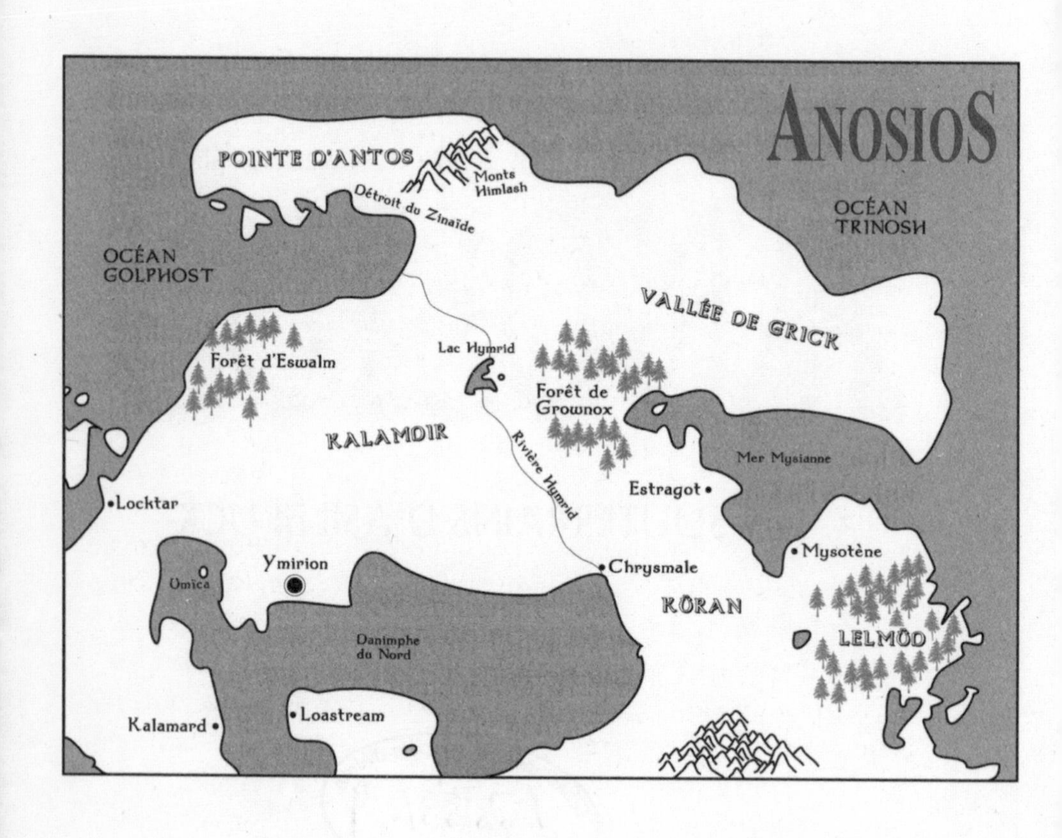
ANOSIOS
POINTE D'ANTOS
Monts Himlash
Détroit du Zinaïde
OCÉAN TRINOSH
OCÉAN GOLPHOST
VALLÉE DE GRICK
Lac Hymrid
Forêt d'Eswalm
Forêt de Grownox
KALAMOIR
Rivière Hymrid
Mer Mysianne
Estragot
Locktar
Mysotène
Ymirion
Chrysmale
Umica
KÖRAN
LELMÖD
Danimphe du Nord
Kalamard
Loastream

CHAPITRE 1

Le bruit caractéristique de la faune nocturne avait fait place à la respiration accélérée d'un homme couvert de suie. Dans le boisé qui séparait sa demeure de la rivière, le forgeron courait après le mécréant qui avait pillé son atelier. En effet, alors qu'il venait de quitter son soufflet et qu'il s'apprêtait à retirer son épais tablier de cuir, l'ouvrier avait perçu du coin de l'œil l'une de ses plus récentes créations disparaître. Sans réfléchir, il avait délaissé ses outils pour se lancer à la poursuite du voleur.

Les nuages gris qui bloquaient les rayons de la lune, additionnés à l'épais feuillage des arbres, empêchaient de distinguer quoi que ce soit dans le boisé. Heureusement, le forgeron connaissait cet endroit mieux que quiconque et il avait eu la présence d'esprit de s'emparer d'une épée avant de quitter son atelier. La colère l'avait d'abord poussé à courir dans tous les sens, puis il s'était calmé pour mettre à profit sa vue et son ouïe. Rien ne prouvait au forgeron que le voleur n'était pas déjà très loin, mais il avait l'infime conviction que le mécréant était dissimulé dans les buissons qui tapissaient le sol. Pourtant, rien ne parvenait aux oreilles de l'ouvrier, hormis sa propre respiration qu'il n'arrivait pas à ralentir.

— Je sais que vous êtes toujours là, dit-il, en espérant déceler un mouvement dans la pénombre. J'y passerai la nuit s'il le faut, mais j'ai l'intention de punir le crime que vous avez commis. Je vous conseille donc de vous rendre immédiatement, sinon votre châtiment n'en sera que plus sévère.

Une telle menace, de la part d'un homme aussi costaud que le forgeron, n'avait rien de rassurant. D'ailleurs, à moins d'une dizaine de pas de ce dernier, un bosquet avait remué, comme si le voleur n'arrivait plus à demeurer immobile. Ce détail n'avait pas manqué d'attirer l'attention du poursuivant, qui resserra sa prise sur le pommeau de son épée. Tranquillement, il avança vers l'endroit où il avait décelé du mouvement, en prenant soin de ne faire aucun bruit. Alors qu'il s'apprêtait à bondir pour surprendre le brigand, il vit une silhouette se mouvoir sur sa gauche. D'abord, il crut qu'il s'agissait du voleur qui s'était déplacé sans être vu, puis il aperçut une autre forme beaucoup plus loin devant lui.

« Ils sont plusieurs, comprit le forgeron. Espérons que ma longue expérience des armes suffira à me garder en vie. »

La démarche la plus logique était d'ignorer les intrus qui étaient trop loin et de se concentrer sur le bosquet qui avait remué quelques instants plus tôt. C'est ce que fit le forgeron, en plongeant sa lame directement dans le petit groupe d'arbustes. À sa grande surprise, il vit un gamin effectuer une roulade, échappant ainsi à la morsure du métal qui aurait pu lui coûter la vie.

— Bande de fripouilles ! s'écria l'ouvrier en colère. Je vais vous apprendre ce qu'il en coûte de voler le bien d'autrui.

Hors de lui, le forgeron s'était lancé à la poursuite du garçon. Il n'avait pas l'intention de lui enlever la vie, mais il désirait lui donner une bonne correction et récupérer ce qu'on lui avait dérobé. Il y avait peu de chance pour que l'homme au tablier de cuir puisse attraper tous les enfants qui avaient pris part au vol, mais au moins l'un d'eux paierait pour les autres. D'un pas résolu, il se dirigea vers le jeune garçon dont les jambes étaient trop courtes pour distancer son poursuivant.

— À l'aide ! hurla le gamin, lorsqu'il sentit une énorme main le tirer par les cheveux.

— Je te tiens, petit voleur, dit le forgeron. Je vais t'enlever définitivement l'envie de prendre ce qui ne t'appartient pas.

— Je suis innocent, pleurnicha le garçon. Ce sont eux qui m'ont obligé à les accompagner. Je promets de ne plus jamais recommencer.

Indifférent aux plaintes du gamin, l'homme le gifla du revers de la main.

— Relâchez-le ! intervint un autre garçon, qui devait avoir approximativement neuf ans. Vous devriez avoir honte d'utiliser votre force contre quelqu'un de si jeune.

— Je n'ai aucun scrupule à malmener un voleur, répliqua le forgeron, peu importe son âge. D'ailleurs, je crois que tu mérites toi aussi une bonne correction.

L'homme couvert de suie projeta sa première prise sur le sol et se dirigea vers l'impertinent qui osait le défier. Ce dernier, après avoir recommandé à son ami de fuir vers la rivière, sortit une fronde de sa poche.

— Je ne reconnais pas ton visage, dit le forgeron. Tu viens probablement d'un village voisin. Nous verrons ce que dira ton père lorsque je te ramènerai à lui. S'il n'a pas su t'éduquer convenablement, je vais remédier à la situation.

— N'approchez pas, le somma le jeune garçon. Si vous faites un pas de plus, je serai dans l'obligation de vous faire du mal.

Amusé par la menace du gamin, l'homme feignit de reculer, puis s'élança vers le petit chenapan. Tout se déroula si vite qu'il n'eut pas le temps de voir la pierre projetée par la fronde du garçon. Celle-ci vint se fracasser sur le front du forgeron, qui perdit aussitôt l'équilibre et trébucha sur un tronc d'arbre.

Conscient que cela ne ferait que retarder son poursuivant, le jeune voleur prit ses jambes à son cou et fonça vers la rivière. Comme prévu, il plongea dans l'eau froide pour se laisser emporter par le courant. Ainsi, il serait impossible au forgeron de retrouver sa trace ou bien celle de ses acolytes. Hormis une petite altercation qui n'aurait aucune conséquence, tout s'était déroulé selon le plan. Satisfait, le jeune garçon blond se laissa dériver jusqu'à ce qu'il soit interpelé par Sédora, la seule fille de la bande.

— Xioltys ! chuchota-t-elle, en faisant de grands signes avec ses bras. Nous sommes ici, sur le gros rocher en forme de tortue.

Comme le courant était relativement fort, Waren tendit une branche pour aider son compagnon à rejoindre la rive.

— Où sont Grégoire et Moal ? demanda Xioltys, dès qu'il eut mis pied à terre.

— Ils nous attendent dans la forêt, répondit Sédora, en vérifiant que Xioltys n'avait rien. Je crois que Moal est encore sous le choc de ce qui vient d'arriver. D'après ce qu'il dit, le forgeron l'a frappé violemment.

— Moal craint davantage d'expliquer à son père la raison de la marque qu'il a au visage, expliqua Waren. Heureusement, cela disparaîtra dans un jour ou deux, s'empressa-t-il d'ajouter, en voyant l'expression inquiète de ses camarades.

— Est-ce que Grégoire a réussi à emporter l'épée ? s'informa Xioltys. Ce serait dommage que Moal se soit sacrifié pour rien.

— Ne t'en fais pas, le rassura Sédora, l'épée est en notre possession. Toutefois, tu ne nous as pas encore dit à quoi elle nous servirait.

— Je vous expliquerai tout demain, dit Xioltys. Je crois que nous devrions rentrer avant que nos parents s'aperçoivent de notre absence. Il ne faudrait surtout pas que nous passions pour de mauvais garnements.

— Tu es le fils du maire, le railla Waren. Même si tu volais en plein jour, personne n'oserait dire que tu es de la mauvaise graine. Sans compter que tu prendras probablement la place de ton père lorsque tu seras grand.

— Cesse de le tourmenter, se fâcha Sédora. Xioltys a bravé le forgeron pour sauver Moal. Tu devrais être fier de lui, plutôt que d'en être jaloux.

— Nous avons tous fait du bon boulot, trancha Xioltys. Demain, nous pourrons préparer la prochaine étape.

— La prochaine étape ? s'étonna Sédora.

Xioltys sourit en voyant la mine déconfite de la jeune fille. Sans prendre le temps de lui expliquer ce qu'il avait derrière la tête, il s'enfonça dans la forêt pour aller rejoindre Moal et Grégoire. Même s'ils ignoraient la raison pour laquelle ils avaient volé une épée, les amis de Xioltys savouraient pleinement leur réussite. Durant tout le trajet du retour, ils tourmentèrent le garçon blond dans le but de le faire parler, mais celui-ci resta muet.

Alors que la lune était à son zénith, chacun des cinq compagnons regagna son foyer, mais aucun d'entre eux ne put trouver aisément le sommeil. En effet, l'aventure à laquelle ils venaient de participer n'avait rien d'ordinaire et ils avaient des poussées d'adrénaline juste en y repensant.

Lorsque Xioltys se rendit dans la cabane qu'il avait un jour trouvée perchée dans un arbre près du lac Myosa, ses quatre amis l'attendaient depuis plus d'une heure.

— Tu es en retard, commenta Waren, l'air bourru.

— J'avais un travail à terminer, expliqua le garçon blond, sans s'excuser.

Excité, il plongea la main dans son sac et en sortit un vieux livre qui tombait presque en morceaux.

— Je l'ai emprunté dans la bibliothèque privée de mon père, déclara-t-il.

— Tu veux dire que tu l'as volé, le rabroua Sédora.

— Ce ne sera pas un vol si je le rapporte avant que mon père s'aperçoive de sa disparition, la corrigea Xioltys. Il conserve ce livre dans un coffre depuis toujours et il ne m'a jamais laissé y toucher. Cela fait plus d'un an que j'essaie de trouver la clé, sans comprendre que mon père la déplace chaque jour. La semaine dernière, je suis sorti de ma chambre pour soulager ma vessie durant la nuit et j'ai aperçu de la lumière dans le bureau. J'ai donc fait un détour de ce côté pour voir ce que faisait mon père. À ma grande surprise, je l'ai vu refermer son précieux coffre et serrer la clé sous une latte du plancher. Le lendemain, j'étais impatient de m'emparer du trésor. J'ai donc attendu patiemment que mon père s'éloigne de la maison. Malheureusement, il avait beaucoup de travail et il n'a pas quitté son bureau avant le souper.

— Je comprends pourquoi tu n'es pas venu te baigner avec nous ce jour-là ! s'exclama Moal.

— En effet, admit Xioltys, je voulais résoudre le mystère entourant le livre de mon père. Comme s'il s'attendait à ce que je lui joue un mauvais tour, il resta avec moi durant toute la soirée, jusqu'à ce que la nuit tombe et qu'il m'envoie me coucher. Comme j'étais sûr que mon père devrait tôt ou tard s'absenter de la maison, je me suis endormi profondément en me promettant d'attendre le moment propice. Comme par magie, il s'absenta dès le lendemain, pour une affaire de litige entre deux voisins. Quoi qu'il en soit, il ne me fallut qu'une minute pour retrouver la latte sous laquelle il avait dissimulé sa clé. Curieusement, le creux du plancher était vide. Comme j'étais certain d'avoir vu mon père y mettre la clé, j'ai pris le temps de fouiller chaque coin avec ma main, mais le trésor avait disparu.

— Je me souviens t'avoir vu soupirer durant tout l'après-midi, commenta Grégoire.

— Il a raison, confirma Sédora. Je ne savais plus quoi faire pour te rendre le sourire.

— On ne peut rien vous cacher, sourit Xioltys. Au début, je croyais que mon père m'avait vu l'observer et qu'il avait décidé de conserver la clé sur lui. Ce n'est que deux jours plus tard que j'ai déduit qu'il s'agissait d'autre chose. Afin de vérifier mon hypothèse, je me suis rendu une nouvelle fois à la porte du bureau durant la nuit. Comme je l'avais espéré, mon père se trouvait dans la pièce et tenait dans ses mains le livre dont il m'a toujours refusé l'accès. Au bout d'une vingtaine de minutes, il le rangea dans le coffre et glissa la clé dans une statuette sur la bibliothèque. J'avais déjà fouillé cet endroit auparavant, sans succès. J'ai donc compris que mon père changeait fréquemment de cachette, peut-être même tous les soirs. Ma curiosité fut piquée, car j'étais impatient de mettre la main sur le livre que mon père conservait avec tant de précautions.

— Quand as-tu réussi à le voler ? s'intéressa Waren.

— Je l'ai seulement emprunté, rectifia Xioltys, il y a deux jours. Je l'ai remis en place le soir même, mais j'ai réussi à le reprendre tôt ce matin. Vous allez enfin comprendre pourquoi nous avions besoin de l'épée du forgeron.

Les quatre amis de Xioltys étaient pendus à ses lèvres. Bien qu'ils ne connussent pas encore tous les détails, ils étaient excités par l'aventure dans laquelle les avait entraînés le garçon blond. Ce dernier, ravi de les voir s'agiter autour de lui, fit semblant de ne pas trouver la page qu'il cherchait.

— Cesse de nous faire languir, le pressa Sédora. Explique-nous plutôt ce que contient ce bouquin.

— C'est un livre de magie, déclara Xioltys.

— Tu mens ! l'accusa Grégoire. Mes parents m'ont toujours dit que la magie n'existait pas.

— Elle existe, insista Xioltys, qui s'improvisait apprenti magicien. Nous allons même capturer un esprit, ajouta-t-il.

— Cela semble risqué, commenta Moal. Pourquoi voudrions-nous invoquer un esprit ?

— Je veux savoir comment ma mère est morte, expliqua Xioltys. Je suis certain que l'esprit pourra répondre à cette question.

— Je croyais que ta mère était morte dans un accident de cheval, s'étonna Sédora.

Xioltys ne s'était pas attendu à tant de commentaires de la part de ses camarades. Patiemment, il dut leur expliquer qu'il était certain que son père lui avait toujours menti à propos de sa mère. Ensuite, afin qu'ils acceptent de continuer l'aventure avec lui, il leur assura que chacun d'entre eux pourrait aussi poser une question de son choix. Cette perspective était très alléchante et l'apprenti magicien se retrouva aussitôt avec quatre fidèles disciples.

Afin de réaliser l'ambitieuse invocation proposée par Xioltys, le livre expliquait que cinq objets étaient nécessaires. Le premier était une épée n'ayant jamais eu de propriétaire, ce que les jeunes gens avaient réussi à dérober au forgeron la nuit précédente. Le second, plus accessible, était une flûte en bois, ce que Sédora possédait depuis son dernier anniversaire. Le troisième et le quatrième objet représentaient davantage de défis, mais rien qui puisse arrêter les cinq camarades. Un seul élément de la liste était véritablement hors de portée : un pendentif fabriqué entièrement en zimz. Ce métal précieux était extrêmement rare, mais le seigneur Adrigan en avait un en sa possession. Ce riche seigneur venait au village une ou deux fois par mois, afin de s'entretenir avec le maire de sujets qui n'intéressaient en rien Xioltys et ses amis. Toutefois, puisque le garçon blond était le fils du maire, cela leur permettait d'échafauder un plan. En attendant la venue de leur future victime, ils s'occuperaient des deux autres objets qu'il leur manquait.

En moins de deux semaines, ils avaient réussi à subtiliser une corne de rînock chez un chasseur, en plus de s'être procuré de façon douteuse une sculpture de bois représentant un cerf. L'animal choisi avait peu d'importance, ce qui avait un peu simplifié la tâche. Il ne restait plus qu'à attendre la venue de sire Adrigan, en espérant qu'il eut sur lui le fameux pendentif en zimz qu'exigeait le livre de magie.

Plus de dix jours s'écoulèrent sans que Xioltys et ses complices puissent mettre la main sur l'objet qui leur permettrait d'invoquer un esprit. Pendant ce temps, le garçon blond feuilletait le livre de magie, en quête de savoir. Lorsque sire Adrigan se présenta finalement au village, Xioltys avait presque lu le bouquin d'une couverture à l'autre, sans en comprendre la moitié.

— Nous avons un problème, dit Grégoire, que Xioltys avait chargé de surveiller l'arrivée de leur future victime.

En effet, l'homme possédant le pendentif en zimz était accompagné de ses deux fils, âgés de dix-neuf et vingt et un ans. Cela compliquait grandement la tâche des apprentis magiciens, qui n'avaient pas prévu cette éventualité.

— C'est trop dangereux, s'alarma Moal. Nous devons renoncer à notre plan.

— Il n'en est pas question, s'opposa Xioltys. Je suis certain qu'ensemble nous y arriverons.

Pendant que le richissime seigneur et ses fils s'entretenaient avec le père de Xioltys, Sédora se rendit auprès de leurs chevaux. Elle n'eut aucun mal à deviner lequel appartenait à sire Adrigan, car le harnachement de celui-ci était beaucoup plus luxueux que ceux des deux autres montures. La jeune fille, qui avait l'habitude de nourrir les animaux sur la ferme de ses parents, s'approcha de la bête et essaya de lui faire avaler des herbes que lui avait remises Xioltys.

En prenant soin de ne pas être aperçue, Sédora revint auprès de ses camarades. Il ne restait plus qu'à attendre que sire Adrigan et ses fils terminent leur entretien avec le maire, ce qui prit un peu plus de deux heures. Comme il le faisait à chacune de ses visites, le seigneur repartit vers le sud, pour visiter le village voisin qui était aussi sous sa juridiction. Cette régularité avait permis à Xioltys et ses complices de préparer une embuscade dans la forêt, où ils s'étaient empressés de se rendre avant même que leur victime soit montée sur son cheval.

— Es-tu certain qu'il passera par ici ? s'inquiétait Waren. Il y a cinq routes permettant de quitter le village.

— J'en suis certain, répondit fermement Xioltys. Concentre-toi plutôt sur ta mission. Ils seront ici d'une minute à l'autre. Mettons nos foulards pour qu'ils ne puissent pas nous reconnaître.

Comme l'avait prédit le garçon blond, sire Adrigan et ses deux fils arrivèrent quelques instants plus tard. Malgré les coups de fouet que donnait le seigneur à sa monture, il avait du mal à faire avancer la bête. Celle-ci était indubitablement malade et n'arrivait pas à suivre les deux autres chevaux.

— Les herbes ont fonctionné, chuchota Xioltys, en guettant l'arrivée du trio.

Il félicita Sédora d'un clin d'œil et fit signe à Waren et à Grégoire de se préparer à intervenir. Lorsque les fils du seigneur furent à leur hauteur, les garçons sortirent du bosquet où ils étaient tapis et piquèrent les derrières des chevaux avec des tisonniers. Aussitôt, les deux bêtes se cabrèrent, puis partirent au galop.

— Sales petits garnements, se fâcha sire Adrigan, dont la monture avait retardé l'arrivée. Je vais vous donner une bonne correction.

Le seigneur ne put mettre sa menace à exécution, car Moal l'attrapa avec son lasso et le tira brutalement en bas de son cheval, avec l'aide de Xioltys.

— Félicitations ! dit le garçon blond à l'intention de Moal, en prenant soin de ne pas prononcer le nom de son ami. Nous avons de la chance que ton frère t'ait appris le maniement du lasso.

— Que me voulez-vous ? hurla sire Adrigan, ramenant les deux garçons à la réalité. Mes fils seront bientôt de retour et ils vous mettront en pièces.

— Il a raison, dit Sédora. Dépêchons-nous de prendre son pendentif et filons dans la forêt.

Sans délicatesse, Xioltys arracha le précieux bijou au cou du seigneur. Il prit un instant pour s'assurer que l'objet était bien en zimz, puis fit signe à ses camarades de le suivre dans les bois.

Hors d'haleine, les cinq complices couraient aussi rapidement qu'ils le pouvaient en direction de la rivière. Ils comptaient une fois de plus sur celle-ci pour les entraîner loin de la scène du crime. Waren et Grégoire, plus grands et plus robustes, étaient loin devant les autres et ils ne tarderaient pas à plonger dans l'eau. Un peu plus loin derrière eux, Sédora usait de toutes ses forces pour les rattraper. La jeune fille n'avait jamais connu une telle peur et elle était effrayée à l'idée que les fils d'Adrigan puissent la rattraper. Xioltys, au lieu d'essayer de fuir le plus vite possible, essayait de pousser Moal à accélérer. Malheureusement, les fils de sire Adrigan avaient repris le contrôle de leurs montures et suivaient la piste des voleurs. Il ne leur fallut pas longtemps pour rejoindre Moal, qui était seul au milieu des grands conifères.

Waren et Grégoire, sentant que quelque chose n'allait pas, étaient revenus sur leurs pas. Couchée sur le ventre, Sédora leur fit signe de se baisser et de ramper jusqu'à elle. De leur position, ils pouvaient voir le pauvre Moal faire face aux deux cavaliers.

— Où est Xioltys ? demanda Grégoire, dans l'espoir que ce dernier ait déjà envisagé cette épineuse situation.

— Je l'ai vu plonger dans le bosquet là-bas, répondit tout bas Sédora. Attendons de voir ce qui va se passer avant de paniquer.

Terrorisé, Moal n'arrivait même pas à ouvrir la bouche pour répondre aux questions que lui posaient les deux cavaliers.

— Qui es-tu et où sont allés tes amis ? demandait l'un d'eux. Je veux que tu retires ton masque immédiatement et que tu rendes ce que tu as pris à mon père.

Moal allait s'exécuter lorsque Xioltys bondit d'un buisson et vint se placer entre lui et les deux jeunes hommes qui avaient plus de deux fois son âge.

— Reculez ou vous le regretterez ! leur ordonna le garçon blond.

En guise de réponse, les deux cavaliers se mirent à rire d'une façon presque cruelle et descendirent de leurs destriers. Sans quitter des yeux les garnements qui avaient osé leur tendre une embuscade, ils dégainèrent leurs épées. Il n'y avait aucun doute quant au châtiment qu'ils réservaient aux voleurs.

Avant que le pire ne se produise, Xioltys leva une main et prononça maladroitement quelques mots. Malgré les trois syllabes qu'il avait bégayées, la paume de sa main devint rouge et un tourbillon de vent s'en échappa, enveloppant les fils du seigneur Adrigan et leurs chevaux. Le phénomène n'avait rien d'une tornade, mais il était suffisamment puissant pour faire perdre connaissance aux deux jeunes hommes, dont l'un d'eux reçut un coup de sabot en pleine figure.

Xioltys ne s'était pas attendu à ce résultat. En vérité, il n'avait jamais cru que le livre de son père permettait de vraiment utiliser la magie. Surpris par sa propre création, le fils du maire referma sa main et plongea son regard dans celui de Moal.

— Fuyons, dit-il, effrayé par ce qu'il venait d'accomplir.

À toute vitesse, ils se dirigèrent vers la rivière. Waren, Grégoire et Sédora y avaient plongé quelques instants plus tôt et s'étaient laissé emporter par le courant qui était très vigoureux à cet endroit. Xioltys incita Moal à plonger avant lui et s'assura que les fils de sire Adrigan ne les avaient pas suivis. Lorsqu'il fut rassuré, l'apprenti magicien mit le pendentif qu'il avait volé autour de son cou et sauta dans l'eau.

Sans arrêt, un pied ou un bras de Xioltys frappait un rocher, mais le jeune garçon ne s'en préoccupait pas. En effet, le courant était si fort qu'il mettait toute son énergie à garder la tête hors de l'eau. Plutôt que de paniquer, il essaya d'épier la rive en espérant que ses camarades avaient réussi à sortir sains et saufs de la rivière. C'est alors qu'il vit Sédora, Waren et Grégoire tirer Moal hors de l'eau à l'aide d'une branche. « Ce sera bientôt mon tour », pensa Xioltys. Il s'efforça de nager en direction du gros rocher sur lequel étaient montés ses camarades. Sa vision était brouillée par les éclaboussures qu'il recevait sans cesse au visage, mais cela ne l'empêcha pas de voir Waren arracher la branche des mains de Sédora. La jeune fille semblait protester, mais Grégoire la retenait par les épaules. Révolté, Xioltys essaya de rejoindre le rocher à la nage, mais le courant le ramenait sans cesse au milieu de la rivière. Impuissant, il fut emporté par les flots. Peu à peu, ses forces l'abandonnèrent et il avala de plus en plus d'eau. Chaque fois que le courant l'attirait vers le fond, sa tête demeurait immergée plus longtemps que la fois précédente. La panique s'était emparée du garçon blond et plus rien ne semblait pouvoir le tirer de ce mauvais pas.

— Il y a de l'eau partout, s'alarma le magicien d'Ymirion, à demi conscient sur son cheval. À l'aide, je ne veux pas mourir. Je n'ai plus la force de combattre.

Soudainement, Xioltys se réveilla. Il ne comprit pas immédiatement la raison de sa faiblesse. Il ignorait même où il se trouvait. En se concentrant, il arriva à se rappeler les récents événements qui avaient failli le conduire à sa perte. Il revit le visage du roi Limius qui l'implorait de ne pas le tuer. Ensuite, le magicien warrak avait tenté de drainer toute son énergie. Si Xioltys n'avait pas réagi à temps en facilitant le transfert de ses forces vers son agresseur, il serait probablement mort. Cela l'avait grandement affaibli et il n'avait plus tous ses esprits. Il ignorait même combien de temps s'était écoulé depuis la nuit fatidique où il avait fait appel aux ombres meurtrières. La chaleur du soleil lui était insupportable et c'est à peine s'il arrivait à tenir sur son cheval.

« Où suis-je ? » se demanda-t-il.

Le paysage n'avait rien de distinctif. De chaque côté, un blé presque doré s'étendait à perte de vue. Xioltys aurait pu en déduire qu'il se trouvait au royaume de Küran, mais cette contrée n'avait pas l'exclusivité de la culture du blé, et la plupart des paysans du royaume de Kalamdir cultivaient aussi cette céréale.

Des perles de sueur coulaient sur le front du jeune homme blond. Ses cils n'arrivaient pas à toutes les retenir, ce qui fait qu'il avait du mal à garder les yeux ouverts. De plus, la soif et la faim le tenaillaient comme jamais auparavant. Lorsqu'il aperçut une petite maison aux pignons jaunes, il essaya de pousser son cheval à s'y rendre, mais il n'avait même plus la force de faire obéir la bête. Épuisé, il glissa malgré lui de sa selle, en se retenant du mieux possible pour amortir sa chute.

Lorsque Xioltys rouvrit les yeux, une jeune femme à la chevelure brune était penchée sur lui. Celle-ci lui sourit, puis épongea de nouveau son front. La fraîcheur que cela lui procurait l'enivrait davantage que le meilleur des vins. Le magicien savait qu'il n'avait pas retrouvé ses esprits, mais cela lui était égal.

— Sédora, dit-il avant de sombrer encore une fois dans son inconscient.

Chapitre 2

Dans l'azur pâle du matin, un nécrodon survolait un petit village lorsque l'odeur du sang lui fit soudainement changer de direction. Cet animal nécrophage, qui s'apparentait aux oiseaux, possédait une longue paire d'ailes à l'avant et une courte à l'arrière. Il était doté de deux paires de serres, ce qui lui permettait de déchiqueter plus efficacement les cadavres. De la taille d'un petit chien, il était parfois la proie d'animaux plus grands, en particulier des belwigs. Ses plumes brunes et grises ne pouvaient être qualifiées de majestueuses, pas plus que son long cou anguleux. Afin d'en faire un parfait charognard, la nature avait donné un angle prononcé à la mandibule supérieure de son bec, ce qui lui permettait de percer la peau des cadavres plus facilement.

Le vent d'est, qui amenait avec lui la lointaine odeur de la mort, avait guidé le nécrodon jusqu'à l'endroit où une grande bataille avait eu lieu durant la nuit. L'animal n'était pas le seul de son espèce à avoir été attiré par l'odeur du sang. En effet, une dizaine de nécrodons survolaient déjà le champ de bataille qui était jonché de morts et de blessés.

Il ne fallut pas longtemps au nouvel arrivant pour plonger en direction du sol, à la recherche de nourriture. En prenant soin d'éviter les corps qui remuaient encore, il effectua un grand cercle et se posa sur un homme dont la chair était déjà mise à nue. Il s'agissait là d'un repas inespéré pour le nécrophage, qui n'avait pas l'habitude d'avoir l'embarras du choix. Sans réserve, il plongea son bec crochu dans la chair rouge qui s'offrait à lui.

— Laisse ce cadavre tranquille ! hurla un warrak, ce qui ne provoqua aucune réaction chez le nécrodon.

Furieux, Ryan s'empara d'un caillou sur le sol et le lança en direction de l'animal. Cette fois, l'oiseau émit un cri de protestation puis prit son envol.

La bataille à laquelle Ryan avait participé durant la nuit avait fait d'innombrables victimes, la plupart chez les Kalamdiens. En effet, le conflit dans lequel s'étaient engagés les warraks et leurs alliés contre l'armée du roi Limius n'avait pas duré longtemps. Sournoisement, les ombres meurtrières s'étaient glissées sur le champ de bataille et avaient fait un carnage comme elles seules en étaient capables. Contrôlées par Xioltys, elles s'en étaient prises à tous les combattants, mais plus particulièrement aux Kalamdiens. En effet, le jeune homme blond avait déversé sur eux toute la rancune qu'il avait accumulée au cours de ses années auprès du roi Limius. Si Vonth'ak n'avait pas su arrêter le magicien d'Ymirion, il est probable qu'aucun combattant, quelle que soit sa race, n'eut survécu à la nuit. Heureusement, Xioltys avait dû prendre la fuite et les spectres de la nuit avaient disparu au lever du soleil. Néanmoins, la désolation qu'ils laissaient derrière eux était consternante.

Comme tant d'autres survivants, Ryan parcourait le champ de bataille à la recherche d'une personne qui lui tenait à cœur. Depuis plus d'une heure, il fouillait parmi les cadavres et les malheureux trop gravement blessés pour bouger, en espérant voir le visage de Kalë. Tant qu'il n'aurait pas vu les yeux inertes de son éternel compagnon, il refusait de perdre espoir.

Les regrets et la culpabilité s'étaient emparés de Ryan dès qu'il s'était aperçu que Kalë ne répondait pas à l'appel. La jalousie qu'il avait récemment éprouvée à l'encontre de son compagnon lui semblait désormais bien futile. Il s'en voulait d'avoir frappé et injurié Kalë durant la bataille, alors que celui-ci ne souhaitait que l'aider. Anxieux, il proférait des insultes pour lui-même, incapable de s'expliquer pourquoi il avait agi ainsi.

Alors que Ryan commençait à se demander s'il ne tournait pas en rond, il entendit une voix rauque l'interpeler.

— Ryan, je suis ici, dit péniblement Kalë, dont la fourrure était couverte de sang. J'ai besoin de ton aide, mon ami.

Aussitôt, Ryan se précipita vers son camarade blessé. Kalë était immobilisé sur le côté, car une épée lui transperçait le corps au niveau de l'abdomen. Il était incroyable qu'il ait réussi à survivre aussi longtemps. Sa respiration était difficile et du sang s'échappait de sa bouche lorsqu'il essayait de parler.

Ryan, désemparé, observait son ami qui gisait entre la vie et la mort. Il cherchait les mots pour réconforter le blessé, mais rien ne lui venait.

— Ne me regarde pas ainsi, dit Kalë. La mort est inévitable pour chacun de nous.

— Ne parle pas ainsi, le rabroua Ryan. Notre chef connaît un docteur qui arrive presque à ressusciter les morts. Je suis certain qu'il te remettra sur pied en quelques jours. Je vais aller le chercher immédiatement.

— Je te défends de faire appel à cet homme, l'arrêta Kalë. Le dieu de la guerre attend ma venue et je ne peux le faire patienter.

— Tu ne sais plus ce que tu dis, s'entêta Ryan. Nous avons encore tant de choses à faire, tant de combats à livrer.

— Tu ne comprends pas, dit tout bas Kalë ; je ne sens plus mes jambes. Même si par miracle ce docteur pouvait m'arracher à la mort, jamais plus je ne combattrais à tes côtés. Je serais la risée de tous les warraks.

— Je suis désolé d'avoir agi comme je l'ai fait, se désola Ryan. Par ma faute, le keenox est mort et mon compagnon de toujours agonise sous mes yeux.

— Tu n'es pas responsable de mon sort, le contredit Kalë. Par contre, je te serais reconnaissant de mettre fin à mes souffrances en retirant l'épée qui traverse mon corps.

Ryan savait qu'il était inutile de s'opposer à la requête de son camarade.

— Ce sera un grand honneur, dit-il, incapable de retenir plus longtemps ses larmes.

Les deux warraks échangèrent un regard empli de confiance et de tristesse. Alors que Ryan s'apprêtait à retirer l'arme, il ne put s'empêcher d'ajouter quelques mots.

— Tu auras vécu en tant que Kalë, mais le guerrier qui nous quitte aujourd'hui porte le nom de Kalë'ak. La prochaine fois que nous combattrons ensemble, ce sera sur les champs de bataille éternels.

Kalë'ak sourit à son ami, puis remua la tête pour lui faire signe qu'il était prêt. Sa douleur était si intense qu'il ne sentit même pas la lame sortir de son corps. Il n'avait pas peur, pas plus qu'il n'avait de regrets. La chaleur qui l'enveloppait avait quelque chose de rassurant et un profond sentiment de bien-être avait remplacé la douleur. Il ouvrit la bouche pour dire quelque chose, mais il n'en sortit qu'un souffle à peine audible.

À cet instant, Ryan comprit que son compagnon était mort. Le jeune warrak n'avait jamais connu une perte aussi grande et il n'arrivait plus à contrôler ses émotions. Plusieurs larmes serpentaient sur ses joues et ses sanglots étaient entrecoupés de petites respirations sonores. Les warraks n'avaient pas l'habitude de se laisser aller à de telles démonstrations, mais il s'en moquait éperdument. Il se sentait seul au monde, comme si tout ce qu'il avait vécu n'avait plus aucun sens. Durant ce qui lui sembla une éternité, il pleura sur le cadavre de son ami.

Ryan n'était pas le seul à déplorer une perte douloureuse. À l'écart du champ de bataille, un petit groupe était réuni autour de la dépouille de Skeip. Des gens d'origines et de races différentes disaient au revoir au keenox, qui avait cruellement été tué par le général Karst. Fork, Vonth'ak, Kamélia et Simcha se recueillaient silencieusement devant l'amoncellement de terre sous laquelle reposait celui qui s'était lui-même surnommé le Pourfendeur de dragons.

Un peu plus loin, comme s'il craignait d'imposer sa présence, le docteur Claymore faisait lui aussi mine basse. Durant des heures, il avait soigné des blessés, dont plusieurs étaient malheureusement morts dans ses bras. Lorsqu'on lui avait apporté le petit corps de Skeip, il n'avait rien pu faire pour le ramener parmi les vivants. Claymore savait que son incapacité à sauver le keenox avait probablement causé l'extinction d'une race, ce dont il culpabilisait au plus haut point. Il était donc naturel pour lui d'avoir la décence d'assister aux obsèques du pauvre rongeur.

— Peut-être devrais-je dire quelques mots, suggéra Fork.

— Pas encore, le retint Simcha. Nous ne sommes pas tous réunis.

— Je ne suis pas certain qu'il viendra, commenta Vonth'ak. Depuis quelque temps, l'instinct de clan des warraks a repris le dessus sur son esprit de camaraderie. Je ne peux lui en tenir rigueur, car je n'ai moi-même jamais été très porté à l'amitié.

Comme pour contredire le magicien, Ithan'ak monta la colline où reposait Skeip et vint se placer entre Fork et l'ambassadrice de Lelmüd. Le priman'ak semblait irrité par cette cérémonie en l'honneur du keenox.

— Il était temps que tu arrives, l'invectiva Simcha.

— J'étais occupé à rendre hommage aux warraks qui ont fièrement combattu la nuit dernière, se fâcha le priman'ak. D'ailleurs, je ne vois pas pour quelle raison Skeip a droit à un enterrement privé. Si nous devions célébrer des obsèques pour chaque brave qui nous a quitté, nous en aurions pour des semaines.

Cette remarque cinglante suffit à mettre Simcha hors de lui. Le pirate ne pouvait supporter de voir Ithan'ak montrer tant d'indifférence envers le rongeur qui lui avait toujours accordé toute sa confiance.

— Il était ton ami ! ragea l'homme borgne. Il n'aurait jamais hésité à sacrifier sa vie pour toi, et voilà comment tu le traites aujourd'hui.

— Tous les guerriers sous mes ordres seraient prêts à sacrifier leur vie pour moi, répliqua Ithan'ak. Comme toi, je déplore la mort de Skeip, mais il ne mérite certainement pas davantage de distinction que les warraks et les hommes qui ont rejoint le monde immatériel.

Curieusement, Ithan'ak avait prononcé cette dernière phrase avec beaucoup moins de conviction. Cela avait échappé à Simcha, dont la colère aveuglait les sens, mais Kamélia n'avait eu aucun mal à deviner l'état d'esprit du warrak. D'un signe de la main, elle somma Simcha de se taire, puis elle prit la main d'Ithan'ak. Lentement, elle obligea le warrak à avancer, puis lui chuchota à l'oreille.

— Je sais que vous déplorez la mort de Skeip autant que chacun de nous, lui dit-elle, sinon peut-être même davantage. Votre nature et votre orgueil vous empêchent d'agir comme le ferait un véritable ami, mais sachez que vous n'aurez plus jamais la chance d'exprimer à Skeip ce qu'il représentait pour vous. Certes, vous pourrez un jour ou l'autre revenir en ces lieux et vous recueillir en pensant à lui, mais cela ne vous soulagera jamais comme cela pourrait le faire aujourd'hui. Je vous supplie donc d'oublier pour un instant votre colossal honneur et de faire savoir à Skeip ce qu'il représentait à vos yeux. Si vous ne le faites pas pour lui, alors faites-le pour vous.

Lorsque Kamélia prit du recul pour observer la réaction d'Ithan'ak, aucune larme n'était apparue dans les yeux de ce dernier. Pourtant, sans savoir pourquoi, elle pouvait sentir qu'il était profondément bouleversé. Il fixait l'endroit où Skeip reposait, comme s'il espérait que cela ne fut qu'un mauvais rêve. Encore une fois, la diplomatie de l'hyliann avait su briser la rustrerie du warrak.

Fork sentit que cette fois-ci le moment était venu d'honorer la mémoire du keenox. D'un ton empli de respect, il prononça quelques mots rappelant la vivacité du rongeur, sa bravoure, sans oublier sa camaraderie, qui était innée chez lui. Le petit discours du bosotoss n'était pas d'une grande éloquence, mais il résumait à la perfection ce qu'avait représenté Skeip pour ses compagnons.

Ithan'ak demeura sur place quelques instants, perdu dans ses pensées. Il se remémorait sa rencontre avec le keenox, puis toutes les fois où il n'arrivait plus à supporter les babillages du rongeur. Le priman'ak aurait aimé laisser divaguer plus longtemps ses pensées, mais plusieurs affaires demandaient son attention immédiate.

Lorsqu'il se retourna, il fut fort surpris de voir Yrus'ak derrière lui, accompagné de Mikann'ak. Celle-ci fixait intensément le pendentif du priman'ak, incapable de lever le regard.

— Que faites-vous ici ? demanda Ithan'ak, en regardant tour à tour le nouveau chef des sciaks et la celfide à qui il avait uni sa vie.

— Je sais que ce keenox représentait beaucoup pour vous, répondit Yrus'ak. Nous avons donc décidé de venir à la cérémonie.

— C'est un geste très apprécié, dit Ithan'ak, mais vous n'aviez pas à emmener votre épouse.

— C'est moi qui ai insisté pour venir, intervint Mikann'ak. Selon moi, tous les warraks devraient compatir à la douleur du priman'ak.

Ithan'ak ne savait plus comment réagir. Il aurait voulu prendre la warrak à la fourrure rousse dans ses bras, mais cela lui était impossible. Même s'il savait qu'Yrus'ak l'observait, il ne pouvait détacher ses yeux de la celfide. Ce fut elle qui dut rompre le lien, avant que son nouveau partenaire se rende compte que des sentiments profonds unissaient sa douce moitié et le priman'ak.

— Qu'avez-vous l'intention de faire pour combattre les ombres meurtrières ? demanda la celfide, ramenant Ithan'ak à la réalité de façon radicale.

Le priman'ak voulut répondre, mais Yrus'ak prit la parole avant lui.

— Les affaires militaires ne regardent pas les femmes, dit-il fermement, mécontent du comportement de sa compagne. Je n'ai aucun doute que notre priman'ak réunira les différents clans lorsqu'il aura des ordres à nous communiquer. D'ici là, notre devoir est de nous préparer à repousser toute attaque et d'attendre les ordres.

Ithan'ak, afin de cacher de son mieux ses sentiments à Yrus'ak, approuva les paroles que celui-ci venait de prononcer et lança un regard sévère en direction de la celfide. De son côté, Mikann'ak feignit de regretter son comportement, ce qui satisfit son époux.

Effrayé à l'idée que sa conjointe puisse faire un autre commentaire déplacé et ainsi attiser la colère du priman'ak, Yrus'ak décida qu'il était temps de se retirer. Alors que le chef des sciaks s'éloignait en compagnie de la celfide, le cœur d'Ithan'ak battait à tout rompre dans sa poitrine. Le sentiment qui animait le warrak était difficile à définir. Il s'agissait d'un mélange de jalousie, d'amour, de haine et de douleur. Curieusement, ses pulsions étaient aussi fortes que les fois où il avait embrassé Mikann'ak, mais elles étaient animées par des pensées beaucoup plus négatives.

Alors que les réflexions d'Ithan'ak jonglaient entre ses doux souvenirs avec la celfide et la dure réalité qui avait succédé à ce rêve, ses compagnons attendaient son approbation pour quitter la sépulture de Skeip. Comme le warrak ne semblait pas sur le point de bouger, Fork décida de prendre les choses en main.

— Je crois que nous avons tous eu le temps de dire au revoir à cet espiègle keenox, dit le colosse, afin d'amorcer une réaction de la part d'Ithan'ak.

— Tu as encore une fois raison, mon vieil ami, approuva Ithan'ak en se tournant vers le bosotoss. Même si nous restions ici toute la journée, cela ne ramènerait pas Skeip à la vie. De plus, nous avons malheureusement plusieurs mesures à prendre afin d'assurer notre propre survie.

Ithan'ak avait toujours eu le don de passer d'un état d'esprit à un autre en quelques secondes. Il maîtrisait particulièrement bien l'art de camoufler sa détresse en faisant appel à son sens pratique. En tant que priman'ak, ce trait de caractère lui était plus que jamais utile.

Alors que le petit groupe s'éloignait de la sépulture de Skeip, Vonth'ak ne put s'empêcher de soumettre ses inquiétudes à Ithan'ak.

— Je suis pratiquement certain que ces ombres ne sont pas des créatures naturelles, s'inquiéta-t-il. Les armes ordinaires ne peuvent rien contre elles. Même en unissant les warraks aux hommes et aux hyliann, je suis certain que nous ne pourrions pas les vaincre.

— Tes propos défaitistes ne me sont d'aucune aide, fit remarquer le priman'ak. Tu devrais avoir davantage confiance en ton peuple.

— Seule la magie mérite ma confiance, souligna Vonth'ak. Pourtant, sans l'aide de Skeip, je crains que mes pouvoirs ne soient pas suffisants pour nous prémunir des spectres de la nuit. Dès que Xioltys aura retrouvé ses forces, il reprendra le contrôle de ces indomptables créatures et il éliminera quiconque s'opposera à lui.

— Voilà pourquoi nous devons débusquer ce magicien avant qu'il soit de nouveau une menace.

Vonth'ak ne pouvait comprendre l'assurance déconcertante d'Ithan'ak. Le champ de bataille rempli de cadavres témoignait de la puissance destructrice des ombres meurtrières, mais le priman'ak refusait d'en tenir compte. Il agissait comme s'il s'apprêtait à combattre un ennemi qu'il arrivait à comprendre, ce qui n'en était rien.

— Même si nous arrivons à supprimer Xioltys, insista Vonth'ak, nous ne serons pas tirés d'affaire. Il est vrai que les spectres de la nuit sont moins efficaces sans son commandement, mais notre agonie n'en sera que plus longue.

Cette fois, Ithan'ak ne put supporter plus longtemps les lamentations du magicien. Sans prévenir, il agrippa Vonth'ak à la gorge et le somma de cesser d'entretenir ce genre de propos déprimants. Fork, qui marchait derrière eux, dut obliger de force Ithan'ak à lâcher prise.

— Crois-tu que je ne me suis pas fait les mêmes réflexions que toi ? ragea le priman'ak contre Vonth'ak. Je cherche désespérément une solution, en essayant de ne pas penser au fait que les ombres meurtrières seront peut-être de retour cette nuit. Alors que j'essaie de sauver notre peuple, ta seule préoccupation est ta magie. La seule raison pour laquelle tu déplores la mort de Skeip est qu'il ne pourra plus déchiffrer tes précieux livres.

Ithan'ak savait que ses paroles avaient dépassé sa pensée, mais il n'avait aucune envie de s'excuser. Entêté, il se dirigea d'un pas ferme vers le capitaine Horl'ak.

— Avez-vous exécuté mes ordres ? demanda vulgairement le priman'ak.

— Tous les chefs de clan seront réunis dans moins d'une heure, répondit le capitaine. Les subalternes qui étaient sous le commandement du général Karst ont accepté de se joindre à nous.

— Les Kalamdiens n'ont guère le choix, le coupa Ithan'ak. Leur roi est mort et leur plus grand général est en fuite. Selon moi, ce royaume sera bientôt divisé en plusieurs territoires

BIBLIOTHÈQUE MUNICIPALE D'ALMA

indépendants, comme il l'était autrefois. Quoi qu'il en soit, nous allons unir nos forces aux leurs afin d'organiser une défense efficace contre notre ennemi.

— Qu'en est-il des Küraniens ? s'intéressa Horl'ak.

— Le prince Simcha fera tout pour préserver le royaume de son père, expliqua Ithan'ak. Sa meilleure option est d'entretenir l'alliance entre son peuple et le nôtre. Nous pouvons aussi compter sur l'appui des bosotoss, mais il en va autrement des hylianns. Ackémios est parti à la recherche d'indices pour découvrir l'origine des ombres meurtrières. Sans lui, le haut conseil des hylianns n'aura jamais l'audace d'impliquer son peuple dans une cause perdue d'avance.

Ce dernier commentaire surpris Horl'ak, qui n'avait pas l'habitude d'entendre son chef tenir des propos défaitistes. Ithan'ak vit la réaction du capitaine, ce qui le fit sourire. Selon lui, un bon second devait être apte à recevoir ce genre de propos sans broncher. Yrus'ak, qui avait longtemps occupé le poste dont avait hérité Horl'ak, aurait immédiatement compris que le priman'ak ne croyait pas que le combat contre les ombres était perdu d'avance. Avec le temps, Ithan'ak développerait le même genre de relation avec son nouveau bras droit.

— Ne vous avais-je pas confié une autre tâche ? demanda sévèrement le priman'ak, en voyant que son capitaine essayait de retarder ce moment.

— En effet, admit Horl'ak. J'ai trouvé le jeune Ryan au milieu du champ de bataille. Son ami Kalë venait de mourir dans ses bras.

— Je n'ai pas de temps à perdre avec ce genre de sensiblerie, dit brusquement Ithan'ak. Amenez cet inconscient devant moi immédiatement.

Il fallut moins d'une minute au capitaine Horl'ak pour réapparaître en compagnie de Ryan. Le jeune warrak était à la fois dépité et honteux. Ses yeux verts scrutaient le sol, car il était incapable de soutenir le regard sévère de son chef de clan.

— Regarde-moi ! cria Ithan'ak, ce qui fit sursauter Ryan.

Le capitaine Horl'ak se tenait loin derrière son protégé, car il ne voulait surtout pas qu'Ithan'ak lui reproche de soutenir le jeune warrak. En effet, Ryan avait désobéi délibérément aux ordres, ce qui avait eu pour résultat la mort de Skeip. Une faute aussi grave demandait un châtiment exemplaire, ce qui pouvait parfois même être la mort.

— Quel est ton nom ? demanda Ithan'ak au coupable.

— Depuis ma naissance, on m'a toujours appelé Ryan. J'ignore si je peux aujourd'hui me présenter sous le nom de Ryan'ak.

Indigné, Ithan'ak frappa de toutes ses forces le jeune warrak à la figure. Ébranlé, Ryan tituba sur sa gauche, en essayant de conserver l'équilibre.

— Akum, l'ancêtre de tous les warraks, hurla Ithan'ak, était un puissant et valeureux guerrier. Ce fut un très grand honneur d'ajouter la première partie de son nom au mien. Chaque guerrier doit faire preuve de courage et de modestie pour accéder à cette distinction. Cette nuit, tu as clairement fait la preuve que l'une de ces qualités te manquait.

En un instant, le destin de Ryan venait de basculer. Jamais il ne deviendrait un véritable guerrier. On ne ferait jamais référence aux exploits qu'aurait pu accomplir le valeureux Ryan'ak. Cette pensée créa en lui une rage qu'il avait peine à maîtriser.

— Ton devoir était de protéger Skeip, continua Ithan'ak. Je devrais te tuer pour avoir failli à cette tâche. D'un autre côté, tu ne serais pas un warrak si tu n'avais pas répondu à l'appel du combat qui retentissait en toi. Pour cette seule et unique raison, tu auras la vie sauve.

Cette révélation fit s'allumer une lueur d'espoir dans les yeux de Ryan, ainsi que dans ceux du capitaine Horl'ak. Le jeune warrak avait évité la mort de justesse. Néanmoins, Ithan'ak n'avait pas encore révélé quel était le châtiment qu'il réservait à l'apprenti.

— Bien que j'aie décidé d'épargner ta vie, dit solennellement le priman'ak, il m'est impossible de permettre qu'un warrak fasse un affront aussi grave à mon autorité. En regard de tes récents agissements, je me vois dans l'obligation de t'expulser non seulement de mon clan, mais aussi de toute la communauté des warraks.

Ryan était abasourdi par ce qu'il venait d'entendre. Pour lui, l'exil était une sanction plus sévère que la mort. Il ne pouvait imaginer une vie autre que celle à l'intérieur d'un clan. Un tourbillon d'images faisait rage dans sa tête. En quelques secondes, il s'était représenté la vie solitaire qui l'attendait, ce qui n'avait rien de réjouissant. Les yeux du jeune warrak étaient d'un rouge funeste, alors qu'il s'imaginait maintenant tuer le priman'ak. Il ne pouvait réprimer cette envie qui devenait plus grande à chaque instant. Il s'était redressé et faisait face à Ithan'ak. Sans s'en rendre compte, il avait porté la main sur le pommeau de son glaive, qu'il serrait de toutes ses forces.

— Si tu veux me défier, dit le priman'ak, je dois t'avertir que je n'aurai aucune pitié. Ma lame s'abreuvera de ton sang avec autant de volupté que s'il s'agissait de celui de mon pire ennemi. Je te conseille donc de réfléchir au geste que tu as l'intention de poser.

La remarque d'Ithan'ak n'avait pas calmé les ardeurs de Ryan. Au contraire, le corps de l'apprenti tremblait des pieds à la tête, comme s'il ne pouvait plus contrôler sa rage. Heureusement, le capitaine Horl'ak posa une main sur son épaule pour l'attirer vers l'arrière.

— Je vais m'assurer que Ryan quitte ces lieux dès maintenant, dit-il à l'intention de son chef. Avec votre permission, je lui fournirai quelques vivres et une peau chaude pour réchauffer ses nuits.

Ithan'ak approuva la requête formulée par Horl'ak, qui était intervenu judicieusement dans le but d'éviter que la situation ne dégénère. Condamner ainsi Ryan à l'exil lui était désagréable, mais ce genre de décisions était crucial au bon ordre social chez les warraks. À présent que le cas particulier de Ryan était réglé, le priman'ak pouvait se concentrer sur l'avenir. Les événements de la nuit dernière étaient très inquiétants et il était impératif de prévoir immédiatement un plan d'action.

Lorsqu'Ithan'ak se présenta au conseil qu'il avait lui-même convoqué, tous les chefs de clan étaient présents, ainsi que Fork, Simcha, Vonth'ak, Kamélia et plusieurs capitaines de l'armée de Kalamdir. La tension était palpable, car aucun individu présent, hormis Ithan'ak, n'avait une idée sur la façon de combattre les ombres meurtrières. Ce nouvel ennemi ne pouvait être vaincu par les méthodes conventionnelles, ce qui n'avait rien de rassurant. Les warraks, qui avaient si longtemps condamné la magie, espéraient à présent que leur priman'ak saurait l'utiliser pour les conduire à la victoire. La marginalité et la particularité d'Ithan'ak faisaient de lui le candidat idéal pour mener les différents clans à la guerre. Un bon chef devait s'élever au-dessus de ses guerriers, tant par sa connaissance que par son ouverture d'esprit. Il devait voir et comprendre ce qui échappait au commun des mortels. Sa ruse et sa perspicacité devaient être supérieures à celles de ses ennemis. Ithan'ak avouait sans gêne ses nombreux défauts, mais il possédait ces qualités essentielles, qui faisaient de lui le seul individu en mesure de combattre Xioltys et ses spectres de la nuit.

Pendant un peu plus de trois heures, Ithan'ak dirigea l'assemblée, dont les discussions étaient très animées. Il avait été convenu que Simcha prendrait temporairement le commandement des Kalamdiens et qu'il opérerait depuis la cité d'Ymirion. Quant aux Küraniens, ils devaient regagner leur royaume et attendre les ordres du roi Filistant. Il était étrange pour eux d'être mis de côté par leur prince, qu'ils venaient à peine de retrouver. Simcha, le prince en question, leur avait longuement expliqué les raisons pour lesquelles il devait une fois de plus tourner le dos au royaume de Küran. En effet, malgré ses nombreuses pertes, l'armée de Kalamdir demeurait une grande puissance, mais sans chef. Il était important qu'un homme suffisamment influent en prenne le commandement, afin d'éviter une guerre interne pour la succession du roi Limius.

Une fois ce problème réglé, Ithan'ak s'était concentré sur la façon de s'y prendre pour éviter un nouveau carnage de la part des ombres meurtrières. La solution logique était de disperser les différentes forces militaires, afin qu'elles ne puissent subir une attaque globale comme la nuit précédente. Cette stratégie avait été approuvée à l'unanimité.

Toran, le chef des cavaliers de la plume argentée, avait accepté de diviser ses hommes en plusieurs factions et de parcourir le continent à la recherche de Xioltys. Il était primordial que le magicien soit éliminé avant qu'il ait retrouvé les forces que lui avait soutirées Vonth'ak. Afin d'empêcher sa fuite dans le désert, les bosotoss étaient chargés d'arpenter le sud du continent d'Anosios. Leur petit nombre n'était pas un problème, car la stature de ces colosses leur permettait de couvrir un gigantesque territoire sans trop d'efforts.

De leur côté, les warraks avaient pour mission de ratisser les royaumes de Kalamdir et de Küran, en divisant ce gigantesque territoire entre les différents clans. Cette tactique avait pour but d'empêcher les ombres d'attaquer en masse, ainsi que de créer un large filet dans l'espoir d'y voir se prendre Xioltys. Tout était en place pour contrecarrer les plans du magicien d'Ymirion. Pourtant, une question cruciale demeurait : comment combattre les ombres meurtrières ? D'après les informations d'Ithan'ak, même Ackémios, l'hyliann d'or, ignorait ce qu'étaient ces sombres créatures. Même sans Xioltys, ces abominations menaçaient de disséminer des populations entières. C'était d'ailleurs la raison pour laquelle Ithan'ak devait une fois de plus délaisser son clan et s'engager dans une nouvelle aventure solitaire.

La plupart des warraks avaient du mal à comprendre les motivations de leur nouveau priman'ak, qui préférait opérer en solo plutôt que d'utiliser les ressources à sa disposition. Heureusement, Ithan'ak avait une grande force de persuasion et il avait rapidement dissipé tous les doutes. Durant son absence, le capitaine Horl'ak prendrait la tête des kourofs, sans pour autant être le suppléant du priman'ak. Ce grand honneur revenait au chef des sciaks. Yrus'ak, qui était maintenant à la tête de ce clan, appuierait une nouvelle fois son ancien chef. En secret, le priman'ak espérait que cette lourde responsabilité écarterait pour un temps Yrus'ak de sa nouvelle compagne : Mikann'ak.

Lorsque le conseil prit fin, chaque dirigeant savait exactement ce qu'il avait à faire. Ithan'ak avait fait preuve d'une efficacité exemplaire, ce qui n'avait échappé à personne, y compris aux anciens partisans de Kran'ak. Les ordres étaient de se mettre en marche avant le coucher du soleil.

Alors qu'il ramassait ses effets personnels, Ithan'ak ne pouvait se concentrer sur la mission qu'il s'était confiée. Toutes ses pensées étaient tournées vers Mikann'ak, ce qui lui causait une profonde amertume. Cette fois-ci, la jolie celfide ne pourrait attendre son retour. La seule preuve de l'amour qu'elle entretenait pour Ithan'ak était le pendentif que ce dernier portait autour du cou. Comme si l'émyantine qui ornait le pendentif pouvait percevoir l'humeur de son propriétaire, elle avait adopté la couleur brun foncé, presque noir. Ithan'ak se surprit à songer qu'il aurait volontiers abandonné à leur sort tous ceux qui comptaient sur lui, en échange de la warrak qu'il avait perdue à jamais.

— Tu as soigneusement évité de parler du général Karst, commenta Vonth'ak, qui venait d'entrer sous la tente d'Ithan'ak accompagné de Fork.

La lueur argentée qui entourait le magicien était plus intense que jamais, signe que la vitalité qu'il avait soutirée à Xioltys avait eu un certain effet sur lui. Lentement, il se déplaça sur sa gauche, afin de laisser davantage d'espace à Fork, dont la taille était un peu trop imposante pour les modestes habitations des warraks.

— Contrairement à Xioltys, rétorqua le priman'ak, le général Karst ne représente plus une menace. Sans armée, cet homme n'est rien de plus qu'un soldat solitaire en quête de vengeance. Il s'agit d'un conflit personnel entre lui et moi. Voilà pourquoi je ne croyais pas justifié d'invoquer son nom durant le conseil. Je n'ai aucune envie de tergiverser davantage sur ce cas.

— Si tu pars seul, intervint Fork, cet homme essayera probablement de s'en prendre à toi.

— Je suis prêt à courir le risque, s'impatienta Ithan'ak.

— Nous savons à qui tu comptes demander de l'aide, déclara Vonth'ak. Il n'y a aucune raison pour que tu y ailles seul.

— Votre présence risque de l'inquiéter, s'obstina le priman'ak.

— La solitude ne fera qu'attiser la douleur infligée par ton amour perdu, souligna Vonth'ak.

Ithan'ak se figea subitement, comme s'il venait de recevoir un coup dans l'estomac. Se pouvait-il que Vonth'ak connaisse son délicat secret ? Il avait pourtant toujours fait de son mieux pour cacher les sentiments qu'il éprouvait pour Mikann'ak. De toute évidence, cela n'avait pas suffi à duper le magicien.

— Nous savons où tu vas et nous t'accompagnons, déclara Vonth'ak.

Ithan'ak voulut riposter, mais le magicien venait de briser toutes ses défenses. Il se demandait si quelqu'un d'autre que le warrak connaissait l'amour interdit qu'il avait entretenu avec Mikann'ak. Cette pensée l'empêchait de réfléchir convenablement.

Voyant que son vieil ami était désemparé, Fork décida d'intervenir, avant que Vonth'ak rende la situation encore plus inconfortable qu'elle ne l'était déjà.

— Nous désirons simplement t'aider, dit-il de sa voix caverneuse. Contrairement à Vonth'ak, j'ignore pourquoi tu es dans un tel état. Toutefois, il me semble évident que tu es déstabilisé et que tu ne devrais pas voyager seul. Il serait stupide de te passer des aptitudes d'un magicien et de la force colossale d'un bosotoss ; qu'en penses-tu ?

Ithan'ak essayait d'invoquer des arguments pour éviter d'être accompagné, mais aucun de ceux qu'il trouvait n'était justifié. Il était rare que le priman'ak soit dans une pareille position de faiblesse. Cela le rendait à la fois bourru et vulnérable. Quoi qu'il en soit, il se voyait contraint d'accepter la compagnie de Vonth'ak et de Fork.

— Nous partons dans moins d'une demi-heure, grogna-t-il. Nous nous dirigerons en direction du nord-ouest, vers le seul endroit où nous pourrons peut-être acquérir le moyen de combattre les ombres meurtrières.

CHAPITRE 3

Depuis le début du voyage, la température s'était rarement montrée très clémente. Lorsque la pluie daignait s'arrêter une heure ou deux, c'était pour reprendre encore plus forte par la suite. Le vent de l'est ne s'était jamais montré aussi impétueux, tant par sa force que par sa constance étonnante. Les bourrasques n'empêchaient pas les voyageurs d'avancer, mais elles soulevaient parfois une fine couche de terre qui les obligeait à garder les yeux mi-clos.

Malgré les intempéries, le moral d'Ithan'ak, de Fork et de Vonth'ak était au plus haut. En effet, leurs plus grandes inquiétudes étaient envers la manifestation des ombres meurtrières, et non envers les conditions climatiques. Chaque soir, ils se demandaient si les spectres de la nuit attaqueraient sournoisement, comme ils savaient si bien le faire. Dans l'éventualité où une telle chose se produirait, même en comptant sur leurs capacités hors du commun, les membres du trio estimaient qu'il était peu probable qu'ils puissent s'en sortir sains et saufs. Pour cette raison, ils progressaient le plus rapidement possible, parfois même durant la nuit.

Même s'il ne gaspillait pas son énergie à dissimuler l'aura argentée qui l'entourait, Vonth'ak avait du mal à suivre ses compagnons. Toute sa vie, sa nature frêle avait été pour lui un handicap. Dans certains domaines, comme celui du combat, la magie avait pallié les manques du warrak. Pourtant, Vonth'ak avait trop souvent l'occasion de mesurer ses limites. À bout de force, il aurait volontiers abandonné ce voyage épuisant, mais la destination était pour lui beaucoup trop alléchante. À présent que Skeip était mort, le magicien n'avait plus aucun moyen de récupérer l'information qui se trouvait dans les vieux livres de magie. C'était la raison pour laquelle il avait insisté pour accompagner Ithan'ak. Comme ses compagnons, il désirait enrayer la menace qui planait sur le continent, mais une motivation bien plus personnelle animait ses membres endoloris.

— Depuis que j'ai fait ta connaissance, dit-il à l'intention d'Ithan'ak, mes pieds n'ont jamais autant souffert d'avoir parcouru de si grandes distances en si peu de temps.

— Si le voyage était trop ardu pour toi, répliqua sèchement Ithan'ak, tu n'avais qu'à t'abstenir de venir. Je sais que tu entretenais une amitié avec Skeip dans le seul but d'obtenir ses services. Tu ne voyais en lui qu'une créature apte à traduire tes précieux livres de magie. À présent qu'il est mort, tu espères pouvoir tirer ce savoir de l'homme à qui nous rendons visite. Je doute que Nicadème soit aussi ouvert à tes requêtes que l'était le keenox.

Ses paroles étaient très sévères, mais Ithan'ak n'avait pas entièrement tort. Même si Vonth'ak avait développé une certaine sympathie pour Skeip, il n'en restait pas moins que son principal intérêt était de déchiffrer les textes qui lui étaient pour l'instant inaccessibles. Ithan'ak l'avait toujours su, mais il n'y avait jamais porté grande importance, jusqu'à récemment. À présent que Skeip était mort, il avait l'impression que Vonth'ak n'avait pour seul regret que la perte du traducteur qu'il voyait en lui, ce qui était inacceptable pour le priman'ak. Toutefois, Vonth'ak avait un moyen bien à lui de remettre à sa place son accusateur, lorsque cela était nécessaire.

— J'ignorais qu'un véritable warrak laissait couler en lui de tels sentiments, railla le magicien. Je ne t'ai jamais vu pleurer les guerriers morts au combat. Il me semble étrange que tu t'attendrisses autant pour un keenox.

Depuis que le trio s'était mis en marche, Vonth'ak avait plusieurs fois tenu ce genre de discours, dans le but de repousser les attaques incessantes d'Ithan'ak. À chaque fois, il obtenait le résultat escompté ; le priman'ak se vautrait dans un silence total, qui pouvait parfois durer une journée entière.

Fork condamnait l'animosité qu'entretenaient les deux warraks, mais il ne trouvait jamais les mots ou les arguments pour démêler leurs disputes incessantes. À ses yeux, la mort du keenox était un drame et il était inutile d'y faire écho par des paroles hostiles. Parfois, plutôt que de s'immiscer dans leurs querelles, le bosotoss donnait un dur coup de massue sur le sol, ce qui suffisait à faire taire les deux warraks. À son grand regret, cette méthode ne fonctionnait pas à toutes les fois.

Chaque jour, les voyageurs se rapprochaient un peu plus de la forêt de Grownox, ce qui les poussait à progresser plus rapidement. Avec le temps, leurs inquiétudes s'étaient estompées et ils jugeaient peu probable d'être attaqués par les ombres meurtrières avant la fin de leur périple.

— Croyez-vous que les spectres de la nuit s'en sont pris aux braves que nous avons laissés derrière nous ? demanda un soir Ithan'ak, alors qu'il avait du mal à trouver le sommeil.

— Probablement, se désola Fork, mais tu as agi judicieusement en recommandant aux différents clans warraks de se disperser. Simcha a coordonné la même stratégie chez les Kalamdiens et les Küraniens. Les pertes sont inévitables, mais notre ennemi ne pourra tous les détruire en même temps.

— Une question demeure inéluctable, intervint Vonth'ak. Que sont les ombres meurtrières ? Nous savons que Xioltys arrive à les contrôler, mais je doute qu'il sache d'où elles proviennent. Comment pouvons-nous espérer vaincre ces créatures, sans savoir ce qu'elles sont ? Notre ignorance a déjà conduit à la mort des centaines d'âmes.

— Nicadème pourra nous éclairer à ce sujet, dit Ithan'ak.

— Tous nos espoirs reposent en cet homme, commenta Vonth'ak. Pourtant, tu m'as dit qu'il avait abandonné les siens durant l'Érodium. S'il était un couard à cette époque, rien ne nous assure qu'il aura davantage de courage pour combattre à nos côtés.

— Nous devons lui apporter un espoir de rédemption, raisonna Ithan'ak. Nous pouvons lui donner la chance qu'il attend depuis si longtemps. De plus, en comparaison avec Nicadème, Xioltys est un magicien inexpérimenté.

— Xioltys a eu accès à un savoir extrêmement rare, commenta Fork. Même avec l'aide que nous espérons obtenir, ce serait une erreur de le sous-estimer.

Un silence tomba et les trois compagnons fixèrent le ciel qui était particulièrement clair ce soir-là. Cela n'avait pas souvent été le cas depuis qu'ils avaient entrepris leur voyage. La lune était presque pleine et aucun nuage ne venait obstruer sa clarté.

— Je me demande où se trouve Elwym, dit Fork, qui regrettait de n'avoir pu procéder à une cérémonie pour l'hyliann, comme celle à laquelle avait eu droit Skeip.

— Je me posais justement la question, lui fit savoir Ithan'ak. Je sais que j'ai probablement tort, mais j'aime penser que l'âme d'Elwym réside en ce petit point lumineux.

Il pointait une étoile particulièrement brillante.

— Qu'en penses-tu ? demanda-t-il à Vonth'ak, mais la respiration du magicien avait ralenti et ses yeux s'étaient couverts pour la nuit.

Ithan'ak et Fork observèrent encore un moment les étoiles en silence, jusqu'à ce que le sommeil les submerge, comme il l'avait fait pour Vonth'ak.

Le trio reprit sa route tôt le matin, sous un ciel plus clément que les jours précédents. Puisqu'ils progressaient dans le royaume de Kalamdir, ils devaient continuellement éviter d'entrer en contact avec les habitants des différents villages près desquels ils passaient. En effet, la plupart des Kalamdiens ignoraient les récents événements qui avaient conduit leur roi à la mort et ils considéraient toujours les warraks comme leurs ennemis. Bien que les trois comparses ne se sentissent nullement menacés par les villageois constitués en grande partie de paysans, ils préféraient les éviter afin de ne pas être retardés, ce qui n'était pas toujours possible.

Alors qu'ils traversaient un étroit sentier qui coupait au milieu d'une petite forêt, les voyageurs arrivèrent face à face avec un convoi de villageois qui se dirigeait dans le sens opposé. La plupart d'entre eux semblaient nerveux ; certains étaient en état de choc. À la vue des warraks et du bosotoss, les enfants se mirent à pleurer et les femmes se recroquevillèrent sur leurs petits trésors, comme si elles craignaient qu'il leur arrive malheur. Les hommes, qui avaient peine à conserver leur sang-froid, pointèrent leurs piques et leurs fourches en direction des importuns. La peur était lisible sur leurs visages, ce qui ne les rendait pas moins agressifs.

Devant cette menace, Ithan'ak n'eut d'autre réflexe que de dégainer son glaive et d'adopter une position de combat. À sa gauche, Vonth'ak avait réuni ses deux mains, dans lesquelles il concentrait une quantité d'énergie qui grandissait rapidement. La situation dégénérait et les chances de dialoguer semblaient presque nulles. Le regard des warraks s'était teinté de rouge, signe que les villageois savaient interpréter. D'un instant à l'autre, le sang coulerait et il y avait de fortes probabilités pour que ce soit celui des hommes. Ceux-ci avaient eu la maladresse de provoquer les warraks, ce qui risquait de leur coûter très cher.

En quelques secondes, les mains d'Ithan'ak avaient resserré leur prise sur le pommeau de son arme, tandis que Vonth'ak avait réuni toute l'énergie nécessaire à une première offensive. Soudainement, les deux warraks se sentirent entraînés vers l'arrière et leurs pieds quittèrent le sol, alors que Fork les soulevait de ses énormes mains.

— Veuillez excuser mes amis, lança-t-il à l'intention des villageois hostiles. Ils ont un tempérament un peu trop bouillant, ce qui complique souvent des situations déjà épineuses.

— Monstre ! lança l'un des hommes. Tu n'endormiras pas notre vigilance aussi aisément. Nous savons qui vous êtes et surtout ce que vous avez fait.

Ithan'ak, mécontent, se débattait pour échapper aux trois gros doigts du bosotoss, ce qui ne donnait aucun résultat.

— Comme des ombres sanguinaires, continua l'homme, vous avez investi notre village dans la nuit pour brûler nos maisons et tuer nos familles.

Ces derniers mots étaient emplis de tristesse et d'accablement. Ithan'ak et Vonth'ak cessèrent de se débattre pour mieux observer leurs accusateurs. Leurs vêtements en lambeaux étaient couverts de suie, ainsi que leurs bras et leurs visages.

— Nous ne sommes pas responsables du malheur qui s'est abattu sur vous, dit Ithan'ak, retrouvant peu à peu son sang-froid.

— Les warraks sont en guerre contre le royaume de Kalamdir, argumenta un autre homme.

— La situation a beaucoup changé au cours des derniers jours, leur apprit Fork. Je crois que vous devriez prendre le temps d'écouter ce que j'ai à vous dire.

Comme les deux warraks semblaient s'être calmés, le bosotoss prit le risque de les déposer. Voyant que les villageois étaient prêts à écouter les explications de Fork, Ithan'ak rangea son glaive et s'assit sur un tronc d'arbre qui bordait le sentier.

Fork n'avait pas l'habitude de discourir devant un grand nombre de gens. Il se contenta donc d'étaler les faits s'apparentant aux récents événements. Tout d'abord, il relata la bataille durant laquelle les ombres meurtrières s'étaient immiscées, obligeant ainsi les opposants à unir leurs forces pour survivre. L'épisode concernant la mort du roi Limius scandalisa particulièrement les villageois, ce qui n'empêcha pas le bosotoss de continuer son récit. Il expliqua que le général Karst avait pris la fuite et que les autres généraux de Kalamdir avaient accepté de se mettre temporairement sous les ordres du prince de Küran.

— Il n'y a aucun prince au royaume de Küran, commenta une vieille femme. Il y a longtemps que les fils du roi Filistant ont péri à la guerre.

— L'un d'eux est toujours en vie, rectifia le bosotoss. De plus, il a récemment renoué des liens avec son père. Son nom est Simcha et il dirige actuellement les troupes de Kalamdir depuis la cité d'Ymirion.

Durant près d'une heure, Fork se démena à expliquer qu'une alliance entre les différents peuples avait été mise en place dans le but de repousser la menace des ombres. Il ne pouvait malheureusement donner aucun détail sur l'origine de ce nouvel ennemi, ce qui n'avait rien de rassurant pour les Kalamdiens qui venaient d'essuyer une attaque de leur part. De plus, le bosotoss évita soigneusement de leur dire que ses deux compagnons et lui-même se rendaient quémander l'aide d'un magicien, ce qui aurait pu créer des émois chez ses auditeurs. Après tout, la magie était proscrite depuis des centaines d'années sur le continent d'Anosios. Il était naturel de craindre cette force que la monarchie avait toujours décrite comme l'incarnation du mal.

Quoi qu'il en soit, lorsque les villageois reprirent leur route, ils avaient enfin accepté le fait que les warraks n'étaient plus leurs ennemis. Puisque la cité d'Ymirion semblait l'endroit le plus opportun pour se prémunir des ombres, ils décidèrent d'entreprendre le long voyage qui les mènerait à la capitale. La rencontre impromptue qu'ils avaient faite avec le bosotoss et les deux warraks leur avait fourni de précieuses informations sur l'état actuel du royaume de Kalamdir. Toutefois, Ithan'ak et ses compagnons avaient eux aussi obtenu un renseignement important.

— Nous n'avons aucunement distancé les ombres, s'inquiéta Vonth'ak.

Ithan'ak et Fork s'étaient fait la même réflexion. Cette nouvelle était pour eux très inquiétante et engendrait plusieurs hypothèses. Les ombres de la nuit étaient peut-être beaucoup plus rapides que le commun des mortels, à moins que celles qui s'étaient rendues coupables de l'attaque du village ne soient pas les mêmes qui avaient répondu à l'appel de Xioltys. Dans ce cas, cela voulait dire que leur nombre était plus important que ce qu'avait cru Ithan'ak.

— Il est impossible de tirer une conclusion formelle sur cette affaire, dit le priman'ak, sinon que le danger est imminent. Chaque fois que le soleil quitte le ciel, nous risquons d'être attaqués. Il est maintenant évident qu'aucun habitant d'Anosios n'est à l'abri, où qu'il soit.

— Hormis peut-être Nicadème et Xioltys, souligna Fork.

— Pour l'instant, rectifia Vonth'ak, Xioltys est aussi vulnérable que nous face aux spectres de la nuit. Comme je vous l'ai expliqué, je lui ai retiré suffisamment de sa force vitale pour le priver de ses pouvoirs durant plusieurs mois. Durant ce laps de temps, les ombres attaqueront de façon chaotique, comme elles l'ont toujours fait.

— Voilà pourquoi nous n'avons pas de temps à perdre, affirma Ithan'ak. Il nous faut trouver un moyen de détruire les ombres avant que Xioltys retrouve suffisamment de force pour les contrôler à nouveau.

Il fallut encore deux jours au trio pour atteindre la forêt de Grownox. À quelques reprises, ils avaient cru être suivis, mais cette méfiance ne s'était jamais révélée fondée.

La demeure de Nicadème était située au cœur de la forêt, ce qui signifiait que le voyage d'Ithan'ak et de ses acolytes n'était pas encore terminé. Alors qu'ils pénétraient sous le couvert des arbres et que la végétation devenait de plus en plus dense, leur attention fut graduellement absorbée par les feuilles, dont les teintes avaient quelque chose de surnaturel.

— J'avais oublié à quel point cette forêt est envoûtante, dit Fork d'un ton absent.

Comme le bosotoss, Vonth'ak regardait d'un air pensif les feuilles se détacher des arbres et reprendre une couleur naturelle. Son esprit pragmatique s'était laissé distraire par ce spectacle hors du commun. Pour un magicien, cet endroit avait quelque chose d'attractif.

En tête de file, Ithan'ak n'avait pas laissé ses pensées errer à la vue du spectacle qu'offraient les arbres peuplant la forêt de Grownox. Au contraire, le priman'ak était sur ses gardes, comme s'il s'attendait à être attaqué à tout moment. Il n'avait pourtant pas tiré son glaive, car il savait que le moment n'était pas encore venu.

Les voyageurs parcouraient la forêt depuis environ huit heures lorsque le priman'ak fit signe à Fork et à Vonth'ak d'arrêter.

— Ils approchent, dit-il à voix basse. Entendez-vous leurs sifflements ?

— Les créatures violacées ? demanda Vonth'ak. Je croyais que Nicadème les utilisait pour repousser les intrus. Puisqu'il te connaît, il ne devrait pas y avoir de danger.

— En principe, confirma Ithan'ak. Par contre, j'ignore si le vieil homme entretient constamment une communication avec ces petits monstres. Il est aussi possible que son désir soit de nous voir rebrousser chemin. Cet homme vit en ermite depuis des centaines d'années. Il est difficile de prévoir ses réactions.

— S'il ne retient pas les créatures qui protègent la forêt, s'alarme Fork, nous courrons à notre perte. Je croyais que tu savais ce que tu faisais.

Le bosotoss n'avait jamais vu les hideux personnages qui interdisaient l'accès à la forêt, mais la description qu'on lui en avait faite était suffisante pour l'inquiéter.

— Je sais très bien ce que je fais, dit fermement Ithan'ak. En contrepartie, je ne sais pas comment Nicadème va réagir.

La réponse du warrak n'avait rien de rassurant. D'autant plus que les sifflements stridents devenaient de plus en plus forts. Les trois compagnons, inquiets de la suite des événements, se préparèrent à combattre.

Une première créature apparut, environ cinq enjambées devant Vonth'ak. Ses cornes blanches et son estomac gonflé lui donnaient un aspect repoussant, mais c'est sa bouche qui était véritablement inquiétante. En effet, celle-ci couvrait la moitié du visage de la créature et elle était munie de plusieurs rangées de dents acérées.

En peu de temps, plusieurs créatures vinrent rejoindre la première, pour former un cercle compact autour des voyageurs. Aucune n'atteignait le tiers de la hauteur d'un warrak, mais elles étaient en nombre suffisant pour causer d'importants préjudices aux étrangers qui avaient pénétré sur leur territoire. Leurs sifflements étaient maintenant si bruyants qu'Ithan'ak, Fork et Vonth'ak se couvraient les oreilles de leurs mains, ce qui n'arrivait pas à les soulager.

— Vonth'ak ! hurla le bosotoss. Utilise ta magie pour les repousser.

Sa voix était presque inaudible.

— Non ! cria Ithan'ak à son tour. Ces monstres sont trop nombreux pour être tous éliminés d'un seul coup. Si nous montrons de l'agressivité envers eux, ils nous mettront en pièces.

La douleur infligée à leurs tympans était si intense que Fork et Vonth'ak n'arrivaient plus à réfléchir. Ils s'étaient recroquevillés sur le sol et leurs cris se mêlaient aux sifflements produits par les créatures violacées.

« Il s'agit de leur moyen de communication, raisonna Ithan'ak, qui était sur le point d'être réduit au même état que ses compagnons. Il faut espérer que ces êtres violacés sont en contact direct avec Nicadème. »

Le priman'ak fit de son mieux pour détourner ses pensées du bourdonnement qui s'immisçait dans sa tête, puis tenta de formuler un message pour le vieux magicien qui lui avait un jour servi de précepteur.

« Vous devez nous laisser passer, formula en pensée le priman'ak. Nous sommes venus vous apporter un espoir de rédemption. »

Le warrak voulut bonifier son plaidoyer intérieur, mais il lui était impossible de faire fi plus longtemps du vacarme que faisaient les créatures aux mâchoires disproportionnées. Il avait l'impression que sa tête allait exploser, si bien qu'il ne put résister plus longtemps à utiliser la force qui sommeillait dans son bras droit. Sans réfléchir, il accumula dans son bras une puissance magique considérable. Il ne savait pas vraiment ce qu'il faisait. D'une certaine façon, lorsqu'il était en danger, il utilisait la magie comme un réflexe. La meilleure comparaison qu'il avait trouvée était un œil qui cligne lorsqu'une poussière s'y introduit. Incapable de contrôler ses propres mouvements, il leva le bras droit vers le groupe de créatures qui se trouvaient devant lui. Ce fut seulement à ce moment que les sifflements cessèrent, presque d'un seul coup. Le calme subséquent au tumulte avait quelque chose de déconcertant, d'irréaliste. Le silence pesant luttait contre les acouphènes qui persévéraient à titiller les oreilles des trois acolytes.

Fork et Vonth'ak s'étaient relevés et lançaient des regards incrédules autour d'eux, comme s'ils n'arrivaient pas à comprendre ce qui était arrivé. La charge magique dans le bras d'Ithan'ak s'était dissipée et le warrak fit signe à ses compagnons de rester calmes.

— Ils nous accordent le droit de passage, dit-il.

Ses propres paroles résonnèrent dans sa tête, qui ne s'était pas encore remise du brouhaha qu'elle venait d'endurer.

— Je crois même que ces monstres essaient de nous montrer le chemin, commenta Fork.

Les deux warraks regardèrent dans la direction que pointait le colosse. Les sinistres êtres violacés avaient en effet rompu le cercle qu'ils formaient pour laisser un passage étroit.

— Nous n'avons pas le choix, déplora Vonth'ak, qui se méfiait toujours des dents acérées que montraient les créatures.

À contrecœur, Ithan'ak se faufila le premier dans ce qui devenait peu à peu une allée. En observant les protecteurs de la forêt former une longue file de chaque côté de lui, il comprit que Nicadème avait pris le contrôle de la situation et que le vieux magicien désirait conduire les visiteurs jusqu'à lui.

— Venez ! aboya Ithan'ak à ses compagnons qui hésitaient à le suivre.

Bien entendu, comme tous les warraks, Vonth'ak ne connaissait pas la peur. Néanmoins, il cultivait une grande méfiance, ce qui lui avait souvent profité dans le passé. Quant à Fork, il était indéniablement effrayé par les innombrables créatures qui s'aggloméraient autour de lui, comme un éléphant qui s'emporte à la vue d'une minuscule souris.

— Je n'ai pas peur, soutenait le géant. Je préfère seulement qu'ils restent loin de moi, afin d'éviter de les écraser.

L'attitude du bosotoss amusa les deux warraks, qui ne manquèrent pas de se moquer du colosse à l'aide de quelques remarques facétieuses. Celles-ci furent nombreuses, car la demeure de Nicadème était profondément enfoncée dans la forêt. Lorsque la nuit tomba et que la pénombre rendit la progression difficile, Ithan'ak déclara qu'il valait mieux attendre le matin pour continuer. Comme le priman'ak s'y attendait, Fork s'opposa à cette décision, ce qui n'empêcha pas son comparse de poser ses effets personnels et de commencer à s'installer pour dormir. Vonth'ak, qui avait puisé dans ses dernières réserves, fut ravi de l'imiter.

Fork, à son grand regret, n'eut d'autre option que de s'étendre près d'eux. Il lui était impossible de comprendre comment les warraks pouvaient penser à dormir alors que des dizaines, peut-être même des centaines, de regards violets étaient fixés sur eux. Lorsqu'il fermait les yeux, le bosotoss entendait les bruits de la forêt dans leurs moindres détails. Le hululement d'une chouette, les petits cris d'un écureuil mâle en quête d'une femelle, ou encore la stridulation d'un criquet. Ce paysage sonore, qui l'aidait généralement à s'endormir, le rendait plus nerveux que jamais. Chaque fois qu'il entendait un bruit de pas ou le froissement de la végétation, il ouvrait rapidement les yeux et regardait fébrilement autour de lui. À tous les coups, il constatait qu'il n'y avait aucun danger et s'injuriait pour sa couardise. D'une façon ou d'une autre, le bosotoss finit par rejoindre le monde des songes et y demeurer assez longtemps pour trouver le repos.

La clarté de l'aurore commençait à peine à s'infiltrer entre les branches des arbres lorsque le trio se remit en marche. Durant la courte escale nocturne, les créatures au ventre gonflé ne les avaient pas quittés un seul instant. Elles se fondaient aux mouvements des intrus d'une façon presque frénétique, comme si elles voulaient se jeter sur eux et en étaient incapables.

— J'ai l'impression qu'un de ces monstres s'apprête à me mordre à tout moment, se plaignit Fork.

— Ils nous montrent le chemin, dit simplement Ithan'ak. Il n'y a aucun doute que Nicadème les contrôle.

— Cela n'empêche pas leurs yeux de nous dévorer du regard, ne put s'empêcher d'ajouter le bosotoss.

— N'y pense plus, lui suggéra Ithan'ak. Bientôt, nous arriverons chez Nicadème et nous lui demanderons s'il est apte à mettre un terme aux activités des spectres de la nuit. S'il ne peut rien faire, nous aurons un problème beaucoup plus important que ces sordides créatures qui t'effraient tant.

Chapitre 4

À peine trois heures de marche les séparaient de la demeure du magicien, ce qui parut une éternité à Fork. Ce fut avec soulagement qu'il vit les créatures violacées cesser de les suivre, lorsqu'ils arrivèrent au pied de l'arbre géant dans lequel vivait Nicadème. Il était évident que le feuillu avait grandi de façon surnaturelle, car sa taille démesurée n'était en rien comparable à celles des arbres qui peuplaient la forêt de Grownox.

— Cet arbre est si grand qu'il est étonnant que nous ne puissions pas le voir depuis l'orée de la forêt, commenta Fork.

— Nicadème est encore plus puissant que ce que je m'imaginais, renchérit Vonth'ak. Comment fait-on pour entrer ?

— Je l'ignore, avoua Ithan'ak. Lorsque je suis venu la première fois, je m'étais éveillé dans un lit, sans savoir de quelle façon j'étais arrivé là. Je sais que Nicadème à la faculté de se déplacer d'un endroit à un autre en un instant. Je ne serais donc pas surpris qu'il n'y ait pas de porte conventionnelle.

— Vous supposez de façon très juste, intervint le vieil homme, qui était apparu derrière ses trois visiteurs.

Il était tel qu'Ithan'ak l'avait décrit à ses compagnons. Comme Vonth'ak, le vieillard barbu était enveloppé d'une aura argentée, beaucoup plus intense que celle du warrak. Dans sa tunique bleue et dorée, il dégageait un certain prestige et inspirait le respect. La multitude de pendentifs à son cou, ses nombreuses bagues et sa mince couronne argentée auraient pu trahir chez lui une extravagance peu commune, mais il était facile de deviner que le magicien ne portait pas ces objets que pour leur seule parure. Ses yeux, qui n'avaient rien perdu de leur vivacité, examinaient Vonth'ak comme si le warrak était un animal étrange.

Ithan'ak voulut engager la conversation, mais Nicadème leva la main pour lui signifier de se taire. Il continua d'observer Vonth'ak un moment, puis accorda enfin son attention au priman'ak et au bosotoss.

— Vous osez amener un magicien jusque dans mon antre, dit-il à l'intention d'Ithan'ak.

— Ne suis-je pas moi-même doté d'une certaine magie ? répliqua le warrak, qui devinait que Nicadème n'était pas vraiment offusqué.

Au contraire, le vieillard semblait fasciné par Vonth'ak, vers qui il jetait sans cesse de petits regards furtifs. Lorsqu'il avait ressenti la mort d'Antos, Nicadème avait cru qu'il était le dernier survivant d'une élite à jamais disparu. La magie avait perdu la place qu'elle avait autrefois occupée et les rares individus susceptibles d'apprendre à la maîtriser mettaient tout en œuvre pour dissimuler leur différence. La vue de Vonth'ak était pour lui surréaliste, surtout que le warrak était imprégné par l'énergie de son ancien maître.

— Comme vous, dit Nicadème, je fus un jour l'élève d'Antos.

Vonth'ak, à qui Ithan'ak n'avait pas révélé ce détail, arqua un sourcil, signe qu'il était étonné par ce qu'il venait d'apprendre. Contrairement à Nicadème, ses facultés magiques n'étaient pas suffisamment développées pour lui permettre de voir si le vieux magicien avait en effet été l'élève d'Antos. Néanmoins, le warrak n'avait aucune raison de suspecter Nicadème de lui mentir.

— Je n'ai malheureusement pas eu droit à un enseignement digne de ce nom, dit amèrement Vonth'ak. Mes pouvoirs sont à peine suffisants pour combattre Xioltys, un magicien qui a tout appris dans les livres de la grande bibliothèque d'Ymirion.

— Il y a un magicien à Ymirion ! s'étonna Nicadème.

Cette fois, le vieillard paraissait profondément troublé.

— Il y a longtemps que je ne me suis pas mêlé des affaires courantes de ce monde, dit-il pour lui-même. Deux nouveaux magiciens arpentent désormais le continent d'Anosios. Je ne m'étais pas rendu compte que la magie commençait à reprendre progressivement la place essentielle qu'elle occupait autrefois. Quoi de plus normal que l'un des nouveaux venus ait trouvé refuge dans la majestueuse capitale de Kalamdir ?

— Il n'y a plus de magicien à Ymirion, commenta Ithan'ak, qui désirait ramener Nicadème à la réalité. Le tyran qui régnait sur Kalamdir a été éliminé et son magicien demeure introuvable. C'est pour cette raison que nous sommes venus vous voir.

— Jadis, dit Nicadème, bien avant ma naissance, le roi Kalam fut celui qui trouva la force de protéger le continent d'Anosios contre les envahisseurs. Il est dommage de constater que sa descendance ne fit pas aussi judicieusement usage de son autorité. Quoi qu'il en soit, je crois que je vais avoir besoin de quelques explications supplémentaires.

Rapidement, Ithan'ak résuma au vieil homme les récents événements qui avaient bouleversé la vie des différents peuples sur le continent. Nicadème fut heureux d'apprendre qu'Ackémios, l'hyliann d'or, était toujours en vie. Les différentes intrigues impliquant le roi Limius et le général Karst n'avaient pas grand intérêt pour le magicien, qui jugeait avec sévérité le monde qu'il avait un jour abandonné. Il fut plus réceptif lorsque le priman'ak fit référence au dénommé Xioltys, sans pour autant se montrer véritablement captivé par le récit de la guerre à laquelle il ne souhaitait pas prendre part. Ce n'est que lorsqu'il fut question des ombres meurtrières qu'il devint soudainement plus alerte.

Il demanda à Ithan'ak s'il était bien certain qu'il ne s'agissait pas d'un peuple venu d'un autre continent, ce que le warrak s'empressa de réfuter. Comme Nicadème n'était toujours pas convaincu, Vonth'ak ajouta qu'il avait décelé un pouvoir surnaturel chez les spectres de la nuit. Il fut aussi question du Diphamtriorphe, la statue antique située sur les plaines de Kalamdir, qui avait la particularité de repousser les ombres. Nicadème absorbait chaque détail que pouvaient lui fournir Ithan'ak et ses deux compagnons. Sa curiosité était indubitablement piquée, ce qui lui donnait un air plus humain et plus jeune qu'en temps normal.

Lorsqu'il eut terminé d'assimiler toute l'information qu'il venait d'acquérir, il fit apparaître un somptueux fauteuil rouge au milieu de la végétation, dans lequel il s'assit d'un air songeur.

— Vous dites qu'un certain Xioltys peut contrôler ces ombres grâce à un enchantement ou un sortilège que lui aurait traduit votre ami keenox ? vérifia le magicien.

— C'est exact, confirma Ithan'ak. Malheureusement, le keenox est mort et il était probablement le dernier de sa race. De plus, le livre qu'a utilisé Xioltys n'est pas en notre possession, s'il existe toujours.

— Si j'ai bien compris, continua le vieillard, ces créatures ont une volonté propre. Même si vous arriviez à éliminer Xioltys, elles ne cesseraient pas de faire des ravages sur le continent. Il semble donc que vous soyez dans une impasse.

Le magicien semblait en savoir davantage qu'il ne voulait laisser paraître, ce qui irritait fortement Ithan'ak.

— Dois-je vous répéter une nouvelle fois que c'est pour cette raison que nous sommes venus jusqu'à vous ? s'impatienta le priman'ak.

Fork et Vonth'ak, qui ignoraient si le vieux magicien était susceptible, se contentaient de laisser Ithan'ak s'entretenir avec lui. L'homme et le warrak se livrèrent à une argumentation silencieuse, dont l'issue demeurait incertaine. Des moustiques venaient agacer le cou et les oreilles d'Ithan'ak, mais il ne s'en souciait guère. Toute son attention était portée sur le vieux magicien qui refusait de lui apporter son aide.

« Il y a longtemps que je ne prends plus part aux ridicules conflits qui rongent ce monde », dit le vieillard en pensée.

« N'est-ce pas pour avoir autrefois abandonné les vôtres que vous craignez aujourd'hui le jugement des dieux ? répliqua Ithan'ak. Je vous offre une chance de corriger vos erreurs du passé. Il serait mal avisé de ne pas considérer cette opportunité ».

— Ce n'est pas mon bras que le dieu de la guerre a doté de facultés hors du commun, dit tout haut le vieillard d'un ton courroucé. J'avais toutes les compétences pour accueillir ce précieux don, mais il ne m'a pourtant pas choisi. Il m'apparaît clairement que je ne suis pas destiné à enrayer le danger qui risque d'entraîner le continent dans la destruction.

— Qui sommes-nous pour prétendre comprendre le dessein des dieux ? demanda Ithan'ak. Lorsque Kumlaïd a pourvu mon bras droit de magie, j'étais certain qu'il désirait que j'utilise ce pouvoir pour combattre le roi Limius, qui menaçait d'étendre sa tyrannie à tout le continent d'Anosios. J'étais alors loin de me douter que la véritable menace résidait dans les manifestations toujours plus redoutables des ombres meurtrières.

— J'ignore ce que sont ces spectres de la nuit, cracha Nicadème. Je n'ai donc aucune solution à vous apporter. Vous vous adressez à la mauvaise personne.

Il était évident que le vieillard mentait dans le but qu'on le laisse tranquille.

— Si un magicien de votre envergure ne peut rien faire pour nous aider, intervint Vonth'ak, j'aimerais savoir qui nous prêtera main-forte.

— Vous connaissez la tâche qui est la mienne, dit le vieil homme en s'adressant à Ithan'ak. Ce qui repose sous ma demeure est pour moi beaucoup plus important que vos problèmes insignifiants.

Le priman'ak savait que Nicadème faisait allusion à l'œuf duquel un dieu sortirait un jour. Le vieux magicien voyait en cet œuf son seul espoir de rédemption et il refusait d'être détourné de la tâche qu'il s'était confiée.

— Vous avez peur de quitter cet endroit, dit Ithan'ak, dont les arguments s'amenuisaient.

— Vous ignorez tout de moi ! s'emporta le magicien. Je vivais ici bien avant votre naissance et j'y serai toujours lorsque vous serez mort depuis longtemps. Votre existence et celle de vos contemporains n'ont aucune valeur à mes yeux.

— Voilà pourquoi vous avez perdu la faveur des dieux, siffla Ithan'ak entre ses dents.

Le visage de Nicadème était rouge de colère. Des spasmes de rage traversaient l'ensemble de son corps, comme s'il avait accumulé une trop grande charge magique, qu'il se retenait de lancer contre son accusateur.

— Je crois que nous avons suffisamment importuné Nicadème, intervint Fork, avant que la situation soit hors de contrôle. Je suggère que nous lui laissions le reste de la journée pour méditer à propos de ce qui vient d'être dit. Nous quitterons cet endroit demain matin, avec ou sans son appui.

Ithan'ak voulut répliquer, mais le bosotoss lui lança un regard noir qui l'incita à se taire. L'attitude calme du colosse avait déconcerté le vieil homme, qui balbutia quelques mots de remerciement puis disparut d'une façon que les trois compagnons n'auraient pas su décrire.

— La journée est encore jeune, souligna Vonth'ak. Allons-nous attendre au pied de cet arbre géant jusqu'à demain ? Je croyais qu'il allait nous offrir l'hospitalité, comme il l'avait fait pour Ithan'ak.

— Je crois que je l'ai un peu trop secoué pour que nous puissions espérer tirer de lui le peu de civilité qu'il lui reste, avoua le priman'ak. Je suis désolé.

Vonth'ak était très contrarié de ne pouvoir visiter la demeure de Nicadème. Durant tout le voyage, il s'était figuré que le vieillard mettrait à sa disposition les connaissances auxquelles le warrak aspirait tant. Il avait l'impression qu'une source de savoir intarissable lui glissait entre les doigts, ce qui créait en lui une profonde amertume. Il jetait sans cesse des regards emplis de reproches à Ithan'ak. Les deux warraks s'étaient enlisés dans un silence lourd, que même Fork n'osait pas briser. De son côté, le bosotoss était lui aussi désappointé de ne pouvoir pénétrer dans l'antre du vieux magicien. Contrairement à Vonth'ak, il n'aspirait pas à élargir ses connaissances. Sa motivation était de se prémunir contre les créatures violacées qui lui déplaisaient au plus haut point.

En cette période de l'année, les insectes étaient très actifs et les moustiques se délectaient du festin que représentaient pour eux les trois individus qui étaient contraints d'attendre dans la forêt. La chaleur et l'humidité étaient aussi de la partie, ce qui rendait le temps extrêmement long.

— Il a au moins laissé le fauteuil, dit Fork, qui tenta de s'y asseoir.

Malheureusement, le siège du magicien était trop étroit pour le colosse, qui dut céder la place à Vonth'ak.

— J'ai horreur de perdre mon temps, s'exaspéra Ithan'ak en faisant les cent pas. Si ce vieux fou refuse de nous aider, nous n'aurons plus aucun moyen de nous débarrasser des ombres meurtrières.

— Il n'y a jamais qu'une seule solution à un problème, commenta sagement Fork. Tu m'as toi-même dit qu'Ackémios essayait de découvrir l'origine des spectres de la nuit. S'il y parvient, il nous sera plus facile d'élaborer une stratégie pour les maîtriser.

— Si Nicadème refuse de nous aider, commenta Vonth'ak, notre tâche la plus urgente sera de débusquer et d'éliminer Xioltys. Nous devons l'empêcher à tout prix de prendre le contrôle des ombres et de coordonner leurs attaques.

Ithan'ak, qui refusait toujours de s'adresser au magicien, se contenta d'approuver d'un signe de la tête.

Lorsque le soleil termina sa course dans le ciel, l'air se rafraîchit un peu et devint plus confortable. Fork, qui n'avait presque pas dormi la nuit précédente, fut le premier à roupiller, après avoir engouffré quelques vivres qu'il avait entassés dans un grand sac de toile brune.

Le jour était à peine levé au moment où Nicadème apparut de nouveau au pied de sa demeure. D'un geste éloquent, il obligea Vonth'ak à quitter le fauteuil rouge, dans lequel il s'installa, un livre à la main.

— Avez-vous enfin décidé de nous prêter assistance ? lui demanda Ithan'ak, sans se perdre en politesses.

— Approchez ! dit sévèrement le vieillard en levant la main d'une façon étrange.

Malgré lui, Ithan'ak sentit une force invisible l'attirer vers l'avant. Lorsque le warrak fut suffisamment près, Nicadème relâcha son emprise et le priman'ak tituba en prenant garde de ne pas trébucher sur une racine. Devant lui, le vieil homme avait ouvert son livre et l'avait retourné pour permettre au warrak d'y jeter un œil.

— De quoi s'agit-il ? demanda Ithan'ak, dont la curiosité prenait le dessus.

— À vous de me le dire, rétorqua le magicien. Êtes-vous capable de déchiffrer ce qui est inscrit sur cette page ?

Fork et Vonth'ak furent intrigués par la requête du vieil homme, car ils avaient toujours cru qu'Ithan'ak ne savait pas lire ; et ils avaient raison. Le priman'ak n'avait jamais appris à interpréter la multitude de symboles qui permettaient de transposer le langage sur le papier. Néanmoins, il avait récemment découvert une façon moins courante de tirer l'information que recelaient les livres.

Sans se préoccuper de ses deux compagnons qui l'observaient scrupuleusement, Ithan'ak posa ses doigts sur le livre que

Nicadème lui tendait. De son bras droit émergea une lueur argentée. Cette particularité du priman'ak n'était pas étrangère à Vonth'ak, qui avait la faculté de voir continuellement l'aura qui entourait le bras d'Ithan'ak. Depuis peu, celle-ci devenait visible à la vue de tous lorsque le warrak utilisait le pouvoir que lui avait confié le dieu de la guerre.

— Que voyez-vous ? l'encouragea Nicadème.

Le priman'ak se concentra davantage et les symboles dans le livre s'illuminèrent. Cette manifestation stupéfia Vonth'ak, qui ignorait Ithan'ak capable d'un tel prodige.

Contrairement à l'Ominiak, la prière divine que le priman'ak avait déchiffrée au cercle de pierre, les écritures qui couvraient la page qu'il essayait de lire refusaient de prendre une forme intelligible dans son esprit. Des picotements commençaient à assaillir son bras, alors qu'il s'efforçait d'interpréter l'écriture qui se dérobait à lui. Le sang lui montait à la tête, ce qui ne l'empêchait pas de persévérer. Le fourmillement dans son bras s'était transformé en une douleur aiguë et il était victime d'un étourdissement général.

— C'est inutile, déclara Nicadème en refermant le livre d'un seul coup. Comme vous, je n'y suis pas arrivé. J'espérais que la magie dont vous a fait don Kumlaïd serait différente de la mienne et vous permettrait de mettre à nu les informations que contient ce vieux bouquin. Je suis déçu de constater qu'il n'en est rien.

— Comment se fait-il que nous ne puissions pas utiliser la magie pour interpréter ce livre ? s'étonna Ithan'ak.

Nicadème lui expliqua qu'il s'agissait d'un objet protégé par un puissant enchantement, qui empêchait quiconque de s'emparer d'un savoir qui lui était défendu. Selon le vieillard, la seule façon de décoder le livre était d'en connaître le langage. Malheureusement, cette langue ancienne était disparue depuis longtemps et Antos, la dernière personne qui avait eu accès à ce savoir, était mort sans transmettre sa précieuse connaissance.

— Puisque nous sommes dans l'impossibilité de déchiffrer la langue ancienne dans laquelle mes prédécesseurs consignaient leur magie, déclara Nicadème, je ne peux vous aider. Il n'existe aucun moyen en mon pouvoir pour repousser les ombres meurtrières.

— Votre demeure est pourtant à l'abri, s'emporta Ithan'ak. Me tromperais-je en affirmant que vous n'avez rien à craindre de ces créatures maléfiques ?

— J'habite sur un lieu de pouvoir, répondit le vieillard d'un ton neutre. En effet, la puissante magie dont est investi cet endroit suffit à repousser ces abominations.

— Le Diphamtriorphe possède cette même propriété, s'intéressa Fork.

— Je doute qu'il s'agisse du même phénomène, affirma Nicadème. Cette antique statue possède peut-être son propre système de protection. Quoi qu'il en soit, je n'ai pas l'intention d'offrir l'asile à tous ceux qui voudraient se prémunir des ombres meurtrières et je doute que vous puissiez entasser plus de cent individus autour du Diphamtriorphe. La population du continent d'Anosios est donc appelée à disparaître, alors que les spectres de la nuit étendront leur domination à laquelle nul ne pourra s'opposer.

Le vieux magicien avait prononcé cette dernière phrase d'une façon détachée, comme si tout cela ne le regardait pas. Il ne démontrait aucune empathie vis-à-vis du sort funeste qui guettait la population d'Anosios. Cet aspect de sa personnalité faisait de lui un personnage immonde aux yeux d'Ithan'ak, de Fork et de Vonth'ak.

— Vous n'avez plus rien d'un homme ! l'insulta le priman'ak. Vous regardez la mort se répandre autour de vous sans même daigner y manifester la moindre opposition. Je suis certain qu'il y a un moyen d'arrêter le fléau qui s'abat désormais sur tous les peuples du continent. J'attends de vous au moins un indice ou une piste à suivre et je n'hésiterai pas à utiliser la force pour l'obtenir.

Il aurait aimé utiliser la magie pour contraindre le vieux magicien à obtempérer, mais Ithan'ak savait qu'il était loin d'être à la hauteur. Son réflexe fut donc de tirer son glaive et de le pointer en direction de l'homme récalcitrant.

— Parlez ! ordonna-t-il, ou vous goûterez à ma lame.

Nicadème observa le warrak avec une certaine fascination. L'arme de ce dernier ne représentait aucunement une menace pour le vieillard, qui aurait pu renverser la situation en un instant. Il essayait de comprendre pourquoi Ithan'ak défendait une cause perdue d'avance, ce qui demeurait un mystère pour un vieil ermite qui s'était toujours soustrait au danger. Le priman'ak adoptait une attitude radicalement opposée à la sienne, ce qui rappelait à Nicadème la personnalité charismatique d'Antos, son défunt maître.

— Si je me suis tu jusqu'ici, dit le vieillard, c'était dans votre intérêt. Il y a en effet un moyen d'opposer une résistance aux ombres meurtrières, mais les chances de réussir sont tellement infimes qu'il est presque ridicule d'en parler.

— Continuez, le poussa Ithan'ak, qui refusait d'abaisser sa lame.

— Même si vous réussissiez l'impossible, renchérit Nicadème, je ne peux vous assurer que cela vous permettrait de vaincre votre ennemi.

— Je préfère tenter ma chance plutôt que de ne rien faire, répliqua Ithan'ak sans broncher.

— Si vous suivez le chemin que je vous indique, lui révéla Nicadème, vous connaîtrez la mort. Êtes-vous prêt à un tel sacrifice ?

Cette fois, Ithan'ak s'abstint de donner une réponse à la hâte. Ce qu'il venait d'apprendre était lourd de conséquences.

— Êtes-vous certain de ce que vous affirmez ? s'informa-t-il auprès du vieil homme.

— Mes facultés sont suffisamment développées pour me permettre de consulter l'avenir des individus de mon choix. Je ne peux entrevoir que des événements marquants, mais il est impossible de me tromper. La nuit dernière, j'ai longuement médité sur les événements qui se préparent. Je peux vous assurer que si votre décision est de suivre la piste que vous attendez de moi, vous connaîtrez une mort certaine.

Nicadème n'aurait pu être plus clair. Pour préserver le continent des ombres meurtrières, Ithan'ak devait s'engager dans une aventure à laquelle il ne survivrait pas et dont les chances de réussite étaient si insignifiantes qu'aucun être sensé n'y aurait accordé de l'intérêt.

Pendant que le priman'ak était animé d'un profond débat intérieur, Vonth'ak observait avec intérêt Nicadème, en se demandant si le vieillard s'était aussi penché sur son avenir. Ce dernier capta la pensée du warrak et le fixa d'un air accusateur.

— Votre avenir n'est pas plus reluisant, dit-il, sans relâcher la prise de son regard. Il semblerait que vous êtes appelé à trahir un ami en retournant vos pouvoirs contre lui.

— Vous sous-entendez que je vais tenter de tuer un de mes proches, s'offusqua Vonth'ak. J'avoue que je ne suis pas quelqu'un de très sociable, mais je n'irais pas jusqu'à tenter de donner la mort à l'un de mes compagnons.

— C'est pourtant ce que vous allez faire, le contredit Nicadème.

— Très bien ! les interrompit Ithan'ak, qui ne voulait pas en entendre davantage ; ma décision est prise. Si je dois mourir, ce ne sera pas en fuyant devant l'ennemi. Dites-moi ce que je dois faire et je mettrai un terme aux activités des spectres de la nuit.

Le priman'ak ne paraissait pas troublé par la déclaration que Nicadème venait de faire à propos de Vonth'ak. D'une façon ou d'une autre, il avait l'intention d'enrayer la menace des ombres.

Voyant que le warrak était déterminé et que rien ne pourrait le faire changer d'avis, Nicadème accepta de lui faire part du peu d'information qu'il détenait.

— Votre seule option est de retrouver les souterrains d'Asilbruck, déclara-t-il. Je suis presque certain qu'il est possible d'y accéder à un endroit précis à l'est du continent d'Anosios, mais les coordonnées exactes sont perdues depuis des millénaires. Je doute qu'à vous trois vous puissiez découvrir ce secret enfoui depuis si longtemps ; libre à vous d'essayer.

— Que trouverons-nous dans ces souterrains ? s'enquit Ithan'ak.

— Je ne vous rendrais pas service en répondant à cette question, dit le vieux magicien.

Sans rien ajouter, il tourna les talons et s'éloigna en longeant l'arbre géant. Au bout d'un moment, Ithan'ak, Fork et Vonth'ak entendirent le bruit distinctif qui leur permettait de croire que le magicien était disparu pour se matérialiser quelque part dans sa demeure. Le fauteuil rouge s'était lui aussi envolé.

— Que faisons-nous ? demanda Fork, d'un ton presque désespéré.

— Exactement ce qu'il a dit, déclara Ithan'ak. Si les souterrains d'Asilbruck dont il a parlé sont véritablement à l'est d'Anosios, nous n'avons pas une minute à perdre.

Le priman'ak observa le soleil afin de déterminer la direction qu'il devait prendre, puis il s'enfonça de nouveau dans la forêt. Fork et Vonth'ak demeurèrent sur place un moment, comme s'ils ne pouvaient croire qu'Ithan'ak espérait vraiment retrouver l'entrée de tunnels dont même l'existence était incertaine.

— Il ne renoncera jamais, souligna Fork, d'une façon autant affligée qu'admirative.

Résigné, il s'empressa de rejoindre Ithan'ak, suivi de près par Vonth'ak. La piste que Nicadème leur avait laissée était bien mince, mais retrouver les souterrains perdus d'Asilbruck, dont ils ignoraient tout, était leur dernier espoir.

Chapitre 5

Cher père,

Votre dernière lettre laissait entendre votre désappointement quant aux choix que j'ai faits récemment. Je sais que votre souhait était de me voir rentrer au palais d'Estragot et ainsi prendre la place qui me revient à vos côtés. Comme vous l'avez si bien mentionné, le peuple du royaume de Küran doit pouvoir compter sur le prince héritier pour veiller sur leurs foyers. Il s'agit d'une requête légitime, plus particulièrement durant une période d'agitation et d'insécurité comme celle que nous traversons actuellement. Je tiens donc à vous expliquer la raison pour laquelle je m'entête à refuser de retourner vers vous, ce qui n'a rien d'un caprice personnel. En effet, en dirigeant l'armée des Kalamdiens depuis la cité d'Ymirion, je suis persuadé de servir davantage les citoyens du royaume de Küran.

Depuis la tragédie que plusieurs nomment maintenant « la bataille des ombres », l'armée de Kalamdir est sans roi et sans chef. Le décès du roi Limius – bien que cet homme fût en tout point l'exemple d'un tyran cruel et impitoyable – creuse un profond fossé dans l'organisation de son royaume. Le défunt roi, dans un délire d'invulnérabilité, n'avait pris aucune disposition en vue de son éventuelle disparition. Voilà pourquoi les citoyens de Kalamdir se sont tournés vers moi pour que j'assure la régence de leur territoire, qui est de loin le plus vaste du continent. Avec humilité, j'ai accepté cette tâche qui m'était confiée, avec les lourdes responsabilités qui en étaient indissociables. En effet, les ombres meurtrières continuent de semer la mort autour d'elles et Kalamdir semble être leur territoire de prédilection. Je ne prétends pas être en mesure d'éradiquer ce fléau qui s'abat sur nous plus férocement que le plus puissant des ouragans, mais je fais de mon mieux pour contenir l'hémorragie dont souffre le peuple. Les soldats de Kalamdir sont courageux et je suis chaque jour témoin d'actes de bravoure dont même un père ne pourrait être plus fier.

Peut-être aurez-vous déjà compris qu'en soutenant le royaume de Kalamdir je tente de mettre en échec les ombres meurtrières avant que leur action s'étende jusqu'à notre précieux royaume de Küran, si ce n'est déjà fait. Comme je vous l'ai déjà mentionné, je ne connais aucun moyen de repousser ces créatures de la nuit. Toutefois, j'ai donné toute ma confiance au chef suprême des forces warraks, le priman'ak, qui est probablement le seul individu capable de mettre un terme au carnage dont nul n'est à l'abri. Vous avez eu l'occasion de recevoir Ithan'ak dans votre demeure et je suis convaincu que vous aurez su remarquer ses qualités exceptionnelles. J'avoue avoir longtemps été récalcitrant à l'idée de confier notre destin entre les mains de ce warrak, mais je dois admettre que ce n'était que pure jalousie de ma part. J'ai donc mis mon orgueil de côté et je concentre tous mes efforts à protéger non seulement les Kalamdiens, mais bien tous les peuples d'Anosios.

J'ose espérer que vous saurez tirer une certaine fierté de la maigre contribution que j'apporte à la guerre dans laquelle nous sommes plongés malgré nous.

Simcha, alias votre fils Silius.

L'homme borgne posa sa plume et relut ce qu'il venait d'écrire. Pouvoir s'adresser ainsi à son père était pour lui étrange et déstabilisant. Avant même de devenir un homme, il avait déserté le palais d'Estragot pour s'engager dans la piraterie. À l'époque, cela lui avait semblé le meilleur moyen de s'opposer à la volonté de son père, qui était de soutenir les actes répréhensibles du royaume voisin, gouverné par le roi Limius. Ses convictions étaient telles qu'il n'avait jamais remis les pieds dans la demeure de ses ancêtres, jusqu'à récemment.

— Votre écriture est très soignée, dit Kamélia, ce qui fit sursauter Simcha.

Depuis un bon moment, l'ambassadrice de Lelmüd s'était postée derrière lui et l'observait écrire.

— J'ignorais que vous pouviez être aussi sentimental, continua-t-elle, ignorant le regard empli de reproches du pirate.

En vérité, elle ne voyait pas Simcha comme un flibustier. Au contraire, depuis qu'il avait dévoilé au grand jour la noblesse qui coulait dans ses veines, il avait progressivement adopté un comportement qui se rapprochait davantage du prince que du vulgaire bandit aux motivations douteuses. Quoi qu'il en soit, Kamélia venait de plonger sans permission dans l'intimité de Simcha et ce dernier ne manqua pas de lui exprimer son mécontentement.

— Les hylianns n'apprennent-ils pas à cogner aux portes ? lui demanda-t-il d'un ton énervé.

L'ambassadrice ne releva pas la question et se concentra plutôt sur un rouleau de parchemin qu'elle tenait à la main. Il s'agissait d'un rapport envoyé par Toran, le chef des cavaliers de la plume argentée.

— Trois villages ont été attaqués par les ombres, dit-elle en tendant la missive à Simcha. Leurs apparitions sont de plus en plus fréquentes et ne semblent obéir à aucun schéma.

— C'est une bonne nouvelle, déclara l'homme borgne, en parcourant rapidement le contenu du rouleau. Tant que ces créatures agiront de façon chaotique, cela signifie que Xioltys est toujours hors d'état de nuire. Comme vous, je déplore les nombreuses vies qui sont prises à chacune de leurs attaques, mais nous ne pouvons rien faire de plus que ce que nous faisons déjà. Les warraks et les cavaliers de la plume argentée arpentent le continent dans le but de défendre ses habitants et d'amasser davantage d'informations sur les spectres de la nuit. Les Kalamdiens, sous mon commandement, établissent des fortifications dans chaque région, où les paysans peuvent se rendre en cas de besoin. Je sais pertinemment que tous nos efforts ne sont pas récompensés à leur juste valeur, mais nous devons persévérer. Bientôt, Ithan'ak sera de retour avec le moyen de détruire notre ennemi ; j'en suis persuadé.

— Je respecte la bravoure et la dévotion d'Ithan'ak, dit tristement l'ambassadrice, mais je crains que la tâche qu'il s'est lui-même confiée soit trop lourde pour lui. Même si son entreprise était couronnée de succès, le temps joue contre nous. Bientôt, si nous ne faisons rien pour l'empêcher, nous n'aurons plus personne à défendre.

Simcha était surpris d'entendre des propos aussi défaitistes de la part de Kamélia. Celle-ci n'avait pas l'habitude de se laisser abattre ainsi et le pirate soupçonnait qu'elle lui cachait quelque chose.

— Qu'y a-t-il ? lui demanda-t-il doucement, en l'invitant à s'asseoir sur un banc près de lui. Je vous connais encore très peu, mais suffisamment pour savoir que vous ne seriez pas dans cet état sans une bonne raison.

Kamélia ne pleurait pas, mais la honte se lisait sur son doux visage argenté. Sans dire un mot, Simcha attendit patiemment que les émotions qui rongeaient l'ambassadrice fassent leur travail, puis il lui donna un baiser sur le front.

— J'ignore si vous me jugez digne de partager votre peine, lui dit-il, ce que je serais heureux de faire pour soulager votre douleur.

L'hyliann prit une grande respiration et tenta de retrouver son calme. Comme elle ne pouvait pas soutenir le regard du pirate, elle l'attira à côté d'elle sur le long banc de bois et se blottit contre son épaule.

— J'ai reçu un message du haut conseil des hylianns, lui confia-t-elle. Ces pleutres refusent que notre peuple s'implique dans le conflit qu'ils jugent ne pas être le leur.

Elle n'avait pas besoin d'en dire davantage pour que Simcha comprenne la raison de son chagrin. Il savait qu'elle ne pouvait supporter de voir les différents peuples s'unir pour combattre la souffrance, alors que les siens ne daignaient pas lever le petit doigt. Selon elle, cela n'était pas digne des hylianns et de l'enseignement qu'ils avaient reçu.

Ils demeurèrent longtemps immobiles, silencieux, comme s'ils craignaient qu'un geste ou une parole puisse les séparer. Depuis la mort d'Elwym, l'ambassadrice éprouvait un profond sentiment de culpabilité et elle laissait rarement Simcha l'approcher.

— Ackémios, l'hyliann d'or, souhaiterait s'entretenir avec Simcha, prince de Küran et régent de Kalamdir, annonça un officier.

Kamélia se détacha vivement du pirate, comme s'ils venaient d'être pris en flagrant délit. Gênée, elle fit signe à l'officier de disposer, tout en prenant soin de remettre sa chevelure en ordre.

— Il est peut-être venu nous annoncer qu'il a repris la tête du haut conseil et que les hylianns prendront bientôt les armes, dit-elle nerveusement.

— Il n'y a qu'un moyen d'en être certain, déclara Simcha en se levant.

Ensemble, ils quittèrent les appartements du pirate et empruntèrent le couloir de droite en direction de la salle du trône. Comme l'avait annoncé l'homme qui les avait surpris dans leur intimité, Ackémios attendait patiemment leur arrivée, en observant d'un air songeur le trône de Kalamdir.

— En près de deux mille ans, dit-il, ce siège ne s'était jamais retrouvé sans propriétaire.

C'était pour lui quelque chose de troublant, comme si cela signifiait la fin d'une époque.

— Le premier roi à l'avoir occupé était l'arrière-petit-fils du célèbre Kalam, continua-t-il. Contrairement à la croyance populaire, la cité d'Ymirion fut bâtie longtemps après la Guerre de l'Alliance.

Kamélia observait Ackémios avec émotion. Il y avait plusieurs années qu'elle n'avait pas vu son ancêtre et cette rupture l'avait profondément marquée ; plus qu'elle n'aurait su le dire. Quant à Simcha, il étudiait minutieusement l'apparence de l'hyliann, dont la peau était dorée plutôt qu'argentée. C'était l'attribut le plus inusité de la physionomie d'Ackémios. Hormis cet aspect, il ressemblait à n'importe quel autre hyliann.

— Ithan'ak m'a informée que vous tentiez de découvrir l'origine des ombres meurtrières, dit Kamélia, qui souhaitait vivement obtenir une réponse à ce mystère.

— Découvrir la véritable nature des spectres de la nuit est en effet la tâche à laquelle je m'applique depuis quelque temps, dit calmement l'hyliann d'or. Vous serez toutefois déçue d'apprendre que je n'ai encore eu aucun éclaircissement à ce sujet.

Aussitôt, l'ambassadrice de Lelmüd perdit sa fébrilité et baissa la tête, comme si elle venait d'essuyer un cuisant échec. L'homme aux côtés de Kamélia prit la parole, afin de briser le silence qui s'était installé.

— Je m'appelle Simcha, prince du royaume de Küran et régent du royaume de Kalamdir. Puis-je vous demander ce qui vous amène à Ymirion ?

— Voilà la bonne question, approuva l'hyliann d'or. Vous avez deviné que je ne suis pas ici par hasard ou pour socialiser. À chaque instant qui passe, Anosios est de plus en plus menacé et je ne peux m'abandonner à l'oisiveté.

Kamélia sembla regagner sa vitalité et son attention fut de nouveau aux aguets.

— En vérité, précisa Ackémios, mes recherches m'ont conduit jusqu'à la cité d'Ymirion et j'ai de bonnes raisons de croire que la majestueuse capitale de Kalamdir cache en son ventre des informations cruciales concernant les ombres.

Cette révélation stupéfia Simcha et Kamélia, qui ne purent s'empêcher de contredire l'hyliann d'or.

— Nous avons déjà épluché les livres de la bibliothèque, dit l'homme borgne.

— Sans compter les soubassements où sont conservés les documents officiels.

Ackémios ne parut aucunement inquiété par leur scepticisme.

— Vous n'avez certainement pas regardé les livres rédigés dans les langues anciennes, déclara-t-il.

— La plupart de ces bouquins traitent de magie, s'obstina Kamélia. Seuls les anciens magiciens avaient la connaissance nécessaire à leur interprétation.

— C'est vrai, admit Ackémios, mais ce que je cherche se rapproche davantage d'un document officiel, dans une langue qui était autrefois accessible à tous. Heureusement pour nous, je suis suffisamment vieux pour en connaître certains rudiments.

Simcha s'empressa de conduire l'hyliann d'or dans les soubassements, plus précisément dans une grande pièce emplie d'étagères, où des centaines de livres et de parchemins dormaient dans la poussière. Kamélia aurait aimé les accompagner, mais Ackémios l'avait chargée d'examiner à nouveau la bibliothèque et de réunir tous les documents plus ou moins officiels qu'elle y trouverait.

L'hyliann d'or, installé derrière un pupitre sur une petite chaise en bois, étudiait un à un les documents que Simcha lui apportait. Il était incapable de lire la plupart d'entre eux, mais cela lui était égal, comme s'il était certain qu'il trouverait tout de même ce qu'il cherchait. Curieusement, il regardait très peu les documents officiels, pour se concentrer davantage sur les notes de service.

— Qu'espérez-vous trouver ? lui demanda l'homme borgne au bout d'un moment.

— Je n'en suis pas certain, répondit franchement l'hyliann d'or. Ma seule certitude est qu'on a pris de rigoureuses dispositions pour occulter certains faits qui nous manquent aujourd'hui. J'espère pouvoir combler ces trous à l'aide de notes ou d'un carnet personnel qui aurait pu échapper à la censure.

La réponse d'Ackémios était vague, mais il n'en fallait pas plus à Simcha pour comprendre que les anciens dirigeants de Kalamdir n'étaient pas étrangers aux ombres meurtrières et que, s'ils avaient connu la vérité au sujet de ces abominations, ils s'étaient arrangés pour la faire disparaître. Quoi qu'il en soit, Ackémios était sur une piste et le pirate comptait faire tout ce qui était en son pouvoir pour l'aider dans ses recherches.

Lorsque Kamélia revint de la bibliothèque, elle était suivie d'une dizaine de serviteurs qui portaient les documents qu'elle souhaitait soumettre à l'œil expérimenté de son ancêtre. Ce dernier jaugea la quantité de papiers qu'il devrait scruter et ne put s'empêcher de soupirer.

— Je crois que je vais avoir besoin d'un meilleur siège, blagua-t-il, tout en s'étirant.

Il y avait deux semaines que l'hyliann d'or s'était installé au château et qu'il passait ses journées dans les soubassements, occupé à lire tout ce que Simcha et Kamélia lui apportaient. Cette entreprise était longue et fastidieuse, sans compter qu'il n'y avait aucun signe de progression. Simcha avait suggéré de s'installer dans une pièce plus confortable, ce dont le château ne manquait pas. Ackémios avait décliné l'offre en soutenant qu'il n'y avait pas un meilleur endroit pour trouver des indices.

À plusieurs reprises, Kamélia avait tenté de convaincre Ackémios d'intervenir auprès du haut conseil des hylianns dans le but de voir enfin son peuple s'intéresser à ce qui se passait sur le reste du continent. Chaque fois, l'hyliann d'or lui avait répété que la déesse Hélisha lui avait interdit une telle action et qu'il n'était pas assez fou pour oser défier la volonté des dieux.

Il fallut deux autres semaines pour que tous les documents susceptibles de contenir une information pertinente aient été examinés. Ackémios, qui avait sans cesse conservé son enthousiasme, montrait pour la première fois des signes de découragement. Son humeur était maussade et parfois irritable.

— Je suis certain que quelque chose nous échappe, s'emporta-t-il. Il faut soulever chaque armoire et chaque meuble sous lesquels aurait pu se glisser un indice, ne serait-ce qu'une simple feuille. Nous devons fouiller chaque parcelle de cette pièce, ainsi que la bibliothèque.

Comme l'avait demandé l'hyliann, des serviteurs furent affectés au remue-ménage complet de la bibliothèque et des archives situées dans les soubassements. Malheureusement, cette mesure n'apporta rien de nouveau à l'enquête. Simcha, voyant que les deux hylianns continuaient de s'acharner au travail, malgré leur fatigue croissante et leur moral en chute, les obligea à le suivre jusqu'à la salle des banquets.

L'homme borgne avait fait préparer pour eux un somptueux repas, dans l'espoir de les détourner de leurs recherches durant quelques heures. Le pirate désirait au moins autant qu'eux trouver une solution à la menace des ombres, mais il savait aussi reconnaître ses limites.

Lorsque Kamélia et Ackémios s'assirent devant les mets succulents qu'on avait préparés pour eux, ils écoutèrent enfin les cris de leur estomac. Obnubilés par le labeur, ils ne s'étaient pas rendu compte à quel point la fatigue les avait gagnés, ce que Simcha leur répétait pourtant depuis plusieurs jours.

— Je vous remercie pour l'attention que vous nous portez, dit l'hyliann d'or à l'intention de l'homme borgne, qui s'empara d'un morceau de viande. Ce court repos nous fera le plus grand bien, car nous avons encore beaucoup de travail à faire. Ce soir, nous commencerons la fouille complète du château. Tous les serviteurs et toute la garde d'Ymirion devront prendre part à cette tâche.

— Comme vous voudrez, lui dit aimablement Simcha. Pour l'instant, je vous prie d'oublier momentanément vos recherches et de savourer le repos auquel je vous astreins.

— Simcha a raison, intervint Kamélia. Nous avons négligé notre repos et nous n'avons plus l'esprit clair. Si nous continuons à ce rythme, un indice risque de nous échapper.

Ackémios ricana tout bas, en observant à tour de rôle le pirate et l'ambassadrice.

— Deux jeunes gens qui me font la leçon, alors que je foule la terre de Nürma depuis des décennies. La sagesse n'apparaît définitivement pas avec l'âge.

Peu à peu, l'atmosphère se détendit et les trois convives s'entretinrent de sujets aussi divers que les plats disposés devant eux. Kamélia riait chaque fois que Simcha faisait une blague, ce qui intriguait Ackémios quant à la relation qu'ils entretenaient. L'hyliann d'or se promit d'en discuter avec l'homme borgne lorsqu'il aurait de nouveau l'occasion d'être seul avec lui.

Lorsqu'une servante demanda à Ackémios ce qu'il préférait comme dessert, celui-ci la surprit en lui renvoyant la question. Elle hésita un instant, puis déclara que le gâteau au chocolat était sans aucun doute sa plus grande dépendance.

— Il s'agit d'une recette que ma famille se transmet de génération en génération. Ma mère me racontait qu'on servait cette recette à la table des rois depuis des centaines d'années.

— Vos ancêtres n'ont jamais quitté cet endroit ? s'intéressa vivement l'hyliann d'or.

— Nous sommes très bien traités, expliqua la servante. Dans ce château, la condition de vie est beaucoup plus élevée qu'ailleurs ; même pour nous.

Ackémios se leva d'un bond, ce qui fit sursauter la pauvre fille.

— Qu'avez-vous ? lui demanda Simcha, surpris par la réaction soudaine de l'hyliann d'or.

— Vous aviez raison, dit Ackémios. Nous étions trop épuisés pour voir ce qui était sous notre nez depuis le début. Suivez-moi !

Il quitta à toute vitesse la salle des banquets, si bien que Simcha et Kamélia eurent du mal à le rattraper. Sur ses talons, ils traversèrent plusieurs couloirs sans connaître leur destination. L'escalier étroit qui menait aux quartiers des serviteurs n'était pas très sûr, mais cela n'empêcha pas l'hyliann d'or de le dévaler à toute vitesse. Il ne s'arrêta que lorsqu'il arriva devant la première porte d'une série de chambres collées les unes aux autres.

— Y a-t-il quelqu'un ? demanda-t-il, tout en cognant fortement sur le bois.

Un homme d'âge moyen ouvrit en grognant. On l'avait tiré d'un sommeil bien mérité.

— Donnez-moi tous les livres que vous possédez, lui dit l'hyliann d'or, ainsi que les parchemins en votre possession. Je veux avoir accès à la moindre note que vous détenez.

— Je doute que ce pauvre bougre possède le moindre document d'importance, commenta Simcha.

— Au contraire ! s'excita Ackémios. Il est clair qu'un descendant de Kalam a pris soin de faire détruire tous les documents traitant du sujet qui m'intéresse. En revanche, je doute qu'il se soit attaqué aux possessions de ses serviteurs, qui n'ont aucune valeur aux yeux des rois. Avec un peu de chance, l'un d'eux aura consigné des informations d'une grande valeur dans un carnet personnel, qui n'aura peut-être pas été détruit.

Les yeux de Kamélia s'illuminèrent. D'un bond, elle atteignit la prochaine porte et y cogna dans le but d'interroger son occupant. Pendant que les deux hylianns ratissaient le couloir, Simcha se rendit directement dans la salle commune où les serviteurs passaient leur peu de temps libre. L'arrivée de l'homme borgne mit inconfortables les hommes et les femmes qui s'y trouvaient. Ceux-ci n'avaient pas l'habitude d'être visités par les hauts dirigeants du château.

— Je suis venu vous demander votre aide, déclara Simcha, ce qui les rassura un peu. Je recherche une importante information qui aurait pu avoir été consignée de façon écrite par vos ancêtres. Vous rendriez un grand service à votre royaume en réunissant tous les livres, carnets et parchemins en votre possession pour que nous puissions les étudier.

Les serviteurs regardèrent Simcha d'un œil méfiant, comme s'ils craignaient que ce dernier examine les secrets de leur famille dans le but de dénicher les pommes pourries qui se cachaient parmi eux.

— J'offrirai cent rîns à celui qui me fournira l'information dont j'ai besoin, ajouta le pirate, ce qui suffit à endormir la méfiance qu'avait suscitée sa requête.

Ackémios et Kamélia avaient parcouru près de la moitié des appartements où logeaient les serviteurs, et leurs découvertes étaient prometteuses. Un valet, en particulier, avait en sa possession les carnets personnels de chacun de ses ancêtres depuis leur arrivée à Ymirion, ce qui faisait au-delà de huit cents ans. Il s'agissait d'une source d'information non négligeable. Ackémios, encouragé par cette découverte, continuait de visiter les serviteurs en espérant trouver des renseignements provenant d'une source encore plus ancienne.

Non loin de là, Simcha était enfoui sous la montagne de documents que lui apportaient les serviteurs. Afin de travailler plus efficacement, il essayait d'établir un certain classement dans le pêle-mêle qui augmentait sans cesse, ce qui n'avait rien d'aisé.

— Êtes-vous certaine de n'avoir oublié aucun document ? demanda-t-il à une boulangère qui avait du mal à se détacher du carnet de sa grand-mère.

La grosse femme lui assura qu'elle avait fouillé partout et que rien ne manquait. Elle quitta la file et un homme d'un certain âge avança vers Simcha.

— Je ne travaille au château que depuis une dizaine d'années, dit-il d'une voix rauque. Ce carnet personnel est mon bien le plus cher, je vous prierais donc d'en prendre le plus grand soin. Il est tout ce qui reste de ma jeunesse.

— N'ayez aucune crainte, le rassura le régent de Kalamdir. Vous le récupérerez dès que cette affaire sera réglée. Auriez-vous trouvé autre chose dans votre chambre ?

— Je crois que celui qui l'occupait avant moi n'était pas très porté sur la lecture, répondit tout bas l'homme, comme s'il s'agissait d'une importante confidence. Je doute même qu'il sût lire ou écrire.

— Je n'ai aucun préjugé, dit Simcha. Toutefois, je dois insister sur le fait que le moindre bout de parchemin pourrait détenir des informations cruciales pour le royaume.

— Je n'ai rien d'autre, dit le serviteur, hormis un vieux carnet rempli de dessins étranges qui ne représentent rien.

— Conduisez-moi à votre chambre ! ordonna Simcha soudain plus alerte.

Comme l'avait mentionné le serviteur, le contenu du petit cahier était incompréhensible. Toutefois, aux yeux de Simcha, les dessins étranges qui couvraient chacune des pages n'étaient pas le fruit d'un illettré.

— Ackémios saura peut-être déchiffrer cette écriture, dit le pirate.

— Vous croyez que ces dessins ont un sens ? demanda le serviteur, mais l'homme borgne avait déjà quitté la pièce.

En quelques instants, le pirate avait rejoint Ackémios et lui tendait le cahier qu'il avait découvert. Il fut ravi de constater que l'hyliann d'or était capable d'en lire le contenu. Kamélia avait cessé ses propres recherches et attendait avec Simcha de connaître le résultat de la lecture d'Ackémios.

De toute évidence, l'information qu'absorbait l'hyliann d'or n'était pas sans intérêt, car il prenait le temps d'examiner soigneusement chacune des pages. Cette minutie exaspérait Kamélia, qui avait du mal à demeurer silencieuse.

Lorsqu'Ackémios eut enfin terminé sa lecture, il referma le cahier et leva les yeux vers l'ambassadrice de Lelmüd et le prince de Küran.

— Je sais ce que sont les ombres meurtrières, déclara-t-il d'un ton grave.

Chapitre 6

Ithan'ak observait le reflet de son visage dans l'eau calme du lac. Il était submergé jusqu'aux genoux et n'osait pas avancer plus loin. Généralement, lorsqu'un warrak s'enfonçait plus profondément dans l'eau, il était pris d'un malaise comme si ses os se gonflaient et que ses poumons refusaient d'absorber l'air. Curieusement, le même phénomène se produisait lorsqu'un warrak demeurait dans une embarcation, près du niveau de l'eau, durant une période prolongée. L'eau était pour eux à la fois une alliée et un ennemi. Les féroces guerriers ne pouvaient s'en passer pour assécher leur soif, mais ils devaient aussi s'en méfier. Ithan'ak représentait désormais une exception.

Fork vint rejoindre le priman'ak, alors que Vonth'ak les observait du rivage.

— Es-tu certain que ce pendentif a le pouvoir de te protéger contre les effets nocifs qu'a l'eau sur les warraks ? s'inquiéta le bosotoss.

Ithan'ak jeta un coup d'œil à l'émyantine qui ne quittait jamais son cou. La pierre avait adopté une teinte rosée, ce que le warrak espérait être un bon signe.

— Nous allons bientôt le savoir, dit-il en fléchissant doucement les genoux.

Avant de pousser davantage son expérimentation, il conseilla à Fork de ne pas s'inquiéter et de le tirer hors de l'eau si quelque chose tournait mal. Le bosotoss, peu rassuré, se contenta de hocher la tête en signe d'approbation. Ithan'ak continua de s'enfoncer dans l'eau, jusqu'à ce qu'il en ait jusqu'au cou. Il marqua une pause, prit une grande respiration et disparut sous la surface. Les quelques secondes où le priman'ak resta sous l'eau parurent interminables à Fork, qui fut grandement soulagé lorsqu'Ithan'ak reparut devant lui.

— Tout va bien, annonça le warrak en voyant l'air inquiet du bosotoss. Tant que je porterai ce pendentif, je n'aurai plus à m'inquiéter de l'eau.

— Tant mieux, dit Fork, car une autre préoccupation devrait absorber ta vigilance.

Le colosse jeta un regard discret en direction du rivage. Vonth'ak était étendu sur le dos. Il était impossible de dire si le magicien dormait ou s'il observait la course des nuages. Cela avait peu d'importance, pourvu qu'il ne pût entendre ce que Fork avait à dire.

— Tu sais comme moi ce qu'a dit Nicadème à son sujet, chuchota-t-il. D'après le vieil homme, Vonth'ak trahira l'un de ses amis.

Le priman'ak savait très bien où le bosotoss voulait en venir. En effet, Nicadème avait aussi prédit que si Ithan'ak entreprenait de retrouver les souterrains d'Asilbruck, la mort l'attendrait au bout du voyage.

— De toute évidence, dit Ithan'ak d'un ton neutre, il y a de fortes chances pour que Vonth'ak retourne ses pouvoirs contre moi.

— C'est aussi ce que je pense, lui confia Fork. Crois-tu que les prédictions de Nicadème sont inflexibles ? Nous pourrions poursuivre notre chemin sans Vonth'ak, dans l'espoir de déjouer le destin.

Ithan'ak remercia Fork pour sa sollicitude, en ajoutant qu'il était inutile d'abandonner Vonth'ak. Selon le priman'ak, les prédictions de Nicadème se réaliseraient d'une façon ou d'une autre. Le bosotoss voulut protester, mais le warrak l'en empêcha.

— Les ombres meurtrières rôdent toujours sur le continent, dit-il fermement, sans compter que Xioltys retrouvera ses capacités dans quelques mois. Lorsqu'il sera de nouveau assez puissant pour contrôler les ombres, plus rien ne pourra l'arrêter. Notre priorité est de trouver les souterrains d'Asilbruck le plus rapidement possible. Nous devons exclure la trahison et la mort de nos pensées et nous concentrer sur ce que nous avons à faire.

— Très bien, approuva Fork, mais promets-moi de garder l'œil ouvert. De mon côté, je vais surveiller Vonth'ak de très près.

Il y avait plus d'une semaine que les trois compagnons avaient quitté la forêt de Grownox. À la grande satisfaction de Fork, leur sortie n'avait pas été escortée par les hideuses créatures violacées. Comme les amis ignoraient où se trouvaient les souterrains d'Asilbruck, Fork avait proposé de s'informer auprès des villageois. Ithan'ak avait immédiatement mis cette suggestion en pièces, soutenant que si Nicadème ignorait où était située l'entrée de ces souterrains il était peu probable qu'un simple paysan en connaisse davantage. Malheureusement, le priman'ak n'avait pas une meilleure idée à proposer. Nicadème n'avait donné aucune indication, aucun indice, hormis le nom du lieu et la direction où devaient se rendre les trois compagnons. Ce fut finalement Vonth'ak qui trouva la façon dont ils devaient procéder. Le magicien soutenait qu'il pouvait concocter une potion pour Ithan'ak, qui permettrait à ce dernier d'entrevoir une bribe de son avenir ; la même potion qui avait permis au priman'ak de voir en rêve le cercle de pierre où était dissimulée l'Ominiak, la prière sacrée des warraks. Avaler l'étrange potion du magicien avait toujours répugné Ithan'ak, qui devait pourtant admettre que c'était probablement leur meilleure chance d'obtenir un fragment d'indice.

Puisque Vonth'ak n'avait pas tous les ingrédients nécessaires en sa possession, il avait entraîné ses deux acolytes jusqu'au lac Hymrid, où il se souvenait avoir déjà vu la plante dont il avait besoin. Le voyage s'était déroulé sans encombre, ce qui ne donnait aucune illusion à Ithan'ak. Les ombres meurtrières frappaient souvent lorsqu'on les attendait le moins.

Comme l'avait espéré Vonth'ak, la plante qu'il était venu chercher poussait abondamment en bordure du lac. Il n'avait qu'à se pencher pour en cueillir. Satisfait, il s'était rapidement mis au travail, pendant qu'Ithan'ak mettait à l'épreuve l'immunité à l'eau que son pendentif lui procurait. Le priman'ak se baigna un moment, puis revint vers la rive.

— Est-ce que tout est prêt ? s'informa-t-il en secouant son corps pour chasser l'eau de sa fourrure grise.

— Il ne reste plus qu'à te servir, répondit Vonth'ak, qui s'était relevé sur ses coudes.

Une fois de plus, Fork demanda pour quelle raison ce devait être Ithan'ak qui absorbe la potion. La réponse était toujours la même : c'était au priman'ak que le dieu de la guerre avait accordé un don, afin qu'il puisse repousser les forces qui menaçaient le continent d'Anosios. Il était donc logique de penser qu'Ithan'ak avait davantage de chances de trouver un indice.

Le warrak huma le liquide visqueux qu'avait préparé Vonth'ak et ne put s'empêcher de proférer un juron. À contrecœur, il se pinça le nez et versa la totalité du contenu dans sa bouche, qu'il avala d'un seul coup. Dégoûté, il fit une grimace et secoua vivement la tête, comme pour essayer d'échapper au mauvais goût qui s'était imprégné sur sa langue.

— Je te conseille de t'étendre, lui dit Vonth'ak. Si je n'ai pas fait d'erreur, tu devrais dormir d'ici quelques minutes.

Ithan'ak s'exécuta, bien qu'il ne sentît encore aucun effet. Alors qu'il se demandait si la potion était réellement efficace, ses paupières devinrent lourdes et ses pensées se tournèrent vers le monde des rêves.

* * *

La première sensation qui vint imprégner Ithan'ak était une odeur nauséabonde et chargée d'humidité. Le brouillard l'empêchait d'apercevoir quoi que ce soit, à l'exception du sol mou et trempé sur lequel il posait les pieds. En effectuant quelques pas devant lui, il constata qu'une eau verdâtre entourait l'amoncellement de terre où il se trouvait. Celle-ci était peu profonde et il était possible de s'y aventurer. Résigné, il avança lentement dans l'eau et sentit ses bottes s'enfoncer dans la boue. Impatient de quitter cet endroit, il se dirigea dans la direction où le brouillard était moins épais.

À chaque pas, sa progression devenait de plus en plus ardue. Toute sa détermination lui était nécessaire pour continuer d'avancer. En se retournant, il ne put apercevoir l'endroit d'où il venait. Seul, perdu dans le brouillard et entouré par l'eau, Ithan'ak eut une pensée pour Mikann'ak, qui lui avait fait cadeau de l'émyantine.

En s'attardant à ce qui l'entourait, Ithan'ak aperçut la silhouette d'un arbre dans la brume. Il en déduisit qu'il devait y avoir de la terre dans cette direction et décida de s'y rendre. Alors que le warrak avançait péniblement, l'arbre devenait de plus en plus distinct. Malheureusement, Ithan'ak s'aperçut que le tronc disparaissait sous l'eau. Refusant d'abandonner, il dépassa l'arbre et poursuivit son chemin à l'aveuglette. Désormais, chacun de ses pieds était aussi lourd qu'un sac de pierre. Lorsqu'il trébucha, le priman'ak n'eut pas la force de se relever sur ses deux jambes. À quatre pattes, il continua d'avancer, comme si sa vie en dépendait. Ce dernier effort lui permit d'atteindre une nouvelle série d'arbres, qui étaient cette fois-ci bien ancrés dans le sol. Le warrak s'extirpa péniblement de l'eau et s'affala sur la mousse verdâtre. Sa vision était embrouillée, ce qui l'empêchait d'examiner l'endroit où il était arrivé. La dernière chose qu'il vit était une forme trouble dissimulée derrière un arbre.

* * *

Lorsqu'il revint à lui, Ithan'ak se leva d'un bond, étonné d'avoir retrouvé toute sa mobilité. Il jeta un regard circulaire, afin de s'assurer qu'il était en sécurité. Le lac Hymrid était aussi calme qu'une heure auparavant et il n'y avait aucun signe de brouillard. Fork et Vonth'ak l'observaient d'un regard inquiet.

— Est-ce que tout va bien ? demanda le bosotoss. D'après Vonth'ak, tu es resté endormi beaucoup plus longtemps que prévu.

— J'ai lutté pour ne pas revenir trop rapidement, expliqua le priman'ak.

— As-tu vu quelque chose qui pourrait nous aider ? l'interrogea Vonth'ak, dont l'esprit pragmatique était parfois déconcertant.

— Un marécage, répondit sans délai Ithan'ak. Il y avait de l'eau, de la boue et cette odeur infecte qui semble m'avoir suivi hors du rêve. Ensuite, tout est devenu flou et je suis revenu à moi.

— Cela ne nous aide pas beaucoup, s'attrista Fork. Il y a au moins un marécage dans chaque région du continent. N'y a-t-il rien d'autre qui pourrait aiguiller notre recherche ?

Ithan'ak voulut répondre que non, mais il s'en abstint. Quelque chose lui revenait à l'esprit, sans qu'il sache vraiment ce que c'était. Il ferma les yeux et essaya de se remémorer la scène à laquelle il avait participé. Le marécage lui apparut aussi clairement que dans son rêve. Seul le détail qu'il cherchait refusait d'apparaître. Il se concentra davantage et essaya de focaliser sur le seul élément qui l'intéressait. Tout à coup, durant une fraction de seconde, il vit la créature qui le regardait droit dans les yeux.

— Un glurpède ! s'exclama le warrak. Il y avait un glurpède ; peut-être même plusieurs. Je suis certain que cela constitue un indice. Nous devons trouver un marécage habité par des glurpèdes.

— Je croyais que tous les glurpèdes provenaient des marécages, dit rudement Vonth'ak. Nous ne sommes pas plus avancés.

— Au contraire, intervint Fork. Il est vrai qu'il est possible de dénicher des glurpèdes dans bien des marécages, mais il y en a un en particulier qui me vient à l'esprit.

Le bosotoss expliqua qu'à l'est du continent il existait un marécage où seuls les chasseurs s'aventuraient, dans le but de capturer des glurpèdes et de les vendre comme esclaves. D'après le colosse, c'est à cet endroit presque méconnu des autres races que vivaient la grande majorité des visqueuses créatures. Si l'entrée des souterrains d'Asilbruck y était située, il était normal qu'elle ait sombré dans l'oubli. Tous les faits semblaient concorder.

— Puisque nous n'avons pas d'autre option, déclara Ithan'ak, je crois que nous allons visiter cet endroit.

— Je devine que tu comptes demander l'aide des belwigs pour nous y amener, commenta Vonth'ak. Autrement, cela nous prendrait des semaines pour nous y rendre. Toutefois, je me demande comment tu t'y prendras pour communiquer avec ces animaux sans l'aide de Skeip ou d'Elwym.

— Les belwigs sont d'origine céleste, expliqua le priman'ak. Il nous est peut-être impossible de les comprendre. En revanche, je suis persuadé qu'ils n'ont aucune difficulté à décoder notre langage.

Confiant, le warrak quitta la plage et s'enfonça dans la forêt. Très peu de temps s'écoula avant qu'il déniche un groupe de belwigs perchés dans les arbres immenses qui bordaient le lac Hymrid. Ithan'ak s'adressa à eux de façon singulière, en espérant que sa théorie était fondée. Il leur expliqua qu'il avait besoin d'eux pour se rendre rapidement à l'est du continent, en n'oubliant pas de spécifier le but crucial de ce voyage. Aussitôt, deux des magnifiques créatures hybrides quittèrent leur perchoir et vinrent se poser près du warrak. L'un d'eux se pencha pour inciter ce dernier à monter sur son dos, alors que l'autre se rendit auprès de Vonth'ak. C'est à ce moment qu'Ithan'ak comprit que son plan comportait une faille ; Fork était beaucoup trop lourd pour être porté par un belwig.

— Je crois que vous allez devoir me laisser ici, se désola le colosse.

— Impossible, dit Ithan'ak. Vonth'ak et moi ne pouvons pas indiquer notre destination aux belwigs. Toi seul connais l'emplacement de ce marécage.

— Je vais donc leur expliquer comment s'y rendre, rétorqua Fork. Il suffit de...

Le colosse fut interrompu par un lourd battement d'ailes, qui soulevait la terre et faisait valser les branches des arbres. Un belwig, deux fois plus gros que ses semblables, venait de se poser juste à côté de lui. Fork, impressionné par les écailles multicolores de l'animal, le fixait avec admiration.

— Il est magnifique ! dit-il, les yeux écarquillés.

Le belwig agita sa tête reptilienne en signe de remerciement, tout en pliant ses quatre pattes pour permettre au bosotoss de grimper sur lui. Celui-ci hésita un instant, car il avait peur que son poids accable l'animal. Le belwig gratta dans le sol avec ses pattes de derrière, pour signifier son impatience. Fork oublia donc ses incertitudes et prit place sur le dos de l'hybride.

Contrairement aux deux warraks, Fork n'avait jamais utilisé ce moyen de transport inusité. Il ne put cacher sa crainte llorsque sa monture s'éleva vers le ciel. L'angoisse du colosse disparut graduellement et il put pour la première fois admirer le paysage sous une perspective nouvelle. Vu d'en haut, le continent d'Anosios était indescriptible. Ses arbres, ses rivières et ses prairies étaient d'une splendeur insoupçonnée. Il était fascinant de constater de quelle façon les multiples villages étaient reliés entre eux par des routes, ce qui formait un dessin particulièrement intéressant. Toutefois, les splendeurs qui s'étendaient sous eux n'étaient rien en comparaison avec le sentiment de liberté qu'éprouvaient Ithan'ak et ses compagnons. Du ciel, le monde et ses tourments leur semblaient absurdes, comme s'ils échappaient pour un instant à la dure réalité qu'ils devaient combattre.

Le voyage, qui aurait duré plusieurs semaines sur la terre ferme, ne prit qu'une demi-journée. Malgré le plaisir qu'ils éprouvaient à voyager sur le dos des belwigs, les voyageurs furent heureux de mettre de nouveau les pieds sur le sol. En effet, chacun d'eux commençait à ressentir une douleur aiguë entre les jambes, ce qui n'aurait pas été le cas s'ils avaient eu l'habitude de monter à cheval. Quoi qu'il en soit, Ithan'ak remercia les hybrides pour leur aide précieuse, en s'inclinant poliment devant eux. Ceux-ci l'imitèrent et reprirent rapidement leur envol, comme s'ils étaient impatients de retrouver les hautes branches sur lesquelles ils se sentaient en sécurité.

Les trois compagnons regardèrent les belwigs, jusqu'à ce que les hybrides ne soient plus que de minuscules points noirs. Ils se tournèrent ensuite vers le marécage qui s'étendait à perte de vue. Ithan'ak reconnut l'odeur caractéristique qui l'avait importuné dans son rêve.

— Cet endroit est peu accueillant, commenta Vonth'ak. Seul un glurpède pourrait envisager d'y vivre.

— C'est exactement le paysage que j'ai pu entrevoir grâce à ta potion, l'encouragea Ithan'ak ; même l'odeur est identique. Je crois que nous sommes au bon endroit.

— Dans ce cas, dit Fork, mettons-nous en marche.

Le bosotoss fut le premier à mettre les pieds dans l'eau visqueuse, ce qui rebutait davantage les warraks. Ces derniers n'eurent d'autre choix que de le suivre, sans cacher pour autant leur dégoût pour l'endroit sordide dans lequel ils s'aventuraient.

La progression dans l'eau peu profonde et dans le sol boueux était très ardue, même pour Fork, dont le poids jouait contre lui. Ithan'ak avait pris la tête et demeurait constamment à l'affût d'un indice reflétant ce qu'il avait vu dans son rêve. Plus d'une fois, il oublia de regarder où il mettait les pieds et glissa sur une roche couverte de lichen. Sa fourrure était entièrement trempée, ce qui rendait le périple encore plus désagréable. Lorsque la nuit tomba, les trois voyageurs renoncèrent rapidement à avancer, découragés par la dureté de la nature qu'ils devaient affronter. La nuit était froide et humide, d'autant plus que Fork n'avait pu dénicher de quoi faire un feu. Heureusement, les vivres du bosotoss n'avaient nullement besoin de cuisson et chacun put rassasier sa faim. Avant de quitter le lac Hymrid, le colosse avait pris soin d'entasser dans un sac les provisions qu'il avait cueillies. Les warraks lui en étaient grandement reconnaissants.

Contrairement à Ithan'ak, Vonth'ak ne possédait aucun artéfact susceptible de lui procurer une immunité à l'eau. Même si celle-ci était peu profonde, la longue exposition à laquelle le magicien se soumettait commençait à avoir sur lui des répercussions. Heureusement, il avait prévu ce désagrément et avait emporté avec lui le même élixir qu'il avait utilisé sur Ithan'ak et lui-même lorsqu'ils avaient été contraints par Simcha d'embarquer sur un navire portant le nom de *L'Ermite*. Cela ne dissipait pas entièrement le malaise qu'éprouvait le warrak, mais le rendait un peu plus supportable.

Le jour suivant, un brouillard se leva et Ithan'ak sentit qu'il approchait du but. Le paysage qui l'entourait ressemblait de plus en plus à la vision qu'il avait eue, ce qu'il ne manqua pas de communiquer à Fork et à Vonth'ak. Ragaillardi par la perspective de dénicher un nouvel indice qui pourrait le conduire aux souterrains d'Asilbruck, il en oublia presque l'eau et la boue omniprésente, ainsi que l'odeur nauséabonde qui s'était pourtant intensifiée. Malheureusement, vers la fin de l'après-midi, le brouillard se leva et le soleil apparut entre les nuages. Tout portait à croire que la vision d'Ithan'ak ne se réaliserait pas aussi rapidement qu'il l'espérait.

Cela faisait cinq jours que les trois compagnons parcouraient le marécage, sans avoir vu le moindre signe de vie. Les vivres qu'avait emportés Fork commençaient à manquer et le découragement s'emparait d'eux, ce qui n'aidait pas leur progression. Chaque matin était ponctué d'un épais brouillard, ce qui ne constituait donc plus un signe de la réalisation imminente de la vision du priman'ak.

Vonth'ak était sans aucun doute celui dont le moral était le plus affecté. À tout moment, il reprochait à Ithan'ak de n'avoir pas suffisamment planifié et réfléchi avant de tous les engager dans cette expédition. Cette attitude négative du magicien inquiétait beaucoup Fork, qui ne pouvait oublier la prédiction qu'avait faite Nicadème au sujet de Vonth'ak. Le bosotoss demeurait donc vigilant, au cas où l'agressivité verbale de Vonth'ak se transformerait en gestes.

Hormis les quelques interventions déplacées du magicien, la marche dans les marécages s'avérait fort monotone. Ithan'ak commençait à se demander s'il avait une chance de trouver un jour les souterrains dont lui avait parlé Nicadème. Comme l'avait mentionné Fork, il existait des marécages dans toutes les régions d'Anosios. Si les souterrains d'Asilbruck se trouvaient bien dans l'un d'eux, comme la vision du warrak l'indiquait, ce n'était pas nécessairement dans celui possédant la plus grande superficie. Lorsque le priman'ak voulut faire part de sa réflexion à Fork, il s'aperçut que le colosse avait disparu dans le brouillard, de même que Vonth'ak.

— Où êtes-vous ? demanda-t-il.

Aussitôt, Fork répondit à son appel. Il était difficile pour le priman'ak de définir précisément d'où provenait la voix de Fork, bien que le colosse semblât être un peu plus loin vers l'avant. Ithan'ak dit au bosotoss qu'il allait le rejoindre et lui demanda de conserver sa position. Instinctivement, le warrak tira son glaive, comme s'il se sentait menacé. Il comprit aussitôt que son geste était une mesure de protection directement liée à Vonth'ak. Le magicien avait pourtant sauvé la vie d'Ithan'ak plusieurs fois, ce qui n'empêchait pas ce dernier de se méfier. Malgré tous ses efforts, il ne pouvait faire fi des prédictions concernant sa mort et la trahison du magicien.

Prudemment, le priman'ak avança dans la brume, en tâchant de faire le moins de bruit possible. Ses yeux n'étaient pas devenus rouges, mais ils n'étaient plus tout à fait verts. Tout en progressant, il s'interrogeait sur les raisons qui pourraient éventuellement pousser Vonth'ak à s'en prendre à lui. La plus probable était que le magicien ne poursuivait pas le même but. En effet, Vonth'ak ne cultivait pas l'honneur des warraks et leur passion pour le combat. Sa principale préoccupation avait toujours été la magie. Celle-ci guidait chacune de ses actions, poussant parfois même le magicien à adopter un comportement plus ou moins conforme à la morale.

— Ne bouge plus, entendit chuchoter le priman'ak, qui s'arrêta d'un seul coup.

L'avertissement provenait de Vonth'ak, qui venait d'apparaître à quelques pas d'Ithan'ak. Le magicien pointa du doigt ce qui le poussait à s'astreindre au silence. Apparus dans la brume, plusieurs arbres gris et squelettiques se dressaient maladroitement devant les deux warraks. À leur pied, le sol paraissait ferme, ou du moins il n'était pas boueux ou couvert de lichen.

Lorsque Vonth'ak lui conseilla d'être prudent, Ithan'ak s'en voulut d'avoir douté de son compagnon. Il n'eut toutefois pas le temps de s'excuser, car quelque chose venait d'attirer son attention. Une silhouette s'était rapidement déplacée entre deux arbres.

— Je crois que nous avons trouvé ce que nous sommes venus chercher, dit tout bas Vonth'ak.

— Il n'y a qu'un seul moyen de le savoir, dit Ithan'ak en invitant le magicien à le suivre.

Chapitre 7

Prudemment, Ithan'ak et Vonth'ak avancèrent en direction des arbres où ils étaient convaincus d'avoir aperçu du mouvement. À cet endroit, le brouillard était moins épais, mais ils n'arrivaient toujours pas à distinguer quoi que ce soit. Le priman'ak avait toujours son glaive à la main, tandis que le magicien se tenait prêt à lancer un sortilège qu'il avait récemment expérimenté. Les deux warraks quittèrent l'eau boueuse du marécage et mirent les pieds sur la terre ferme. Ils étaient maintenant assez près des arbres pour constater que plus d'un individu s'y dissimulait. Cette nouvelle donnée les obligeait à redoubler de prudence. Ils échangèrent un regard subtil, signifiant qu'ils allaient contourner les arbres vers la gauche, en espérant ainsi duper les inconnus. Malencontreusement, un élément incontrôlable les empêcha d'effectuer leur manœuvre.

— Vous êtes là ! s'exclama Fork, qui les vit arriver.

Aussitôt, Ithan'ak fit signe au bosotoss de se taire en plaçant un doigt sur sa bouche ; il était déjà trop tard. Une dizaine de glurpèdes avaient surgi de derrière les arbres. Un autre groupe, beaucoup plus important, était sorti de la brume et avait formé un demi-cercle dans le dos des warraks et du géant qui les accompagnait. Chacun des crapauds visqueux tenait une lance, au bout de laquelle était fixée une pierre triangulaire dont les côtés étaient cisaillés. Ces armes étaient plutôt rudimentaires, ce qui ne les rendait pas pour autant inoffensives. Au contraire,

Ithan'ak prenait au sérieux la multitude de lances pointées dans sa direction.

— Je pensais que les glurpèdes étaient pacifiques, dit le priman'ak du bout des lèvres.

— Je crois qu'ils veulent seulement se protéger, dit tout bas le colosse. Dans le passé, ils ont probablement été victimes de chasseurs à la solde des marchands d'esclaves.

— Toi pas parler, dit sévèrement l'un des glurpèdes. Flerk pas peur du grand bonhomme. Vous prisonniers de notre tribu.

Le glurpède, qui était de toute évidence le chef, passa ses longs doigts dans ses cheveux gras, comme pour se donner une prestance, puis ordonna qu'on attache les prisonniers.

— Nous ne sommes pas vos ennemis, s'empressa d'expliquer Ithan'ak. Nous ne voulons aucun mal aux glurpèdes.

— Pas vrai, dit Flerk. Vous comme autres chasseurs. Juste besoin de nous pour vendre. Glurpèdes pas vouloir être esclaves.

Le priman'ak essaya d'expliquer que ses compagnons et lui-même ne voulaient aucun mal aux habitants du marécage et qu'au contraire ils avaient besoin de leur assistance. Les visqueux individus ne parurent pas convaincus par cette affirmation, qu'ils avaient probablement entendue plusieurs fois dans le passé.

— Étrangers jamais dire vérité, s'énerva un glurpède dont la lance vacillait dangereusement devant Vonth'ak.

Ce ne fut que lorsque Fork l'informa qu'il avait pour lui un cadeau que Flerk accepta enfin d'écouter. Il était rare que le bosotoss réagisse rapidement dans ce genre de situation, mais c'était le cas cette fois-ci. Plutôt que de s'affoler, il s'était concentré sur ce qu'il savait des glurpèdes et il s'était souvenu de leur cupidité légendaire. Il ne lui restait plus qu'à utiliser à bon escient cette information. Comme il n'avait aucun rîn sur lui, le bosotoss pensa que le prénommé Flerk pourrait être intéressé par un petit couteau dont la fonction principale était de dépecer la viande.

Sous le regard méfiant des glurpèdes, Fork déposa son énorme massue et fouilla dans son sac. Il ne lui fallut qu'un instant pour retrouver l'objet qu'il se proposait d'offrir au chef de la tribu. Sans rien dire, il tendit le couteau à Flerk, en prenant soin de ne pas paraître menaçant. Les yeux du crapaud s'écarquillèrent devant le cadeau qu'on lui proposait.

— Une vraie arme pour chef, dit-il sans retenir sa joie. Flerk très content par cadeau de nouveaux amis.

Il s'empara du couteau et tendit sa main gluante au bosotoss, qui n'eut pas le choix de l'accepter. Ce fut ensuite le tour des warraks de serrer la main de Flerk avec dégoût.

— Flerk avoir bonne nourriture. Vous suivre nous.

Fork avait acheté la paix avec une facilité consternante, ce qui n'empêcha pas Ithan'ak de le féliciter. Vonth'ak, qui avait ronchonné durant les derniers jours, dut admettre que le bosotoss les avait conduits sur une piste qui concordait parfaitement à la vision d'Ithan'ak. La partie n'était pas gagnée d'avance, mais ils venaient de faire un grand pas en avant.

Les habitations des glurpèdes étaient simples et très petites. Construites avec du bois mort, elles avaient la forme d'une coquille plus ou moins régulière. L'entrée de ces maisons primitives était beaucoup trop petite pour laisser passer les warraks, et encore moins un bosotoss.

Le festin que préparaient les glurpèdes pour leurs invités était composé de différentes espèces de reptiles et d'amphibiens. Ce menu, manipulé par les mains gluantes de Flerk et de ses semblables, n'était pas très alléchant pour leurs invités. Ils acceptèrent malgré tout de manger ce qui leur était proposé, afin d'économiser les maigres provisions qui leur restaient et de ne pas offusquer leurs hôtes.

Contrairement aux glurpèdes qui servaient d'esclaves sur le continent, ceux-ci étaient beaucoup plus bavards. Ils parlaient continuellement de choses plus ou moins banales, avec une syntaxe qui rendait rapidement leur babillement presque insupportable. Puisqu'ils semblaient tant apprécier la conversation, Ithan'ak tenta de mettre à profit leur connaissance du territoire.

— Nous sommes à la recherche des souterrains d'Asilbruck, dit-il à Flerk, conscient qu'il était peu probable que le glurpède sache de quoi il était question. Auriez-vous une idée d'où cela se trouve ?

— Flerk pas savoir quoi veut dire souterrain, répondit le visqueux individu.

— Nous cherchons l'entrée d'un tunnel sous la terre, expliqua le priman'ak. Il est impératif que nous nous y rendions.

Cette fois, une lueur de compréhension venait d'apparaître dans les yeux de Flerk.

— Étrangers pas pouvoir aller là-bas, s'empressa-t-il de dire d'un ton nerveux. Lieu sacré ; personne peut aller dans tunnel. Autre warrak demander même question à Flerk. Moi préfère mourir que conduire vous là-bas.

Les dernières paroles du glurpède étaient assez troublantes. D'après lui, un autre warrak avait tenté d'accéder aux souterrains, ce qui était pourtant peu probable. Le priman'ak voulut en savoir davantage sur cet étranger et sur l'entrée du tunnel, mais Fork lui fit signe de se taire.

— Il est sur ses gardes, chuchota le bosotoss à l'oreille du priman'ak. Nous devrions attendre et trouver un moyen de le faire parler sans qu'il s'en rende compte. Les glurpèdes ne sont pas réputés pour leur grande intelligence.

Comme le lui avait suggéré Fork, Ithan'ak changea de sujet et n'aborda plus le tunnel, qu'il espérât être les souterrains d'Asilbruck. Une énigme s'était ajoutée à sa liste : il se demandait qui était le warrak qui s'était aventuré jusque dans les marécages à la recherche des souterrains dont personne ne connaissait l'existence. Le priman'ak remua cette question dans sa tête en écoutant périodiquement les discours incohérents de Flerk et de quelques-uns de ses proches, jusqu'à ce que les glurpèdes se retirent dans leurs abris pour la nuit. Ithan'ak, Fork et Vonth'ak se retrouvèrent enfin seuls et s'éloignèrent des maisons primitives pour débattre à propos des récents événements.

— Un warrak essaie de trouver les souterrains d'Asilbruck avant nous, s'inquiéta Vonth'ak.

— Impossible ! tonna Ithan'ak, qui se sentait personnellement accusé. En temps de guerre, tous les warraks sont sous mon commandement. Aucun d'eux n'oserait me suivre ou m'espionner à mon insu.

— Tu as une trop grande foi en ton peuple, l'avertit Vonth'ak. Un jour, l'un de tes guerriers te trahira, comme tu as toi-même trahi Kran'ak.

— J'ai pris la place de Kran'ak, hurla Ithan'ak, car j'étais convaincu qu'il mènerait les warraks à leur perte s'il demeurait priman'ak. Le seul warrak dont je devrais me méfier est devant moi en ce moment. Nicadème, juste après m'avoir annoncé que notre quête me mènerait à la mort, a ajouté que tu trahirais un de tes amis.

Fork, qui n'était pas intervenu jusque-là, jugea qu'il valait mieux s'en mêler avant que la situation devienne incontrôlable.

— Du calme, gronda-t-il de sa voix caverneuse. Votre puérile querelle ne nous mènera à rien. Il est impossible qu'un warrak ait pu nous suivre pendant que nous voyagions sur le dos des belwigs. Peut-être que Flerk faisait référence à un événement qui s'est déroulé il y a bien longtemps. Quoi qu'il en soit, nous avons un problème beaucoup plus gros sur les bras.

Ithan'ak et Vonth'ak, conscients que leur comportement n'était aucunement approprié, acceptèrent d'écouter le bosotoss. Ce dernier espérait utiliser la ruse pour amener Flerk ou un autre glurpède à dévoiler où était située l'entrée du tunnel qui menait peut-être aux souterrains d'Asilbruck. Malheureusement, la ruse n'était pas le point fort du colosse et il comptait sur ses compagnons pour l'aider à élaborer un stratagème.

— Nous devons utiliser leur point faible, suggéra Vonth'ak. Leur cupidité est sans doute la brèche qui nous permettra de briser leur silence.

— Flerk a mentionné qu'il préférait mourir plutôt que de nous mener à l'entrée du tunnel, s'énerva Ithan'ak. Je doute que tu arrives à le faire parler avec quelques cadeaux, sans compter que nous n'avons pas l'embarras du choix.

Le priman'ak était toujours en colère contre le magicien, ce qu'il savait être parfaitement inadéquat. Depuis qu'ils avaient quitté la forêt de Grownox, un fossé s'était creusé entre les deux warraks. Ils faisaient de leur mieux pour mettre de côté les sombres prédictions de Nicadème, mais ce n'était pas suffisant. Par bonheur, Fork était là pour calmer leurs ardeurs.

— Il m'apparaît évident que nous sommes tous trop fatigués pour réfléchir, dit le bosotoss. Je suggère que nous prenions un peu de repos. Nous pourrons reparler de tout ça à l'aube.

— Fork a raison, l'appuya Ithan'ak. Nous tâcherons d'être plus productifs demain matin.

Vonth'ak ne dit rien, mais son attitude démontrait qu'il était d'accord. Durant les derniers jours, les trois compagnons avaient dû dormir sur le sol humide, généralement boueux ou parsemé de flaques d'eau. Ils n'eurent donc aucun mal à s'accommoder du sol sec et rocailleux qui bordait le modeste village des glurpèdes.

Ithan'ak s'apprêtait à trouver le sommeil lorsqu'il entendit un cri résonner dans la nuit. Plutôt que de bondir sur ses pieds et ainsi révéler sa position, il roula sur le ventre et sonda la pénombre. Fork et Vonth'ak firent de même, ce qui voulait dire qu'ils avaient eux aussi été alertés par le bruit.

Un second hurlement retentit à l'ouest du village, ce qui permit au priman'ak de conclure que les glurpèdes étaient victimes d'une attaque.

— Ce sont peut-être les ombres meurtrières, s'inquiéta Vonth'ak.

— Nous devons aller voir, décida Ithan'ak. Si tous ces crapauds visqueux sont tués, nous aurons du mal à trouver l'entrée de leur saleté de tunnel.

Le regard rouge, il dégaina son puissant glaive et se dirigea vers l'endroit d'où provenaient les cris, qui s'étaient multipliés. Au moment où il arriva face à face avec un solide gaillard barbu, le warrak fut si surpris qu'il recula d'un pas et eut tout juste le réflexe de parer la lame de l'inconnu. Celui-ci voulut réitérer son attaque, mais il fut distrait par un faisceau rouge qui s'enroula autour de son cou. La surprenante manifestation exerça sur lui une forte pression, à la fois étouffante et brûlante. Avant même qu'Ithan'ak ait le temps de comprendre ce qui arrivait, l'homme s'écroulait devant lui.

— Il ne s'attendait pas à ça, s'amusa Vonth'ak, qui était l'auteur du sortilège qui avait terrassé le barbu.

— C'est probablement un marchand d'esclaves, commenta Fork, qui s'était penché sur le corps du défunt. Ils sont probablement plusieurs. Voyons s'ils seront assez braves pour s'en prendre à autre chose que ces malheureux crapauds.

Les glurpèdes n'étaient pas d'habiles combattants, mais leur nombre était suffisant pour repousser un petit groupe d'hommes. Pour cette raison, les marchands d'esclaves avaient pris soin de mettre le feu à plusieurs habitations, ce qui était le bien le plus précieux que possédaient les résidents du marécage. Plutôt que d'opposer une résistance à leurs assaillants et de secourir les leurs qui étaient capturés, les visqueux individus s'affairaient à éteindre le feu qui menaçait de se propager s'il n'était pas contrôlé rapidement. Ceux qui avaient le malheur d'être pris dans les filets des hommes ne pouvaient compter que sur eux-mêmes. Leur désorganisation était totale, ce qui les rendait faciles à capturer.

Dans la panique générale qui les entourait, Ithan'ak et ses deux acolytes eurent du mal à localiser les marchands d'esclaves qui s'étaient introduits dans le village. Les yeux flamboyants, le priman'ak était impatient de donner une bonne leçon aux hommes, autant pour étancher sa soif de combattre que pour aider les glurpèdes.

Comme s'il s'agissait d'un jeu, les marchands d'esclaves plaisantaient en prenant au piège les glurpèdes.

— J'en ai déjà eu trois, se vantait l'un d'eux.

— Mes cinq filets sont occupés, renchérit un autre. Je suis toujours le plus rapide.

— La vitesse n'a aucune importance. Ces vermines sont incapables de se défendre. Nous pouvons prendre notre temps sans aucun risque.

— Votre jeu me paraît amusant, intervint Ithan'ak, qui s'était placé derrière l'un des hommes. Que diriez-vous de corser la partie ?

S'il l'avait voulu, le warrak aurait pu se débarrasser de l'un des hommes avant même que ce dernier s'aperçoive de sa présence, mais il désirait lui aussi faire durer le plaisir.

La présence du priman'ak dérouta les marchands d'esclaves, d'autant plus qu'il n'était pas seul. En effet, un autre warrak l'accompagnait, ainsi qu'un bosotoss dont la massue aurait suffi à balayer les huit hommes d'un seul coup.

Oubliant leurs filets, les marchands d'esclaves tirèrent leurs lames et reculèrent, comme s'ils espéraient prendre la fuite. Ithan'ak ne leur en laissa pas le temps. Comme une tempête, il fonça sur eux en maniant son glaive comme s'il s'agissait de l'extension de son bras. Avec une facilité ahurissante, il terrassa deux hommes sans qu'ils aient le temps de parer un seul coup.

— J'espère que l'un d'entre vous saura faire preuve d'une plus grande résistance, se moqua le priman'ak.

Il fit tournoyer son glaive de façon menaçante, en avançant lentement vers sa prochaine victime. L'épée de l'homme tremblait dans sa main, alors qu'il se plaçait en position de combat. Le priman'ak échangea quelques coups rapides avec lui, avant de l'envoyer rejoindre ses camarades dans le monde immatériel.

— Qui sera le prochain à croiser le fer avec moi ? demanda Ithan'ak en pointant sa lame vers les cinq hommes toujours en vie.

— Je crois qu'ils ont eu leur leçon, lui dit Fork, qui désirait mettre un terme à la rage meurtrière qui animait son vieil ami. Je suis certain qu'ils ne reviendront jamais dans ces marécages.

— Nous promettons de ne plus jamais remettre les pieds dans cet endroit, dit fébrilement l'un des survivants.

Ithan'ak hésita un instant, puis se résigna à adopter la clémence que le bosotoss lui imposait. Irrité, il fit signe aux hommes de partir, sans les laisser ramasser leurs affaires.

— J'ai parfois tendance à me laisser emporter, s'excusa le priman'ak auprès de Fork. Lorsque les warraks ne se bagarrent pas pendant un certain temps, ils doivent s'entraîner pour libérer leur soif de combats.

Fork précisa qu'il connaissait depuis longtemps le comportement parfois brutal des warraks et qu'il ne s'était jamais attendu à ce qu'Ithan'ak en fasse exception. À présent que les marchands d'esclaves étaient en déroute, le bosotoss proposa d'aider les glurpèdes à éteindre le feu qui se propageait rapidement.

— Pourrais-tu utiliser un enchantement qui neutraliserait les flammes ? demanda Ithan'ak, qui espérait une réponse positive de Vonth'ak.

— Tu es bien placé pour savoir que les warraks éprouvent des difficultés avec l'eau, répondit le magicien. Cet aspect de notre race est aussi présent dans la magie. Nous allons devoir trouver un autre moyen de mettre un terme à l'incendie.

Dans un marécage, il n'était pas difficile de trouver de l'eau en abondance. Malheureusement, les glurpèdes ne possédaient aucun récipient susceptible de la transporter en grande quantité. Puisqu'il était impossible d'utiliser l'eau pour combattre les flammes, Ithan'ak se rendit auprès de Flerk et lui demanda d'ordonner aux membres de sa tribu d'utiliser la terre boueuse à proximité des habitations menacées. Le glurpède hésita un instant, puis décida de faire confiance au warrak. Il était étrange d'observer les visqueux individus lancer de la boue sur leur propre demeure. Pourtant, la méthode proposée par le priman'ak apportait des résultats. Dans un temps record, l'incendie fut maîtrisé et il ne resta plus que quelques colonnes de fumée. Pour la première fois, aucun membre de la tribu n'avait été enlevé par les marchands d'esclaves et ils avaient pu préserver la plupart de leurs habitations. Grâce à leur précieuse intervention, Ithan'ak et ses compagnons étaient instantanément devenus pour eux des héros.

— Vous être braves et honnêtes, déclara Flerk au nom de tous les membres du village. Glurpèdes être reconnaissants. Demain matin, Flerk montrer à vous lieu sacré de notre peuple. Vous pouvoir prier avec nous.

Le lendemain, plus de la moitié de la matinée était passée lorsque les trois compagnons ouvrirent les yeux. La fatigue des derniers jours avait eu raison d'eux et ils auraient volontiers pris quelques heures de sommeil de plus.

Comme on le leur avait promis, Flerk et un petit groupe de glurpèdes les menèrent vers leur lieu sacré. Durant le trajet, Vonth'ak ne put s'empêcher de soumettre à Fork une question qui lui était apparue à son réveil.

— Je me suis souvenu que les bosotoss avaient un don inné pour trouver leur chemin, dit le magicien qui avait rejoint le colosse. Comment se fait-il que tu sois incapable de nous conduire à notre destination ?

— Ce n'est pas aussi simple, s'amusa Fork. Nous pouvons aisément retrouver les endroits que nous avons déjà visités ou nous orienter dans les déserts ou les forêts, mais nos capacités ne sont pas illimitées. Parfois, je peux trouver une oasis sans connaître son existence, mais je ne saurais expliquer comment j'y arrive. Je ne possède malheureusement pas le vocabulaire pour t'expliquer correctement notre façon de procéder.

— Nous avons tous nos limites, philosopha Vonth'ak en jetant un coup d'œil au priman'ak qui marchait un peu plus loin devant lui. Je me demande parfois si Ithan'ak connaît les siennes.

Cette remarque inquiéta le bosotoss, qui avait du mal à comprendre le lien étrange qui unissait les deux warraks, et qui les séparait tout autant.

— Je sais qu'Ithan'ak et toi n'avez pas toujours le même point de vue, dit Fork. Comment pourrait-il en être autrement ? Tu as été banni par ton peuple et tu as connu la solitude, alors que lui est devenu chef de clan ; un monde vous sépare. Pourtant, d'une certaine façon, vous vous complétez admirablement bien.

Vonth'ak eut un petit rire amer.

— Peu importe ce qu'a dit Nicadème, dit plus sérieusement le bosotoss, tu es le seul responsable de tes actes.

— Je n'ai jamais eu l'intention de tuer Ithan'ak, notifia le magicien, si c'est ce à quoi tu fais allusion. Il est vrai que nous ne partageons pas toujours les mêmes opinions, mais il est pour moi ce qui se rapproche le plus d'un ami. Mon comportement ne le démontre peut-être pas, mais il faut préciser que j'ai vécu dans la solitude une grande partie de ma vie. Il me semble donc normal que je ne fasse pas toujours preuve de civilité.

Fork était quelque peu rassuré, mais il se promit de garder un œil sur le magicien, au cas où un événement imprévu viendrait mettre fin à ses bonnes intentions.

La progression dans le marécage devenait de plus en plus ardue, à un point tel que quiconque aurait rebroussé chemin, à moins d'avoir une raison importante de continuer, ce qui était le cas d'Ithan'ak, de Fork et de Vonth'ak.

— Nous arrivés au lieu de culte, articula Flerk. Suivre moi pour prier grand dieu.

Le glurpède et ses semblables dégagèrent l'entrée d'un tunnel, enfouie sous un amoncellement de branches. Dès qu'ils eurent terminé, ils se prosternèrent à genoux, en émettant de petits sons secs avec leur bouche. Flerk, qui avait remarqué que ses trois nouveaux alliés étaient restés en arrière, s'empressa de les rejoindre et les incita à imiter la prière que les glurpèdes offraient à leur dieu, pour leur avoir envoyé de l'aide.

Ithan'ak ne savait plus que penser. Tout en se livrant à l'exercice de piété auquel s'adonnaient les crapauds visqueux, il se demandait si la modeste entrée du tunnel devant laquelle il se trouvait menait bien aux souterrains évoqués par Nicadème. Au premier abord, le passage qui conduisait sous la terre n'avait rien d'extraordinaire, si ce n'était la faible chance d'être découvert. Toutefois, le priman'ak savait qu'il était dangereux de juger les choses par leur apparence et qu'il valait mieux investir davantage, au risque de perdre un temps précieux. Tout bien considéré, il ignorait même ce qu'étaient vraiment les souterrains d'Asilbruck et la raison pour laquelle il s'y rendait. Nicadème avait affirmé que pour contrer la menace des ombres meurtrières le priman'ak devait atteindre ce lieu. Une fois que ce serait fait,

Ithan'ak était persuadé de trouver par lui-même le but de cette quête qu'il menait aveuglément.

La prière des glurpèdes durait depuis un bon moment lorsqu'Ithan'ak décida d'y mettre fin en se levant. Le warrak jugeait qu'il avait perdu assez de temps et qu'il ne pouvait en perdre davantage en priant auprès des visqueux habitants du marécage. Résolu, il se dirigea vers l'entrée du tunnel, en faisant signe à Fork et à Vonth'ak de le suivre. Comme il s'y attendait, son action créa un émoi chez les glurpèdes, particulièrement auprès de Flerk, qui se dressa entre le warrak et l'entrée du tunnel.

— Vous pas pouvoir passer, dit fermement le glurpède. Lieu sacré, personne pouvoir aller.

Les autres crapauds observaient passivement leur chef, comme si c'était à lui seul de gérer cette situation. Quant à Ithan'ak, il devait obliger Flerk à le laisser passer, même si cela lui était désagréable. Comme il l'avait si souvent fait, il porta la main gauche à son glaive, qu'il s'apprêtait à tirer. Flerk remarqua ce geste, sans pour autant céder le passage. Ithan'ak comprit que, s'il espérait passer, il devrait obligatoirement malmener le glurpède, voire même le tuer. Cette pensée lui était très pénible. Depuis qu'il avait quitté la pointe d'Antos, le warrak adoptait des méthodes un peu moins radicales. Il ne pouvait s'empêcher de penser que sans l'aide des glurpèdes il n'aurait probablement jamais découvert l'entrée du tunnel à laquelle il tentait d'accéder. Il se surprit donc à relâcher le pommeau de son arme, ce qu'il aurait auparavant considéré comme un signe de faiblesse. Heureusement pour Flerk, le priman'ak savait maintenant faire la différence entre la miséricorde et la mollesse.

Flerk fixait toujours Ithan'ak d'un air résolu lorsque son regard se figea ; la vie l'avait quitté subitement. Aussitôt, le priman'ak se retourna vers Vonth'ak, qui était le responsable de cet homicide.

— Pourquoi as-tu fait cela ? se fâcha Ithan'ak, en observant le faisceau rouge qui reliait toujours le magicien à sa proie.

— Parce que c'était nécessaire et que tu n'en avais vraisemblablement pas la force.

La réponse de Vonth'ak mit Ithan'ak encore plus en colère qu'il ne l'était déjà ; probablement parce que la façon d'agir du magicien ressemblait davantage à celle des warraks que le comportement adopté par Ithan'ak.

— Je suis le seul à prendre ce genre de décisions, rugit le priman'ak, sans se soucier des glurpèdes qui s'enfuyaient chacun de leur côté.

— Je t'ai déjà dit que je ne ferais jamais partie de ton clan et que je ne réponds aux ordres de personne, répliqua le magicien.

— Ce qui est fait ne peut être changé, trancha Fork d'un ton qui n'incitait pas à la réplique. Le mieux qu'il nous reste à faire est d'entrer dans ce tunnel et d'espérer y trouver quelque chose qui pourra nous aider à vaincre Xioltys et les ombres.

Le bosotoss était profondément déçu par le comportement des deux warraks. À chacune de leurs querelles, il les voyait se rapprocher un peu plus du dénouement funeste qu'avait prédit Nicadème. Sans égard pour le corps inerte de Flerk qui gisait sur le sol, le colosse se dirigea vers l'entrée du tunnel.

— Que faisons-nous de la dépouille du glurpède ? l'interrogea Ithan'ak.

— À ma connaissance, répondit Fork d'une voix qui exprimait son mécontentement, les glurpèdes n'ont aucun rituel associé à la mort ; laissez-le où il est.

Sans rien ajouter, le colosse s'enfonça dans le tunnel et disparut rapidement dans la pénombre. Ithan'ak et Vonth'ak échangèrent un regard mal à l'aise, puis pénétrèrent eux aussi dans ce qu'ils espéraient être les souterrains d'Asilbruck. Dans leur hâte de rejoindre le bosotoss, ils ne s'étaient pas aperçus qu'ils étaient suivis.

Chapitre 8

Lorsqu'il reprit connaissance, le gamin avait un goût de sang dans la bouche. Il remua pour s'assurer qu'il n'avait aucun membre cassé et constata que son corps, parsemé de blessures, était extrêmement douloureux. Toutefois, il n'avait aucune fracture. Non sans peine, il se leva et examina l'endroit où il se trouvait. Autour de lui, il n'y avait rien d'autre que des arbres, des plantes, de gros rochers et bien sûr la rivière.

Xioltys se souvenait d'avoir lancé un sortilège aux fils de sire Adrigan, après quoi il avait plongé dans la rivière. Par la suite, il avait vu Waren empêcher Sédora de lui tendre une branche afin de le libérer du dangereux courant. Ce geste aurait très bien pu causer la noyade de Xioltys, mais l'apprenti magicien s'était débattu et avait finalement réussi à atteindre la rive. Les nombreux rochers qu'il avait heurtés lui avaient causé d'importants dommages, ce qui l'avait poussé à se laisser tomber sur le sol, sans même essayer de trouver du secours.

Xioltys était révolté par le souvenir de ses amis qui n'avaient rien fait pour l'aider, alors que le courant l'emportait vers une mort probable. « Ils m'ont trahi », pensa-t-il, bouleversé par cette improbabilité. Le garçon blond s'apitoya un instant, puis commença à douter de ce qu'il avait cru voir. Tout s'était déroulé si rapidement qu'il avait très bien pu se tromper sur les intentions de Waren. Et même s'il avait vu juste, Sédora, Grégoire et Moal n'avaient rien à voir avec la félonie dont s'était rendu coupable Waren. Encouragé par cette réflexion, Xioltys décida qu'il devait remonter la rivière et s'assurer que ses amis étaient en sécurité. Le pendentif en zimz était toujours autour de son cou, ce qui l'incitait aussi à récupérer les quatre autres objets nécessaires à l'invocation d'un esprit.

Plusieurs heures s'écoulèrent avant que le garçon blond n'arrive à un endroit qu'il reconnaissait. Ses jambes étaient fatiguées, mais ce n'était rien en comparaison avec la douleur que lui procuraient ses pieds. En effet, durant son séjour prolongé dans la rivière, il avait perdu ses sandales en cuir. Il avait rapidement compris que la forêt était un endroit hostile pour quelqu'un qui osait s'y aventurer les pieds dénudés. À plusieurs reprises, il avait eu envie d'abandonner, de s'asseoir et d'accorder à ses pieds meurtris le repos qu'ils méritaient. Lorsque cette pensée lui traversait l'esprit, il visualisait le visage de ses amis, en particulier celui de Sédora. Ceux-ci étaient probablement tous en sécurité, mais Xioltys voulait s'assurer que sire Adrigan et ses fils n'avaient pas réussi à les retrouver. Quant à Waren, l'apprenti magicien comptait bien régler ses comptes avec lui.

Xioltys arriva finalement en bordure du lac Myosa et se dirigea vers le vieil arbre au tronc robuste dans lequel était perchée la cabane où il avait l'habitude de se réunir avec ses amis. À son grand soulagement, il put distinguer la voix de Sédora, ainsi que celle de Waren. Sans prendre le temps d'écouter ce qu'ils racontaient, le garçon blond escalada les planches fixées au tronc de l'arbre et entra dans la cabane.

— Tu es en vie ! s'exclama Sédora, qui était visiblement troublée et soulagée. Nous croyions que tu t'étais noyé.

Xioltys, qui ne savait pas quoi répondre, afficha un sourire triste.

— Sédora ! dit brusquement Waren. Rappelle-toi ce dont nous avons parlé.

— De quoi s'agit-il ? s'intéressa Xioltys.

Waren se leva et adopta une posture se voulant menaçante.

— Nous avons vu ce que tu as fait aux fils de sire Adrigan, dit-il d'un ton accusateur. Tu es une pourriture de magicien et je souhaite que tu trouves rapidement ta place dans le gouffre éternel.

— Nous avions tous convenu d'invoquer un esprit, s'indigna Xioltys. Vous saviez que cela impliquait la magie et vous étiez tous d'accord pour essayer.

Il regarda Moal, qui n'osa pas soutenir son regard, de même que Grégoire et Sédora.

— Nous pensions qu'il s'agissait d'un jeu, sanglota la jeune fille. Nous n'y avions jamais vraiment cru. La magie était pour nous un mythe, à tel point que nous trouvions ridicules les lois de Kalamdir la proscrivant. En te voyant attaquer les fils de sire Adrigan, nous avons vu le mal que tu portais en toi.

— J'essayais de protéger Moal, se révolta le fils du maire.

— Tais-toi ! tonna Waren. Tes paroles sont aussi venimeuses que ta magie. Nous ne pouvons pas te dénoncer, car nous serions aussitôt démasqués et arrêtés pour t'avoir aidé à dérober les objets que tu convoitais. Je te conseille de t'enfuir loin d'ici avant que nous changions d'avis. En dénonçant un magicien, nous serions peut-être pardonnés pour nos fautes.

Xioltys tenta de trouver un appui chez Sédora, en qui il avait totalement confiance. À son grand désarroi, la jeune fille détourna la tête, bien que son visage reflétât l'affliction que cela lui causait.

Le rejet de ses amis créa une douleur intense dans le cœur de Xioltys, ce qui se traduisit par une colère et une haine qu'il n'avait jamais expérimentées jusque-là. Furieux, il voulut s'emparer des objets nécessaires à l'invocation d'un esprit. Waren voulut s'y opposer, mais Xioltys le menaça d'utiliser ses nouveaux pouvoirs contre lui s'il ne le laissait pas faire.

Lorsqu'il sortit de la cabane, l'apprenti magicien remarqua que Sédora voulait lui dire quelque chose, mais elle n'en fit rien. Cela le mit encore plus de mauvaise humeur. D'un pas résolu, malgré ses pieds qui lui causaient toujours une grande douleur, il regagna la maison de son père et s'empara subrepticement du livre de magie. Il se rendit ensuite dans une vieille remise à l'arrière de la maison, où étaient rangés les outils. Aveuglé par la tristesse, le garçon blond n'avait plus conscience de ce qu'il s'apprêtait à faire. D'un air absent, il disposa la flûte en bois, l'épée, la corne de rînock, la sculpture en bois et le pendentif en zimz, comme le recommandait le livre de magie. La seconde étape était beaucoup plus ardue. Xioltys devait rassembler en lui une quantité importante de magie, puis la transmettre aux cinq objets. Il ignorait comment s'y prendre, ainsi que ce qui adviendrait par la suite, mais il se laissa guider par son instinct.

Alors que l'énergie grandissait en lui, il prenait davantage confiance et il n'eut aucun mal à diriger cette même énergie vers les objets qu'il avait si durement acquis. Ceux-ci brillèrent aussitôt d'une lueur argentée, tout en faisant vibrer le plancher. Ce fut ensuite au tour des murs de s'agiter, comme si une tornade surgissait à l'intérieur de la remise. Xioltys se doutait que son enchantement était imparfait et que cette manifestation n'avait rien de normal, mais il s'entêta à continuer. La force qu'il avait mise en place devenait incontrôlable, tellement que la toiture s'envola comme une feuille de papier, suivit de près par les murs. La pseudo-tornade prenait des proportions inquiétantes, ce qui n'empêchait pas l'apprenti magicien de continuer à prononcer sans cesse les mots inscrits dans le livre qu'il tenait fermement dans ses mains. La persévérance dont il faisait preuve n'avait d'égal que son insouciance. En effet, les forces qu'avait invoquées Xioltys, si elles n'étaient pas adéquatement contrôlées, risquaient de détruire non seulement la maison du maire, mais aussi le village en entier. Cette perspective lui était égale, pourvu qu'il puisse terminer ce qu'il avait commencé.

Heureusement, le garçon blond était doté d'un talent naturel pour la magie, ce qui lui permit de prendre peu à peu le contrôle du cyclone qu'il avait créé. Ce qui s'était d'abord manifesté sous la forme de vents violents devint un feu argenté, contenu dans le cercle que formaient les objets nécessaires à l'invocation d'un esprit. Ce ne fut que lorsque Xioltys eut totalement le contrôle du phénomène qu'un visage apparut dans les flammes.

— Pourquoi m'arrache-t-on à un repos bien mérité sur les terres célestes ?

Xioltys fut d'abord surpris par la manifestation qui n'avait rien de rassurant. Il lui fallut quelques instants pour comprendre qu'il avait réussi à invoquer un esprit, ce dont il ne s'était jamais vraiment cru capable. Conscient que son temps était probablement limité, il écarta ses craintes et se concentra sur la question qui lui brûlait les lèvres depuis tant d'années.

— Comment ma mère est-elle morte ? demanda-t-il, conscient qu'il n'aimerait peut-être pas la réponse qu'il obtiendrait.

Selon le livre de magie, les esprits n'étaient pas très enclins à répondre aux questions. Malgré tout, ils le faisaient parfois, sans raison apparente, comme s'ils étaient eux-mêmes intrigués par leur brève intrusion dans le monde matériel et souhaitaient prolonger leur venue parmi les vivants.

Plutôt que de répondre directement à la question qu'on lui avait soumise, l'esprit fit apparaître dans les flammes deux silhouettes, que Xioltys pouvait voir et même entendre distinctement. Le garçon reconnut immédiatement son père et déduisit que la femme devait être sa mère. Les deux personnages, animés par les flammes, étaient plongés dans une violente dispute. La raison de leur conflit provenait du livre que l'homme tenait à la main, le même que Xioltys avait utilisé pour invoquer un esprit. Il le brandissait en sermonnant sa femme d'une façon si violente que celle-ci pleurait, sans trouver la force de répondre aux accusations qui lui étaient portées.

— Tu n'es qu'un vil serviteur du mal, l'accusait le père de Xioltys, ne reconnaissant plus en elle la femme qu'il avait aimée durant tant d'années.

La terrible découverte qu'il avait faite au sujet de son épouse le rendait fou, à un point tel qu'il la frappa si fort qu'elle fut violemment projetée sur le plancher.

— Durant toutes ces années, disait-il avec une hargne débordante, tu m'as caché ta véritable identité. Tu m'as fait croire que tu étais une douce et tendre compagne, alors que tu flirtais en cachette avec la magie.

— Je savais que tu ne comprendrais pas, larmoyait la femme, dont la peur se lisait sur le visage.

— Au contraire, s'emporta l'homme, je comprends très bien la situation. Ma femme est une ensorceleuse et je suis tenu, selon nos lois, de la livrer à la justice. Malheureusement, je suis le maire du village et cette affaire risque de ternir à jamais ma réputation.

La pauvre femme comprit que la situation était encore pire qu'elle ne l'avait cru. Quant à l'homme, il savait qu'il devait agir pendant qu'il en avait le courage.

— Laisse-moi au moins voir mon enfant une dernière fois, supplia la mère de Xioltys, dont le visage était ravagé par les larmes.

— Cet enfant n'est plus à toi, dit l'homme en s'emparant d'une solide corde.

Alors qu'il avançait vers sa femme avec le regard meurtrier, celle-ci prononça quelques mots, puis leva la main vers son époux. Il s'en échappa ce qui ressemblait à une poudre rouge, qui vint se coller sur les paupières de l'homme.

— Mes yeux brûlent ! hurla le bourreau transformé en victime, en frottant rudement ses paupières.

La femme aurait pu profiter de ce moment pour s'enfuir, mais elle n'en fit rien. Sa seule préoccupation était son fils qui dormait dans la pièce voisine, qu'elle s'empressa de rejoindre. Elle barricada la porte derrière elle avec un grand coffre de métal dans lequel étaient entassés des dizaines de livres administratifs.

L'instinct maternel de la femme s'avérait plus fort que son instinct de survie. Plutôt que de préserver son existence en fuyant sa demeure et son enfant, elle préférait profiter des quelques minutes qu'elle avait gagnées pour bercer le bambin. Ce qu'elle vivait n'était pas une surprise pour elle. Depuis des années, elle redoutait le moment où son époux découvrirait le secret qu'elle s'appliquait à lui cacher ; ce n'était qu'une question de temps.

Le sortilège qu'elle avait jeté au père de Xioltys n'était que de courte durée et n'avait aucune conséquence néfaste à long terme. En effet, bien que l'homme voulût la tuer, elle comprenait sa rage et ne lui en voulait pas pour ce qu'il s'apprêtait à faire.

Le coffre en métal qui bloquait la porte ne put retenir longtemps l'homme aveuglé par la colère qui n'avait plus rien d'un père de famille. Lorsqu'il pénétra dans la chambre, sa femme était assise dans une chaise berçante et chantait une comptine à l'enfant qu'elle serrait contre elle affectueusement. Son chant ne s'arrêta pas lorsque son mari se plaça derrière la chaise berçante. Elle ne cessa pas de chanter lorsqu'elle sentit la corde rude appuyer sur son cou. Son dernier regard se porta sur le garçon paisiblement endormi qu'elle tenait dans ses bras. Quelques sons rauques remplacèrent le doux chant de la femme, puis le silence retomba, comme si rien ne s'était passé.

Les silhouettes disparurent d'entre les flammes, laissant toute la place au visage sans vie qui souhaitait maintenant rejoindre le monde immatériel auquel il appartenait désormais.

— Avez-vous eu la réponse que vous attendiez ? demanda l'esprit à Xioltys.

Il fallut un instant au garçon blond pour assimiler ce qu'il venait d'apprendre. Ébranlé, il regardait les flammes d'un air absent. L'esprit, mécontent du peu de reconnaissance qu'on lui accordait, disparut en faisant gronder les flammes, qui s'estompèrent aussitôt.

Au loin, les villageois, alertés par le phénomène surnaturel, observaient craintivement ce qui restait de la remise que le fils du maire avait fait voler en éclats. Certains d'entre eux, plus téméraires, avancèrent vers le garçon blond, en pointant vers lui leur fourche ou un quelconque outil tranchant. Xioltys était trop secoué pour s'en préoccuper. Ce ne fut que lorsqu'ils furent à quelques pas de lui qu'il réalisa le danger qui le guettait.

— Ne touchez pas à mon fils ! intervint le père du garçon, qui revenait tout juste du village voisin.

Les villageois reculèrent pour céder la place au maire. Ce dernier avait l'impression de revivre un cauchemar qu'il n'avait jamais pu oublier.

— Je sais ce que tu as fait à ma mère, l'accusa Xioltys qui s'était levé pour faire face à son père. Le devoir d'un époux n'est-il pas de protéger sa femme, quoi qu'il arrive ?

— Je n'avais pas le choix, répondit fébrilement l'homme. Ta mère s'était rendue coupable de sorcellerie. Si seulement tu savais combien j'ai regretté mon geste. Elle me manquait à un point tel que je n'ai jamais pu me défaire de ce maudit livre que tu tiens à la main.

Xioltys jeta un coup d'œil au bouquin, grâce auquel il avait découvert la vérité sur le décès de sa mère et qui lui avait permis de prendre connaissance de son propre talent.

— As-tu l'intention de me condamner comme tu l'as si cruellement fait avec elle ? demanda-t-il.

— Tu as fait une erreur, dit délicatement le maire. Il est encore temps de renoncer à ce que t'offre ce livre. Ensemble, nous le brûlerons et nous ferons de notre mieux pour oublier ce qui s'est passé aujourd'hui. Avec le temps, tu regagneras la confiance des villageois.

— Et je te succéderai comme maire, ajouta Xioltys.

— Je crains que tu aies perdu cette place à jamais, dit tristement le père du garçon. Je sais que tu caresses depuis longtemps cet espoir, mais ta conduite d'aujourd'hui l'a annihilé pour toujours.

Xioltys fit quelques pas en arrière.

— Dans ce cas, dit-il gravement, je crois que je vais plutôt suivre les traces de ma mère.

Le visage du maire reflétait le dilemme intérieur avec lequel il était pris.

— Tu sais que la magie est proscrite par nos lois, dit-il, presque en suppliant. Si tu t'engages dans cette voie, je serai dans l'obligation de faire mon devoir.

— Il ne doit pas être aisé d'être le bourreau de sa propre famille, dit sèchement Xioltys.

Lentement, il s'agenouilla et ramassa l'épée qui avait servi à l'invocation de l'esprit. Il la pointa vers son père et l'encouragea à le laisser partir.

— Si quelqu'un me suit, dit-il à l'intention des villageois hostiles, je n'hésiterai pas à utiliser la magie pour me défendre.

Le garçon blond ne connaissait encore rien aux sortilèges, mais les villageois n'en savaient rien, ce qui lui laissait une longueur d'avance. Alors qu'il s'éloignait pour rejoindre la forêt, il vit dans la foule le visage pâle de Sédora, qui le fixait en pleurant.

Bien des années s'étaient écoulées depuis ce dénouement tragique, mais le magicien s'en souvenait comme si c'était hier. Assis dans l'herbe fraîche, il regardait l'eau de la rivière faire son chemin entre les rochers.

— Tu es encore absent, le taquina la jeune femme assise à ses côtés. Est-ce que tes pensées vont encore vers cette mystérieuse Sédora ?

— Bien sûr que non, se défendit Xioltys. Je t'ai déjà expliqué que Sédora n'était qu'une amie d'enfance ; une gamine que j'ai connue autrefois. En vérité, je pensais à ma mère.

— Tu ne m'as jamais parlé de tes parents, s'intéressa la jeune femme. Je suis certaine qu'ils étaient bienfaisants et que vous formiez une famille heureuse. Autrement, comment aurais-tu pu devenir le charmant jeune homme qui a vaillamment combattu les warraks et qui s'est présenté presque mort devant ma porte ?

— Ils étaient un parfait modèle, mentit le magicien, qui ne voulait pas défaire l'image qu'avait de lui la naïve Miverne. Ils t'auraient probablement beaucoup aimée.

Miverne comprit que ce sujet était douloureux pour le jeune homme blond et elle décida de ne pas s'y aventurer davantage. Cela faisait quelques mois qu'elle avait accueilli Xioltys dans sa maison, et elle savait maintenant reconnaître les sujets qui l'embarrassaient. La présence d'un étranger chez elle l'avait d'abord effrayée, mais elle l'avait tout de même recueilli, en quelque sorte pour attirer la fortune sur sa famille. En effet, le père et le grand frère de Miverne avaient depuis longtemps quitté leur demeure pour aller combattre les nains. Peu de temps avant l'arrivée de Xioltys, la jeune femme avait reçu une lettre de son père. Ce dernier lui expliquait que la menace grandissante des warraks était devenue une priorité et qu'un traité avec les nains avait été signé. Dans sa missive, il décrivait à sa fille les horreurs de la guerre et lui recommandait de prendre soin des malheureux dans le besoin. En conséquence, lorsque Miverne avait soigné Xioltys, elle avait eu l'impression de porter secours à son père ou son frère.

La guérison du jeune homme blond ne s'était pas opérée en quelques jours. Au contraire, il lui avait fallu plus de deux mois avant d'arriver à se lever du lit, comme si on l'avait subitement privé de toutes ses forces. Miverne s'était montrée patiente, quoique angoissée par ce mal étrange. De plus, Xioltys affirmait être un soldat de Kalamdir, mais sa tunique noire ornée de symboles rouges n'avait rien à voir avec l'habit réglementaire de l'armée.

Au début, la méfiance de Miverne, jumelée à l'austérité du jeune homme blond, avait rendu la communication presque inexistante. La jeune femme se contentait de nourrir l'étranger qui logeait dans la chambre de son frère, et il la remerciait sans courbettes. Un jour, alors qu'il commençait à retrouver ses forces, Xioltys avait interdit à son hôte de pénétrer dans la chambre, dont il avait bloqué la porte et les volets des fenêtres. Ce manège avait duré près d'une semaine, si bien que la jeune femme avait cru que celui qu'elle abritait était pris d'une crise de folie. Inquiète pour la santé du jeune homme, elle avait pris soin de laisser chaque jour de l'eau et de la nourriture devant la porte de la chambre. Chaque matin, elle retrouvait le gobelet et l'assiette vides.

De son côté, Xioltys avait une bonne raison d'agir ainsi. En effet, son état de santé s'améliorait et l'aura argentée propre à tous les magiciens commençait à réapparaître. Malheureusement, il était encore trop faible pour arriver à masquer cet attribut qui aurait tôt fait d'alerter le village, puis la région en entier. Il ne pouvait courir ce risque, tant que ses pouvoirs ne seraient pas suffisants pour contrôler de nouveau les ombres meurtrières. La seule solution qui s'était présentée à lui était l'isolement complet. Pendant que Miverne s'inquiétait de son comportement suspicieux, il s'affairait à parfaire le voile qui masquait sa véritable nature avec le peu de forces qu'il avait recouvrées. Lorsqu'il avait été satisfait du résultat, il était enfin sorti de la chambre et s'était excusé auprès de Miverne pour son manque de savoir-vivre, sans expliquer davantage les motifs de sa conduite inconvenante. La jeune femme, soulagée de constater que le soldat qu'elle avait recueilli n'était pas devenu fou, lui avait offert de s'asseoir à la table et avait préparé le déjeuner.

Il y avait fort longtemps que Xioltys ne s'était pas senti redevable envers quelqu'un. Durant son existence à Ymirion, ceux qui répondaient à ses caprices étaient plus obéissants qu'obligeants. Quoi qu'il en soit, Miverne lui rappelait les gens simples de la campagne, qu'il avait depuis longtemps oubliés.

— Qu'est-il arrivé à votre mère ? avait-il un jour demandé sans réfléchir.

La jeune femme lui avait tristement répondu qu'elle n'avait jamais connu sa mère, qui était morte en accouchant d'elle. Cet aveu avait considérablement touché Xioltys, qui s'était peu à peu rapproché de celle qui prenait soin de lui durant sa convalescence. Chaque après-midi, ils se rendaient jusqu'à la rivière, où ils discutaient parfois de choses et d'autres en se trempant les pieds dans l'eau, qui était chaude à cette époque de l'année. C'était d'ailleurs ce qu'ils avaient choisi de faire cette journée-là.

— Combien de temps s'est écoulé depuis que tu es arrivé chez moi ? demanda Miverne, dont le soleil avait rougi les pommettes.

— J'avoue que je préfère ne pas y penser, répondit Xioltys, qui profitait de chaque instant passé avec elle.

— Bientôt, tu seras complètement rétabli, continua la jeune femme. Les gens commenceront à commérer si tu continues d'habiter sous mon toit.

— Tu souhaites me voir partir ? se désola le jeune homme blond.

— Au contraire, sourit-elle, j'aimerais trouver un moyen de te voir rester.

Cette fois, Xioltys comprit où elle voulait en venir. Le regard câlin porté sur lui avait quelque chose d'irréel. Sans s'en rendre compte, il s'était ouvert à un monde auquel il avait toujours refusé de s'abandonner, de peur d'être de nouveau blessé, comme il l'avait été dans sa jeunesse. De nouvelles possibilités s'offraient à lui ; peut-être même une nouvelle vie. Au fond de lui, il caressait l'espoir d'oublier les cruautés qu'il avait commises. Les épreuves de la vie avaient façonné l'homme qu'il était devenu et il désirait mettre à mort le magicien cruel qui sommeillait en lui. Miverne pouvait marquer un changement définitif dans son existence peu reluisante. Avec elle, il n'avait aucun passé, ce dont la jeune femme ne semblait pas s'inquiéter. Il se sentait prêt à tirer un trait sur son ancienne vie et à plonger la tête la première vers l'inconnu. Avec le temps, le poids qui pesait sur son âme deviendrait plus léger, bien qu'il ne pourrait jamais complètement disparaître.

À l'ombre d'un arbre qui bordait depuis des décennies la rivière, les deux jeunes gens s'enlacèrent pour la première fois, échangeant à n'en plus finir des baisers doux et passionnés. Xioltys était enivré par cette facette de lui-même qu'il n'avait jamais explorée. L'ambition, le pouvoir et la vengeance n'étaient plus à ses yeux que de vulgaires motivations sans intérêt. Il découvrait que les choses simples étaient en vérité celles qui avaient le plus de valeur. Pour la première fois depuis le jour où il avait vu le visage triste de Sédora le regarder dans la foule, il se sentait en sérénité avec lui-même et avait l'intention de tout mettre en œuvre pour que rien ne change.

Chapitre 9

Ce qui n'était qu'un tunnel étroit aux allures d'une mine s'était peu à peu transformé en large passage, dans lequel une dizaine de bosotoss auraient pu marcher côte à côte. Lorsque la lumière avait cessé d'éclairer le chemin, Vonth'ak avait pratiqué un enchantement simple, qui avait eu pour effet d'augmenter l'intensité de l'aura argentée qui l'entourait. Ainsi, il était possible de distinguer correctement les imperfections du sol et éviter de trébucher.

Les heures passaient et les trois compagnons s'enfonçaient de plus en plus profondément sous la terre. Jusque-là, aucun indice ne leur permettait d'affirmer qu'ils se trouvaient bien dans les souterrains d'Asilbruck. Leur progression était profondément ennuyeuse, d'autant plus que sans le soleil il leur était impossible de savoir depuis combien de temps ils marchaient. Seule la fatigue leur permettait d'estimer les heures qui passaient.

Vonth'ak fut le premier à montrer des signes évidents d'éreintement. Lorsque Fork lui demanda s'il souhaitait s'arrêter pour se reposer et dormir un peu, le magicien insista pour continuer. Autrement, il savait qu'Ithan'ak le jugerait une fois de plus pour sa faible constitution physique. Bien qu'il le niait, le magicien éprouvait des remords de ne pas être comme les autres warraks. Son orgueil le poussait donc à continuer d'avancer, ce qu'il fit jusqu'à ce que le priman'ak et le bosotoss soient eux aussi exténués. Ils convinrent donc de manger un peu, puis de dormir le temps nécessaire pour être aptes à repartir.

— Je me demande quelle distance nous devrons parcourir pour atteindre l'extrémité de ce tunnel, commenta Fork, qui essayait de trouver une position confortable pour dormir. Nos vivres sont limités et nous devons penser au retour.

— Nous aurons tout le temps d'y penser lorsque nous serons reposés, dit Ithan'ak. Il est inutile d'essayer de résoudre ce genre de problème dans notre état actuel. Je soupçonne que nous avons marché pendant beaucoup plus longtemps que ce que nous croyons. La dernière fois que je me suis senti aussi las, mon clan s'était déplacé pendant plus de deux jours sans dormir ni manger. À notre réveil, nos pensées seront certainement plus claires.

— Veux-tu que je prenne le premier tour de garde ? demanda Vonth'ak.

— Je doute que quoi que ce soit vienne gêner notre repos, répondit le priman'ak. Je plaide généralement en faveur de la prudence, mais je crois qu'il serait plus sage de faire une exception pour cette fois.

Le magicien, qui n'aspirait qu'à sombrer dans le monde des rêves, s'empressa de s'étendre avant qu'Ithan'ak change d'idée. À peine avait-il fermé les yeux que le sommeil s'était emparé de lui, ce qui était aussi le cas de ses compagnons.

Lorsqu'ils ouvrirent de nouveau les yeux, les trois acolytes avaient l'impression de ne pas avoir dormi plus de deux ou trois heures, ce qui était en réalité impossible à évaluer.

— Il est temps de continuer notre chemin, dit Ithan'ak, en remuant Fork qui avait du mal à émerger du sommeil.

— Pardonne-moi, dit le colosse en bâillant. J'ai eu de la difficulté à dormir. J'avais l'étrange impression d'être observé et je me suis levé plusieurs fois pour m'assurer que nous étions en sécurité.

— Tu aurais dû nous avertir, le rabroua Vonth'ak. Nous ignorons si des créatures hostiles habitent cet endroit.

— Vonth'ak a raison, approuva Ithan'ak, mais je suis responsable de cette négligence. J'ai pris une mauvaise décision en n'établissant pas un tour de garde.

Les deux warraks se dévisagèrent quelques secondes, durant lesquelles le priman'ak eut l'impression que Vonth'ak se délectait de son erreur. Il était difficile de dire si leur relation s'était détériorée à cause des prédictions de Nicadème ou si ce déclin était inévitable. Quoi qu'il en soit, Ithan'ak prenait de plus en plus de précautions vis-à-vis du magicien, ce qu'il faisait de son mieux pour dissimuler, afin de ne pas augmenter la tension.

Au fur et à mesure que les aventuriers s'enfonçaient sous terre, les parois du tunnel s'élargissaient considérablement. De plus, une mince couche végétale phosphorescente recouvrait la roche, ce qui illuminait la pénombre. Au bout d'un moment, Vonth'ak avait pu retirer l'enchantement qui augmentait la puissance de son aura argentée, qui n'était plus nécessaire.

— Je me suis un jour rendu chez les nains de la vallée de Grick, dit Fork en marchant, brisant ainsi le silence. La plupart de leurs constructions sont enfouies sous terre et ce sont de chevronnés et d'inépuisables travailleurs. Pourtant, ils n'ont jamais pu s'aventurer si profondément dans les entrailles de Nürma.

— En effet, approuva Ithan'ak, j'ai l'impression que ce tunnel n'a rien d'ordinaire et que nous sommes sur la bonne voie.

— Dans ce cas, le nargua Vonth'ak, peut-être pourras-tu nous indiquer de quel côté nous devons nous diriger.

Le trio venait d'atteindre un embranchement, le premier depuis qu'ils avaient entamé leur descente sous terre. Chacune des deux voies qui s'offraient à eux représentait probablement des heures ou des jours de marche. Ils avaient donc intérêt à emprunter la bonne.

Plutôt que de prendre cette décision hâtivement, Ithan'ak avait décidé de s'accorder un moment de réflexion, afin d'évaluer les différentes possibilités qui s'offraient à lui. Le seul moyen de ne pas faire d'erreur était de séparer le groupe, ce qui se résumait à envoyer Fork et Vonth'ak dans le premier embranchement et de s'aventurer seul dans le second. Ce n'était pas la solution idéale, mais la peur était étrangère aux warraks, ce qui représentait un avantage dans une situation semblable.

Pendant qu'Ithan'ak méditait sur le problème, Vonth'ak en profitait pour refaire ses forces. Quant à Fork, il était posté devant l'embranchement et essayait d'utiliser son sixième sens pour définir avec exactitude le chemin à emprunter. Malheureusement, chacune de ses tentatives se révélait un échec.

— J'ai vu quelque chose bouger dans l'obscurité, s'alarma le colosse, qui fit quelques pas en arrière.

Il tenait son énorme massue devant lui, prêt à toute éventualité. Ithan'ak vint rapidement le rejoindre, l'arme au poing.

— Es-tu certain que ce n'était pas ton imagination ? demanda le warrak.

Le bosotoss demeura silencieux, essayant de percer la pénombre. Soudainement, une gigantesque créature bondit vers les deux amis en poussant un rugissement étourdissant. Ithan'ak eut tout juste le temps de rouler sur le sol rocailleux, alors que

Fork fut durement projeté contre la paroi rocheuse, si fort qu'il s'évanouit.

Le monstre qui avait surgi de l'obscurité ne ressemblait à aucune créature qui foulait le sol d'Anosios. Il était presque deux fois plus haut qu'un bosotoss et son corps musclé était soutenu par quatre pattes d'une grande agilité. Ses trois longs doigts étaient munis de griffes suffisamment longues pour couper un warrak en deux d'un seul coup. Ses épaules étaient démesurées par rapport à l'ensemble de son corps, ce qui lui donnait une stature fort imposante. Toutefois, la tête du monstre était ce qui attirait vraiment l'attention. Longue et large, elle était munie de deux longues cornes recourbées vers le bas. Son museau plat était fait d'un os directement soudé à la boîte crânienne, ce qui lui fournissait une protection optimale. De chaque côté de la tête, une série de profondes cavités occupaient l'espace où auraient dû se trouver ses yeux. Puisque la créature vivait dans l'obscurité totale, cela devait lui servir à se diriger et peut-être même à flairer ses proies. Quant à sa mâchoire, elle était carrée et puissante, ornée d'une multitude de courtes dents triangulaires qui semblaient assez coupantes pour déchiqueter les os les plus durs.

— Qu'est-ce que cette monstruosité ? demanda Vonth'ak, qui était stupéfié par l'animal.

— Nous verrons plus tard, répondit Ithan'ak, qui avait reculé lentement jusqu'au magicien.

Pendant que les warraks réfléchissaient à un moyen de se débarrasser de la bête, celle-ci se dirigeait avec appétit vers le bosotoss qui avait perdu connaissance. Une salive épaisse dégoulinait le long de sa mâchoire. D'un instant à l'autre, elle mettrait fin à la longue existence de Fork en un seul coup de griffe ou de mâchoire.

Tout s'était passé si rapidement que Vonth'ak avait à peine eu le temps de rassembler l'énergie nécessaire pour lancer un sortilège. Comme il devait affronter un animal, il avait opté pour l'utilisation du feu, élément qu'il maîtrisait parfaitement.

— Fais vite, le poussa Ithan'ak, qui visualisait déjà Fork déchiqueté par le monstre.

Le magicien tendit le bras droit vers la poitrine de la bête, puis prononça quelques mots dans une langue inconnue. Aussitôt, une spirale de feu fut projetée contre l'animal, qui poussa un cri de douleur. Furieux, il détourna son attention du bosotoss et grogna en direction des deux warraks.

— Impossible ! s'étonna Vonth'ak. Même une bête de cette taille ne peut survivre à la flamme que je lui ai envoyée.

— Son cuir est peut-être résistant au feu, suggéra Ithan'ak.

Ils ne purent tergiverser davantage sur l'échec du magicien, car le monstre chargea dans leur direction. Le priman'ak poussa Vonth'ak derrière un gros rocher et fit face à l'animal qui fonçait sur lui. Au dernier instant, il bondit sur le côté en traçant un arc avec son glaive, de façon à couper l'une des pattes de la bête. La lame, qui aurait dû pénétrer la chair de l'animal, vibra comme si elle avait frappé une roche.

Le monstre, qui n'avait même pas une égratignure, fit un rapide demi-tour et rugit vers le warrak qui lui avait échappé. Ithan'ak était encore sous le choc et se demandait de quelle façon il arriverait à tuer son assaillant dont la peau était si résistante que le feu et l'acier ne pouvaient l'endommager. « Toutes les créatures ont un point faible, pensa-t-il. Je dois simplement trouver le sien sans tarder. »

Pendant qu'Ithan'ak occupait l'attention de la créature, Vonth'ak essayait de rassembler l'énergie nécessaire pour effectuer un nouveau sortilège. Le feu n'avait rien donné, mais les connaissances du magicien ne se limitaient pas au contrôle de ce seul élément. Le warrak espérait lancer un sort d'étouffement, qui lui avait été utile à plusieurs reprises dans le passé. Curieusement, il n'arrivait pas à réunir la force nécessaire à l'exécution de cette offensive qu'il avait maintes fois utilisée.

— Qu'attends-tu pour lui lancer un autre sortilège ? demanda Ithan'ak, qui n'était pas certain de pouvoir esquiver une fois de plus l'animal.

Vonth'ak voulut utiliser le peu d'énergie qu'il avait concentrée, mais il en fut incapable, comme si une force invisible le privait de ses pouvoirs.

— Je n'y arrive pas ! hurla-t-il à l'intention d'Ithan'ak, au moment même où la bête fonçait pour la deuxième fois tête baissée vers le priman'ak.

Cette fois-ci, le monstre s'assura que sa proie n'avait aucune chance de lui échapper. Ses qualités de prédateur lui permettaient de s'adapter rapidement à toutes les situations, ce qui lui avait permis de placer le warrak qu'il pourchassait entre de hauts rochers, l'empêchant ainsi d'effectuer la même manœuvre que la première fois. En effet, Ithan'ak n'avait aucune façon de s'en sortir. Puisqu'il ne pouvait utiliser son glaive pour fendre la chair de l'animal, il ne disposait que de quelques secondes pour éviter d'être réduit en bouillie par l'énorme mâchoire.

Fork, qui avait repris connaissance, eut besoin de quelques secondes pour comprendre qu'Ithan'ak se trouvait dans une situation fâcheuse. Trop loin pour intervenir directement, il lança sa massue dans le flanc gauche de la bête, qui n'eut aucune réaction. Toute l'attention du monstre était concentrée sur le warrak qui lui servirait bientôt de festin.

Ithan'ak était pris au piège. Son glaive, qui lui avait si souvent permis d'échapper à la mort, ne pouvait fendre la peau du monstre. Malgré tout, il souleva son arme, guidé par son instinct de guerrier. Lorsque l'animal bondit vers lui pour le dévorer, sans réfléchir il planta sa lame directement dans la gueule de la bête.

Du point de vue de Fork et de Vonth'ak, le monstre n'avait fait qu'une bouchée du priman'ak et ils n'avaient aucune idée quant à la façon d'exterminer la créature. Alors que le colosse examinait les lieux pour utiliser le terrain à son avantage, Vonth'ak essayait en vain de constituer une attaque magique. Dans cette effervescence qu'était la leur, il leur fallut quelques minutes avant de réaliser que l'animal ne bougeait plus.

— Le monstre semble immobile, constata Fork, qui n'osait s'en approcher.

— Se pourrait-il qu'Ithan'ak l'ait tué ? s'interrogea Vonth'ak.

Ragaillardis par cette nouvelle perspective, le bosotoss et le warrak contournèrent avec précaution l'animal. Avec horreur, ils découvrirent Ithan'ak écrasé sous le poids de la bête, les bras complètement enfoncés dans sa gueule.

— Il a remué la tête ! s'exclama Fork, estomaqué que son compagnon ait pu survivre à une telle attaque.

Avant d'extirper le priman'ak de sous l'animal, ils devaient d'abord libérer ses bras de la gueule remplie de dents coupantes comme une lame finement aiguisée. Fork utilisa sa massue comme levier, pendant que Vonth'ak prenait soin de retirer de la gueule les membres ensanglantés d'Ithan'ak. Au même moment, il découvrit le glaive de celui-ci, enfoncé dans le palais du monstre. Au dernier instant, Ithan'ak avait découvert le point faible de l'animal, mais il n'était pas sorti indemne de sa victoire.

Heureusement, Fork était suffisamment costaud pour soulever la tête de la bête et ainsi libérer son vieil ami.

— Ses bras sont en lambeaux, s'épouvanta Vonth'ak. Il perd beaucoup de sang.

Fork s'empressa de déchirer plusieurs bandes de tissu dans le sac de provisions et de les utiliser pour couvrir les plaies sur les bras d'Ithan'ak. Celui-ci devint blême l'espace d'un instant, puis il parut reprendre un teint plus normal.

— Il survivra, déclara le colosse, mais j'ignore s'il pourra de nouveau tenir un glaive. Peut-être qu'un peu de magie...

— Je ne suis pas docteur, le coupa Vonth'ak. Je connais quelques enchantements de guérison, mais rien qui puisse être utile dans un cas comme celui-ci. Je suggère d'attendre qu'il se réveille. D'ici là, voyons si nous pouvons tirer quelque chose de comestible de cet animal.

Ce fut l'odeur de la viande chaude qui tira Ithan'ak du sommeil. Il éprouvait une grande douleur aux bras, qu'il avait peine à soulever.

— Tu es de retour parmi nous, se réjouit Fork, qui avait remarqué que le priman'ak avait remué.

Ithan'ak s'assit et regarda le cadavre du monstre un peu plus loin.

— Comment avez-vous réussi à le tuer ? demanda-t-il. Je crois que je n'ai pas encore les idées claires.

— En effet, approuva Vonth'ak, car tu es celui qui a terrassé la bête. Puisque sa peau était à toute épreuve, il semblerait que tu aies trouvé le moyen de le tuer en plantant ton glaive dans sa mâchoire, jusque dans sa tête ; il est mort sur le coup.

— Cela m'a pris une éternité pour lui ouvrir le dos à l'aide de ton glaive, ajouta Fork. Il a peut-être failli tous nous exterminer, mais la chair de cet animal est excellente.

Ithan'ak leva un bras pour attraper un morceau de viande que lui tendait le bosotoss, ce qui le fit grimacer de douleur.

— Nous avons fait de notre mieux pour soigner tes blessures, s'excusa le colosse, mais je crois que cela ne suffira pas. Nous devons remonter à la surface le plus rapidement possible pour que tu puisses être soigné convenablement.

— C'est hors de question, s'opposa fermement Ithan'ak. J'ignore combien de semaines se sont écoulées depuis la bataille des ombres, mais je suis certain que Xioltys a eu le temps de reprendre des forces. Si nous n'agissons pas maintenant, il sera peut-être trop tard. Aucun de nous n'avait déjà vu la créature qui m'a presque arraché les bras. N'est-ce pas là un signe que nous sommes sur la bonne voie ? Je suis certain que nous sommes sur le point de découvrir ce que sont les souterrains d'Asilbruck et que nous ferions une lourde erreur en rebroussant chemin.

— Nous ignorons combien de monstres comme celui-ci se dresseront sur notre route, souligna Vonth'ak. De plus, tu n'es même plus en état de combattre, ou même de soulever ton arme.

La discussion qu'entretenaient les trois compagnons était vaine. Ithan'ak avait pris sa décision et il n'avait pas l'intention de changer d'avis, dut-il continuer seul. Au bout d'un moment, Fork et Vonth'ak acceptèrent de le suivre, à condition de ne pas emprunter le tunnel par lequel le monstre était venu. Avec un peu de chance, ils arriveraient ainsi à s'en sortir indemnes.

Le pari qu'avaient fait le bosotoss et le magicien s'avéra judicieux. Durant les deux périodes de marche suivantes, ils rencontrèrent quelques créatures agressives, qui n'étaient en rien comparables à la bête qu'Ithan'ak avait supprimée. Alors que Fork retrouvait son extraordinaire sens de l'orientation dans les tunnels qui se multipliaient, la magie de Vonth'ak diminuait sans cesse. L'aura qui entourait le magicien avait presque entièrement disparu. Les warraks devaient donc compter sur Fork pour se débarrasser des animaux gênants, bien que Vonth'ak faisait de son mieux pour manier le glaive.

À quelques reprises, chacun d'entre eux avait eu l'impression d'apercevoir une silhouette, ce qui leur laissait croire qu'ils étaient suivis.

— Se pourrait-il que le général Karst ait retrouvé notre trace ? s'inquiéta Fork.

— Même s'il nous avait talonnés jusque dans la forêt de Grownox, répliquait chaque fois Ithan'ak, puis jusqu'au lac Hymrid, il lui aurait été impossible de nous suivre jusqu'ici. Je doute que cet homme ait à sa disposition un moyen de transport ayant la capacité de suivre le vol des belwigs.

Malgré son argumentation, le priman'ak était lui aussi intrigué par l'importun qu'il n'avait pas encore pu distinguer correctement. À un certain moment, il avait pensé faire une pause pour lui tendre un piège, mais le temps manquait et l'inconnu semblait être armé de ruse et de patience. D'autre part, les plaies sur les bras d'Ithan'ak s'étaient infectées et il était impératif d'accélérer le pas.

Fork, inquiet de l'état de santé de son vieil ami, proposait sans cesse de faire demi-tour et de retourner à la surface, ce qui était bien sûr hors de question pour Ithan'ak. Au contraire, ce dernier pressait davantage le pas, convaincu qu'il trouverait bientôt ce qu'il était venu chercher. Le but du voyage lui était encore inconnu, mais d'après Nicadème il y avait en ces lieux un moyen de supprimer les ombres meurtrières, avant qu'elles ne détruisent entièrement le continent d'Anosios. Le vieux magicien n'avait pas mentionné s'il s'agissait d'un artéfact, d'une forme de magie ou d'un renseignement quelconque, ce qui obligeait le priman'ak et ses deux acolytes à user de leur imagination. Depuis qu'ils avaient mis les pieds dans la galerie de tunnels qui paraissaient sans fin, ils avaient eu tout le temps de spéculer à propos de ce qu'ils devaient trouver. Certaines de leurs hypothèses étaient rocambolesques, mais ce n'était rien en comparaison à ce qu'ils allaient bientôt découvrir.

Alors qu'ils traversaient un passage plus étroit, ils remarquèrent une clarté inhabituelle devant eux. Celle-ci était trop concentrée pour qu'il s'agisse de la couche végétale phosphorescente qui avait éclairé leur chemin jusque-là. Ithan'ak voulut courir pour voir ce dont il était question, mais ses plaies infectées avaient drainé la majorité de ses forces. Ce fut donc Vonth'ak qui découvrit le premier ce que leur imagination n'avait pu anticiper.

Au bout de l'étroit tunnel, une gigantesque cavité s'étendait presque à perte de vue. Ses dimensions étaient telles que les trois compagnons avaient peine à croire qu'ils étaient encore sous la terre. Ce n'était pourtant pas ce qui retenait leur attention. En effet, au centre de cette cavité monumentale était érigée une ville, dont l'architecture ressemblait à des milliers de stalagmites qui formaient une parfaite unité. Construite dans une pierre blanche inconnue, cette cité hors du commun émettait une douce lumière qui éclairait davantage qu'un soir de pleine lune. Même la capitale de Kalamdir n'avait pas une aussi grande prestance.

— Jamais il ne m'était venu à l'esprit que nous pourrions découvrir une civilisation enfouie si profondément dans les entrailles de Nürma, s'étonna Ithan'ak. J'ai du mal à croire que je ne suis pas en train de rêver.

— Tu ne rêves pas, le rassura Fork. Cette ville est aussi réelle que ce monstre qui a failli tous nous dévorer.

— Ce peuple n'a probablement pas eu de relations avec la surface depuis des millénaires, commenta Vonth'ak. Voilà pourquoi nous ignorions son existence. Jamais je n'aurais cru que la vie était possible dans un endroit comme celui-ci.

— Je vais devoir m'habituer à concevoir l'incroyable, dit Ithan'ak. Quoi qu'il en soit, je suis maintenant certain que nous sommes au bon endroit. Espérons seulement que le peuple qui habite cette cité soit plus accueillant que le monstre qui m'a lacéré les bras.

Malgré les sueurs froides dont il était en proie, le priman'ak dévala la pente rocheuse qui menait vers la cité lumineuse. Il ignorait ce qu'il y trouverait, mais il savait que Nicadème ne lui aurait pas demandé de retrouver cet endroit sans avoir une bonne raison.

Chapitre 10

Aucun chemin ne menait à la cité lumineuse, comme si les habitants vivaient cloîtrés dans l'agglomération sans jamais s'en éloigner. Malgré tout, Ithan'ak avait opté pour la prudence en s'approchant subrepticement des premières habitations. Il était difficile pour Fork de masquer sa présence, mais le bosotoss faisait de son mieux pour se conformer à la volonté du priman'ak. Puisqu'il ne pouvait passer inaperçu, même en se recroquevillant, le colosse devait littéralement ramper sur le sol. Dans ces conditions, il lui avait fallu un bon moment pour rejoindre l'endroit où Ithan'ak et Vonth'ak observaient les étranges résidences en forme de stalagmites. Toutes ces précautions avaient pour but de permettre aux trois compagnons de passer inaperçus, ce qui était peine perdue. En effet, ils avaient été repérés dès qu'ils s'étaient approchés de la cité, ce dont ils n'avaient nullement conscience.

Il n'y avait aucune activité dans les rues pavées dans la même pierre lumineuse que celle des habitations. La cité paraissait déserte, ce qui avait poussé Vonth'ak à sortir de son abri. Le magicien s'était aussitôt senti tirer vers l'arrière par Ithan'ak qui lui avait fait la leçon.

— Nous ignorons tout de cet endroit, le sermonna-t-il. Ton inconscience aurait pu nous coûter très cher.

— Ce n'est pas en demeurant cachés que nous découvrirons la raison pour laquelle Nicadème désirait que nous arrivions jusqu'ici. De plus, si tu voyais ton visage, tu admettrais que tu as un urgent besoin de soins. Dans cette cité, il y a certainement de quoi soigner les lacérations que tu as aux bras.

Il était vrai que le priman'ak était en mauvais état. Il refusait de l'admettre, mais une dangereuse fièvre s'était emparée de lui. Les efforts qu'il faisait pour le dissimuler n'étaient plus suffisants. Néanmoins, il était résolu à ne mettre les pieds dans la cité que lorsqu'il serait certain que tout danger était écarté. Tout son esprit était concentré sur sa mission, à propos de laquelle il espérait bientôt obtenir davantage de détails.

— Nous allons attendre encore un peu, trancha Fork. Toutefois, si ta fièvre devient plus sévère, je te traînerai de force dans cette ville s'il le faut.

Vonth'ak était visiblement ennuyé de se plier aux ordres d'Ithan'ak et il ne faisait aucun effort pour le camoufler. Le magicien ne s'était jamais gêné pour remettre en question les décisions du priman'ak, mais cela paraissait maintenant plus dramatique. Nicadème avait prédit que Vonth'ak trahirait l'un de ses amis, ce qui avait pour effet d'amplifier cette façon d'agir qu'Ithan'ak avait de plus en plus de difficulté à supporter. Quant à Fork, il n'arrivait pas à oublier l'autre prédiction du vieil homme, concernant la mort d'Ithan'ak. Le bosotoss ne pouvait nier que la santé de son vieil ami était précaire. Avec ou sans l'intervention de Vonth'ak, Ithan'ak risquait de ne pas ressortir vivant de ce sombre endroit.

Au loin, provenant du centre de la ville, un son de cloche retentit et se répéta à plusieurs reprises. Lorsque le dernier coup fut sonné, un silence complet retomba dans l'immensité de la cavité rocheuse dans laquelle se dressait la cité lumineuse.

Bien qu'il n'y eût aucun mouvement dans les quelques rues qu'ils épiaient, les trois compagnons étaient maintenant convaincus que l'endroit était bien habité. Fébriles à l'idée de découvrir à quoi ressemblait le peuple qui avait élu domicile si profondément sous la terre, ils guettaient chaque recoin en espérant apercevoir quelqu'un. Leur patience fut bientôt récompensée. De toutes parts, des silhouettes apparurent entre les nombreuses habitations.

Depuis l'endroit où ils se tenaient, il était difficile pour les trois intrus de distinguer correctement l'apparence des résidents. Leur peau était beaucoup plus pâle que celle d'un homme ou d'un hyliann ; presque blanche. Leurs cheveux étaient aussi dénués de couleur et dégageaient une luminosité semblable à celle de la pierre dans laquelle était construite leur cité. En guise de vêtement, ils portaient une pièce de tissu rectangulaire non cousue, attachée à l'épaule.

— Est-ce que vous connaissez cette race ? s'enquit Fork, qui ne désirait pas tirer de conclusion hâtive.

— Impossible de le dire à cette distance, répondit Ithan'ak. Cependant, je crois qu'ils ne sont pas armés.

— Dans ce cas, se réjouit Vonth'ak, il serait peut-être temps de leur rendre une petite visite.

Le priman'ak n'était pas de cet avis. Au contraire, il projetait d'étudier les habitants de la cité d'un peu plus près avant de se révéler à eux. Alors que la plupart des citoyens regagnaient leur demeure, certains continuaient de s'activer dans les rues. L'un d'eux en particulier se dirigeait vers l'endroit où étaient planqués les deux warraks et le bosotoss.

— Il vient par ici, s'alarma Fork. Nous risquons d'être découverts.

— Parfait, se réjouit Ithan'ak. Nous allons entrer en contact avec lui. S'il semble cordial, tout ira pour le mieux. Autrement, nous allons devoir l'empêcher de nuire. Ne faites aucun bruit jusqu'à mon signal.

Comme l'avait recommandé Ithan'ak, Fork et Vonth'ak s'immobilisèrent dans le but de rendre leur présence indétectable. Comme ils ne pouvaient se risquer à observer ouvertement l'individu qui approchait, ils tendaient l'oreille dans l'espoir de percevoir ses déplacements. Ce dernier marchait d'un pas lent et léger, ce qui laissait croire qu'il effectuait une simple promenade. Lorsqu'il décida de faire une pause et de s'asseoir, il était seulement à quelques pas d'Ithan'ak, qui pouvait voir sa longue chevelure pâle et lumineuse.

Le warrak se demandait s'il devait aborder ou non l'étranger lorsque celui-ci se retourna brusquement et faillit l'apercevoir.

— Qui est là ? demanda l'inconnu. Je sais que vous m'observez.

Ithan'ak évalua rapidement la situation et jugea qu'il était préférable de révéler sa présence. Doucement, afin de ne pas effrayer celui qui l'avait découvert, il se leva et essaya de se montrer amical.

— Je suis un voyageur venu de très loin, déclara le priman'ak, et je suis surpris de constater que votre dialecte est le même que le mien.

L'étranger ne ressemblait à aucune race vivant sur le continent d'Anosios. Plus grand qu'Ithan'ak, sa peau était d'une extrême finesse et dénuée de poils. À travers, on pouvait aisément distinguer chacun de ses vaisseaux sanguins. Ses membres étaient longs et affinés, y compris ses mains dotées de quatre doigts. Son cou, mince et étiré, soutenait une tête ovale dont les yeux violets étaient deux fois plus gros que ceux d'un homme ou d'un warrak. Malgré tous ces attributs peu communs, ce qui frappait le plus était la blancheur excessive de sa peau.

D'abord surpris par l'apparition du warrak, l'étranger essaya de retrouver sa contenance et prit la parole.

— Je doutais qu'il existe vraiment d'autres créatures dotées d'intelligence, dit-il, comme s'il venait de faire la plus grande découverte de toute sa vie. Lorsque j'ai entendu vos pensées, je croyais qu'il s'agissait de gardiens envoyés par le précepteur pour me surveiller.

Ithan'ak comprit comment l'étrange individu avait su qu'il était là. Celui-ci était certainement aussi conscient que Fork et Vonth'ak n'étaient pas loin, mais le priman'ak préféra ne pas en parler immédiatement.

— Pour faire suite à votre commentaire, continua l'étranger, j'étudie la science des langues depuis mon enfance. Le précepteur soutenait qu'il était important pour nous de pouvoir communiquer avec des intrus qui pourraient éventuellement découvrir notre cité. Puisque je ne croyais pas en l'existence d'autres races, j'estimais que mon apprentissage était une perte de temps. Je constate que je faisais erreur. Il n'y a aucun doute que notre rencontre n'est pas fortuite. Les dieux vous ont envoyé à moi pour me redonner la foi, car je m'étais égaré.

L'étranger s'arrêta un instant, comme si quelque chose l'avait dérangé.

— Vous n'êtes pas seul, dit-il, en essayant d'apercevoir les individus dont il avait perçu les pensées

— Je suis en effet accompagné, admit Ithan'ak.

Le warrak se tourna et demanda à ses compagnons de se montrer. Vonth'ak fut le premier à apparaître, suivi de près par Fork. L'étranger fut aussitôt intimidé par la taille impressionnante du bosotoss. Instinctivement, il fit un pas en arrière et retint sa respiration.

— Il ne vous fera aucun mal, le rassura Ithan'ak. Ce grand gaillard répond au nom de Fork. Le warrak à ses côtés s'appelle Vonth'ak. Quant à moi, je suis Ithan'ak.

— Je suis heureux de vous rencontrer, dit l'étranger. Mon nom est Sven et j'appartiens à la race des svilts. Si vous acceptez de me suivre, je suis certain que le précepteur sera ravi de vous recevoir.

Ithan'ak échangea un regard avec ses deux compagnons, qui hochèrent la tête pour signifier qu'ils étaient prêts à suivre le svilt.

— Pour quelle raison voudrais-je vous tendre un piège ? demanda Sven, qui avait lu les pensées d'Ithan'ak.

— Vous semblez être un peuple pacifique, répondit le priman'ak, ce qui n'est pas le cas de tous ceux qui vivent à la surface. Nous devons donc nous méfier des étrangers car, contrairement à vous, nous ne possédons pas la faculté de lire leurs pensées.

— À ce propos, intervint Vonth'ak, est-ce que tous les svilts maîtrisent la magie ?

— La magie ! s'étonna Sven. Le précepteur nous en a souvent parlé, mais il est impossible de la pratiquer dans notre cité. D'après lui, la pierre utilisée dans toutes nos constructions absorbe la même énergie que celle utilisée pour la magie, et c'est ce qui la rend si lumineuse. Sans cette source de lumière, notre vie ici serait impossible.

Vonth'ak comprenait maintenant pourquoi il avait perdu ses pouvoirs et pour quelle raison son aura s'était entièrement dissipée. Dans cet endroit, il devenait un simple warrak, dont la seule défense était le glaive qu'il portait à la hanche. Il n'avait jamais été très habile avec son arme, mais il n'arrivait pas à s'en défaire.

Même s'il refusait de l'admettre, il portait le glaive pour s'intégrer davantage aux autres warraks. Il y avait toujours en lui ce désir d'être accepté qu'il n'avait jamais vraiment réussi à supprimer.

Ithan'ak, soulagé de constater que les habitants de la cité n'étaient pas hostiles aux inconnus, demanda à Sven de le conduire aux autorités, qui pourraient peut-être le renseigner à propos des ombres meurtrières. Le svilt accepta avec un plaisir non dissimulé, comme s'il espérait tirer avantage de cette situation.

— Avant tout, dit Ithan'ak, j'aimerais vous poser une question.

— Allez-y, dit Sven par politesse, car il avait lu l'interrogation du warrak dans son esprit.

— Comment s'appelle cet endroit ? demanda le priman'ak.

— Notre cité porte le nom d'Ostencil, répondit le svilt. Elle est construite au centre des profondes et innombrables galeries par lesquelles vous êtes arrivés jusqu'ici ; ce sont les souterrains d'Asilbruck.

Ithan'ak, Fork et Vonth'ak échangèrent un regard complice, ravis de constater qu'ils étaient précisément là où Nicadème les avait envoyés. Ils n'avaient plus qu'à découvrir ce qu'ils étaient venus chercher.

— Sven ! Que fais-tu ? intervint l'un des six svilts qui suivaient depuis un moment Ithan'ak et ses compagnons.

Les patrouilleurs avaient d'abord jugé préférable de ne pas entrer en contact avec les inconnus, mais il n'était plus possible de retarder l'inévitable.

— Nous devons nous méfier de ces créatures dont nous ne connaissons rien, continua le svilt. Ces individus sont peut-être dangereux.

— J'en doute, le contredit Sven. J'ai lu leurs pensées et ils n'ont jamais entendu parler de notre cité. Je crois que nous devons les conduire auprès du précepteur. À moins que vous ayez une meilleure idée…

Le patrouilleur eut un moment d'hésitation, jeta un regard à ses compagnons, puis décida qu'il n'était pas responsable des bévues commises par Sven. D'une certaine façon, il était heureux de ne pas avoir à s'approcher des étrangers. Il fit quelques recommandations à Sven puis retourna patrouiller autour de la ville. Quant aux trois intrus, ils étaient ravis de pouvoir demeurer avec Sven, qui paraissait beaucoup plus amical que ses semblables.

Lorsque les quatre individus pénétrèrent dans la cité lumineuse, les svilts qu'ils croisèrent se figèrent, adoptant un air à la fois inquiet et surpris. De toute évidence, aucun d'entre eux n'avait déjà vu un warrak ou un bosotoss. Il était même probable qu'ils n'avaient jamais vu autre chose que les créatures farouches qui arpentaient les souterrains entourant leur cité.

— Ne vous préoccupez pas de ce qu'ils disent, leur conseilla Sven.

— Que disent-ils ? s'intéressa Ithan'ak, qui n'avait pas entendu le moindre mot.

Le svilt se rappela que les étrangers ne possédaient aucun pouvoir télépathique et regretta aussitôt ses paroles.

— Ce qu'ils pensent n'a aucune importance, s'empressa-t-il de répondre. J'ai bon espoir que le précepteur saura calmer leurs esprits.

— Cela fait plusieurs fois que vous mentionnez ce nom, commenta Fork. Qui est ce personnage qui semble être à votre tête ?

— C'est lui qui nous enseigne le culte des dieux et avec qui nous avons un rapport direct, expliqua Sven. Il est notre guide spirituel et le haut magistrat de la cité. Il veille à ce que le culte des dieux soit respecté afin que la cité d'Ostencil demeure à jamais la protectrice de la porte d'Asilbruck.

Cette dernière phrase retint particulièrement l'attention d'Ithan'ak, qui fit de son mieux pour fermer son esprit et masquer son intérêt. Plutôt que d'essayer d'analyser les informations que venait de lui fournir Sven, il se concentra sur le présent, en espérant que Fork et Vonth'ak feraient la même chose.

— Croyez-vous que le précepteur acceptera de nous recevoir ? demanda le priman'ak, afin d'occuper son esprit.

— Je serais très surpris qu'il refuse, répondit Sven. D'après ce qu'on m'a appris, aucun étranger n'a mis les pieds à Ostencil depuis d'innombrables générations. Même le précepteur sera fasciné par votre venue, aussi important soit-il.

Le svilt paraissait avoir un certain conflit avec le haut magistrat. Il y avait quelque chose dans sa voix qui trahissait un certain ressentiment. Peut-être était-ce lié au manque de foi dont il avait fait mention.

Au centre de la cité d'Ostencil, les bâtiments étaient considérablement plus élevés. De plus, contrairement aux résidences ordinaires, ils étaient munis de fenêtres. Celles-ci n'avaient pas pour fonction d'éclairer l'intérieur, car la pierre lumineuse remplissait déjà ce rôle. Il était donc probable que ces fenêtres avaient pour seul but d'offrir aux svilts une vue imprenable sur la cité.

Lorsqu'il enseignait, le précepteur occupait un imposant podium, situé au cœur d'un amphithéâtre suffisamment grand pour accueillir trois mille svilts. Autrement, on pouvait le trouver dans le plus haut bâtiment d'Ostencil, où il remplissait ses fonctions de magistrat. L'architecture de cet édifice, en forme de stalagmite, était identique à celle des autres bâtiments de la cité, hormis pour la pierre dans laquelle il était construit, qui n'était pas totalement lisse. En effet, des inscriptions montaient en spirale jusqu'à son extrémité. Vonth'ak, intéressé par ces signes dont il ne connaissait rien, n'eut pas à formuler sa question pour obtenir une réponse. Une fois de plus, Sven avait lu dans son esprit, ce qui était pour lui naturel. Enjoué, le svilt expliqua qu'il s'agissait du code selon lequel son peuple était chargé de protéger la porte d'Asilbruck.

Ithan'ak devenait de plus en plus convaincu que cette porte était liée à sa quête, mais il faisait de son mieux pour ne pas y penser. Sans savoir pourquoi, il voulait éviter d'informer Sven de sa mission.

Alors qu'ils pénétraient dans le bâtiment où devait se trouver le précepteur à ce moment précis, les trois compagnons virent pour la première fois de quelle façon l'intérieur des stalagmites était aménagé. Ce qu'on pouvait observer de l'extérieur n'était qu'une coquille, qui ne retenait en aucune façon la structure des différents paliers. Au centre du bâtiment, un immense poteau soutenait les nombreux étages en forme de cercle. Pour y accéder, un escalier en spirale était fixé au mur et s'élevait à perte de vue.

— Je n'ai jamais vu une construction de ce genre, commenta Fork, qui avait pourtant beaucoup voyagé. Je ne comprends pas pourquoi vous n'utilisez pas le mur extérieur pour soutenir les multiples paliers.

— C'est à cause des tremblements de terre, expliqua Sven. Autrefois, nous construisions comme vous le proposez, ce qui nous causait d'énormes ennuis. Seuls les plus petits bâtiments résistaient aux séismes. Nous devions donc continuellement reconstruire ce qui avait été détruit. Heureusement, nous avons amélioré nos méthodes de construction. Chaque bâtiment est muni d'un poteau central, auquel est fixée une structure pour chaque étage. Ces structures supportent les cercles de pierre, qui sont glissés sur le poteau central, sans y être fixés. De cette façon, lorsque la terre tremble, leur souplesse permet d'éviter l'effondrement. Nos mésaventures nous ont permis de comprendre qu'une trop grande rigidité était ce qui détruisait nos édifices. Tout cela est bien sûr de l'histoire ancienne, car nous avons adopté notre méthode définitive de construction bien avant ma naissance.

— Quel âge avez-vous ? s'intéressa Ithan'ak.

La question parut déconcerter le svilt. Pendant un instant, il fouilla dans sa mémoire pour trouver la signification de la question, puis il dut avouer qu'il ne comprenait pas l'interrogation du warrak.

— Combien de temps s'est écoulé depuis votre venue au monde ? tenta de nouveau le priman'ak.

— Comment le saurais-je ? répondit simplement Sven. Personne ne peut calculer le temps.

Ithan'ak comprit que la réalité du svilt était très différente de la sienne. Puisque la vie souterraine n'était pas régie par le cycle du soleil et des saisons, il était impossible de calculer les jours, les mois ou les années. Par conséquent, le concept de l'âge leur était inconnu. Le priman'ak renonça à découvrir la longévité des svilts et se concentra sur ce qu'il voyait.

Sven avait entraîné les trois étrangers dans l'escalier en spirale qui permettait d'accéder aux différents étages. Leur ascension était une véritable visite guidée des lieux. La première chose que leur apprit le svilt était que l'édifice était entièrement consacré à la fonction publique. Les départements d'ingénierie, de l'administration, de la gestion des ressources et de la défense occupaient la majorité du bâtiment. Quant au département de la foi, il avait pour lui seul un édifice, un temple et un amphithéâtre. En effet, malgré les différents métiers qu'ils exerçaient, tous les svilts étaient avant tout des prêtres et des prêtresses chargés d'une mission divine, dont Sven refusa de parler. Les femmes pouvaient accéder aux mêmes postes que les hommes, ce qui n'était pas sans rappeler l'ouverture d'esprit des hylianns.

Alors qu'il montait les marches, Ithan'ak se rendit compte à quel point les lacérations qu'il avait aux bras s'étaient infectées et l'avaient rendu faible. Il s'entêta néanmoins à ignorer les signes inquiétants que lui donnait son corps, préférant se concentrer sur ce qu'il découvrait.

— Y a-t-il d'autres cités que celle-ci dans les souterrains d'Asilbruck ? demanda-t-il, voulant assimiler tout ce qu'il pouvait de la culture des svilts le plus rapidement possible.

— J'en doute, répondit Sven. Nous n'avons jamais eu connaissance d'une autre forme douée de raison. Toutefois, je n'ai pas exploré personnellement l'immensité de ces souterrains.

— Dans ce cas, raisonna le priman'ak, votre département de la défense a pour seule fonction de repousser les bêtes féroces qui rôdent autour de la cité.

— C'est une de ses fonctions, approuva le svilt, mais ce n'est pas son rôle principal.

Dès qu'il eut terminé sa phrase, Sven fut parcouru d'un frisson. Sans s'en rendre compte, il avait parlé d'un sujet qu'il était interdit d'aborder avec des étrangers. Bien entendu, puisqu'aucun étranger n'avait mis les pieds à Ostencil depuis des générations, le svilt n'avait pas l'habitude de faire des mystères.

— Je crois qu'il serait plus sage d'attendre de rencontrer le précepteur pour formuler vos questions, bégaya-t-il, incapable de cacher son désarroi.

Les trois compagnons suivirent donc leur guide en silence, dans l'interminable escalier qui menait au bureau du précepteur. Puisque le bâtiment avait une forme conique, les étages étaient de plus en plus petits. Certains étaient utilisés comme salles de réunion ou comme salon où pouvaient se reposer les fonctionnaires. Des gardes, appartenant sans aucun doute au département de la défense, étaient postés dans l'escalier et bloquaient l'accès à l'avant-dernier palier.

— Je dois absolument parler au précepteur, leur dit Sven, ce qui ne suffit pas à dérider les austères svilts.

— Quel est l'objet de votre visite ? demanda l'un d'eux, ce qui surprit Sven.

— Ne voyez-vous pas que je suis accompagné d'étrangers ? s'emporta-t-il. N'est-ce pas une raison suffisante pour obtenir un entretien avec le précepteur ?

Cette remarque suscita des regards furieux de la part des gardes, qui acceptèrent de conduire Sven auprès du maître spirituel qui occupait le dernier étage. Pendant ce temps, les deux warraks et le bosotoss furent invités à patienter dans des fauteuils disposés sur l'avant-dernier étage. Le priman'ak profita de ce moment pour s'entretenir avec ses deux compagnons, sûr que les svilts ne pouvaient lire leurs pensées qu'à une certaine distance.

— Il est évident que Sven cherchait à dissimuler quelque chose d'important, dit-il en baissant la voix. Nous devons absolument découvrir le secret de ce peuple.

— Ils peuvent lire nos pensées, souligna Vonth'ak. Ce sera difficile d'investiguer sans qu'ils s'en rendent compte.

— Je commence à croire que Nicadème avait de bonnes raisons de nous avoir envoyés ici sans nous donner davantage d'informations. En y réfléchissant bien, nous ignorons ce que nous faisons dans ce lieu oublié de tous. Si Nicadème nous avait révélé notre objectif, les svilts l'auraient immédiatement su et se seraient dressés contre nous pour défendre leur secret. Heureusement, le seul renseignement qu'ils pourront nous soutirer est notre connaissance des souterrains d'Asilbruck.

— Nous savons aussi qu'il y a la porte d'Asilbruck, commenta Fork.

— Nous ignorions cette information avant que Sven nous la communique, rectifia le priman'ak. Il serait donc illogique de conclure que cette porte est la raison de notre venue. Toutefois, je crois qu'il serait sage d'éviter de penser à Nicadème lorsque nous rencontrerons le précepteur. Notre meilleure chance est de nous faire passer pour de simples aventuriers.

— Je ne sais pas si je pourrai être à la hauteur, avoua le bosotoss. Je ne suis pas très doué pour ces choses de l'esprit.

— Je ferai de mon mieux pour entretenir la conversation et l'empêcher de fouiller dans ta tête, le rassura Ithan'ak. Quant à toi, Vonth'ak, je crois qu'ils ne mettront pas beaucoup de temps à découvrir ta véritable nature, même si tu n'arbores plus ton aura argentée.

— Je suis d'accord, dit le magicien. Je n'essayerai pas de le leur cacher. S'ils ont l'impression que nous leur mentons, il nous sera plus difficile de découvrir ce que nous sommes venus chercher.

— Le précepteur désire vous rencontrer, les interrompit un garde. Veuillez laisser vos armes ici avant de me suivre.

Les trois compagnons s'exécutèrent, en espérant que le haut magistrat qu'ils s'apprêtaient à rencontrer était aussi sociable et civilisé que l'était Sven.

Le dernier étage était un seul et grand bureau, muni de quatre fenêtres qui permettaient d'observer la cité sous tous ses angles. Le mobilier était simple et modeste, signe que le svilt qui l'occupait ne se vautrait pas dans le luxe. Un bureau était disposé le long du mur circulaire, faisant opposition à un lit de pierre, sur lequel étaient disposées quelques couvertures, afin de le rendre un peu moins inconfortable.

— Le confort est un vice que les svilts ne cultivent pas, expliqua une voix articulée. Notre foi suffit amplement à remplacer les commodités qui sont si chères aux peuples de la surface. Les biens matériels sont ce qui les éloigne de la véritable richesse, qui est le lien privilégié que nous entretenons avec les êtres suprêmes régnant sur notre monde.

Le svilt qui s'exprimait avec tant de conviction était passablement plus pâle que ses semblables et sa peau n'était plus aussi lisse qu'elle l'avait probablement été autrefois. Il présentait des signes évidents de vieillesse, sans pour autant paraître en perte de ses moyens.

— Mon nom est Ziofus, dit-il en s'approchant d'Ithan'ak. Je suis le guide spirituel des habitants de cette cité, poste que j'occupe depuis des temps immémoriaux. Je dois avouer qu'il y avait très longtemps que des êtres de la surface n'étaient pas parvenus jusqu'à Ostencil. Je commençais à croire qu'on nous avait oubliés à jamais, mais je lis dans votre esprit que vous connaissiez le nom des souterrains dans lesquels nous vivons avant même d'y mettre le pied.

— En effet, admit Ithan'ak. Toutefois, nous n'aurions jamais pu imaginer découvrir une cité telle que celle-ci enfouie si profondément sous la terre.

Le précepteur fixa intensément le priman'ak, comme s'il cherchait à vérifier si ce dernier lui mentait. Le warrak ouvrit donc son esprit, afin de le mettre en confiance.

— Vous dites la vérité, conclut Ziofus. J'aimerais cependant savoir ce que vous savez de la porte d'Asilbruck. Votre géant ne cesse d'y faire allusion dans son esprit.

Ithan'ak se tourna vers Fork, qui paraissait confus. La question du précepteur prouvait qu'il était en mesure de lire les pensées du bosotoss tout en discutant avec Ithan'ak. Pourtant, il venait de formuler une question pour obtenir une réponse qu'il aurait pu puiser directement dans l'esprit du colosse. Cela permit à Ithan'ak de conclure que les svilts ne pouvaient pas intercepter toutes les pensées et que certaines zones demeuraient probablement floues. Cela expliquait aussi pourquoi ils avaient toujours l'usage de la parole, alors qu'ils auraient pu simplement communiquer par l'esprit. Cette information contenta le priman'ak, qui se sentait un peu plus en contrôle.

— Je n'avais jamais entendu parler de la porte d'Asilbruck, dit Ithan'ak, jusqu'à ce que Sven le mentionne.

Le précepteur se tourna vers le svilt en question, de toute évidence contrarié par ce qu'il venait d'apprendre. Sven adopta un visage honteux et repentant, incapable de supporter le regard accusateur qui était porté sur lui.

Ithan'ak déduisit que le précepteur réprimait par télépathie le svilt qui avait trop parlé. Il profita de cet instant pour surprendre le guide spirituel, avant qu'il soit sur ses gardes.

— Nous aimerions en connaître un peu plus sur cette foi que vous cultivez avec une telle ferveur, déclara-t-il, ce qui n'était pas totalement faux.

En effet, le priman'ak soupçonnait que ce dévouement prononcé envers les dieux était en lien étroit avec sa mission. Il pouvait donc déclarer être intrigué par cet aspect des svilts, sans que le précepteur dénote un mensonge dans son esprit.

Le haut magistrat voulut répondre, mais Ithan'ak tituba vers la poutre centrale à laquelle il tenta en vain de s'accrocher, avant de s'écrouler sur le sol. Alarmé, Fork s'élança vers son ami et constata que celui-ci était en sueur.

— Il est très fiévreux, dit le colosse, qui ne savait pas comment réagir.

Quant à Vonth'ak, sans ses pouvoirs, il était aussi démuni que le bosotoss pour remédier à la situation.

— Il doit être contrariant pour vous d'être privé de votre magie, dit le précepteur, à qui Vonth'ak n'avait pas caché sa véritable nature. Lorsque nos ancêtres ont construit Ostencil, ils étaient conscients que celle-ci serait indéfendable si des magiciens découvraient son emplacement. À l'époque, nos relations avec la surface étaient beaucoup plus développées. Quoi qu'il en soit, ils ont utilisé une pierre qui absorbe l'énergie dont se nourrissent les magiciens, ce qui a pour effet de la rendre lumineuse. La sécurité de la cité est donc renforcée, alors que l'obscurité est repoussée.

— Épargnez-nous votre cours d'histoire, l'invectiva Fork. Ne voyez-vous pas que notre compagnon est mal en point ?

— Je comprends votre inquiétude, répliqua le précepteur, mais elle est inutile. Tout près de l'édifice dans lequel nous sommes se trouve un puits aux propriétés surprenantes. L'eau que nous y puisons permet de guérir n'importe quel mal, plus rapidement et plus efficacement que saurait le faire votre docteur Claymore.

Fork et Vonth'ak ouvrirent les yeux grands en entendant ce nom. Il leur fallut un instant pour comprendre que Ziofus avait tiré cette information de leurs pensées, ce qui les déroutait au plus haut point.

— Pour les svilts, expliqua le précepteur, lire les pensées est aussi anodin que respirer. Si vous n'avez rien à cacher, vous pourrez rester parmi nous, comme l'a demandé votre ami souffrant. À présent, si vous voulez bien le porter, nous allons l'amener au puits dont je vous ai parlé.

— Dans combien de temps sera-t-il rétabli ? s'informa Fork, qui craignait pour la vie d'Ithan'ak.

Ziofus fut confus un instant, puis se souvint de ce qu'était le concept du temps. Il voulut formuler une réponse, mais cela lui était tout simplement impossible.

— Dans une ou deux périodes de sommeil, dit-il enfin, furieux de son incapacité à maîtriser ce qui paraissait si simple pour le bosotoss.

Vonth'ak offrit son aide pour porter le priman'ak, ce qui était inutile. Pour un bosotoss, porter un warrak était un mineur inconfort, même lorsqu'il s'agissait de descendre un interminable escalier en colimaçon. Il ne restait plus qu'à espérer qu'Ithan'ak se rétablisse avant que ses deux compagnons commettent une erreur irréparable.

Chapitre 11

Il était impossible de déterminer depuis combien de temps Ithan'ak était inconscient. Fork et Vonth'ak, en attendant son réveil, avaient jugé prudent de demeurer à l'écart des svilts. Le précepteur leur avait proposé de loger dans une habitation située aux limites de la cité lumineuse, dans laquelle ils s'étaient eux-mêmes confinés. À tour de rôle, ils veillaient sur Ithan'ak, ce à quoi Fork avait dû se résigner. En effet, le bosotoss n'aimait pas confier son vieil ami au magicien, car les prédictions qu'avait faites Nicadème l'inquiétaient toujours.

Puisque la pierre lumineuse éclairait autant l'intérieur que l'extérieur de la résidence, il était très difficile de trouver le sommeil. Contrairement aux svilts, les peuples de la surface étaient régis par le cycle du soleil et de la lune, sans lequel ils perdaient tous leurs repères. Comme Ostencil baignait continuellement entre le jour et la nuit sans jamais prendre parti, le warrak et le bosotoss arrivaient parfois à dormir ici et là, durant de courtes périodes qu'ils estimaient à moins d'une heure.

Lorsqu'Ithan'ak ouvrit les yeux, la douleur que lui infligeaient ses lacérations avait entièrement disparu. Il examina ses bras et s'étonna de ne trouver aucune cicatrice, comme si rien ne lui était arrivé.

— Comment faites-vous pour dormir avec toute cette lumière ? demanda-t-il à Fork, qui somnolait adossé contre le mur.

— Tu es enfin de retour, se réjouit le colosse, soudain plus alerte. D'après mes calculs, tu es resté inconscient pendant environ trois jours. Ce n'est bien sûr qu'une estimation, car Vonth'ak et moi avons eu beaucoup de mal à nous adapter à cet endroit.

— Comment se sont passés vos contacts avec les svilts ? s'inquiéta le priman'ak. Ont-ils découvert que nous n'étions pas de simples aventuriers ?

— Ils n'en ont pas eu l'occasion, le rassura Fork, car nous n'avons presque pas quitté l'habitation dans laquelle Ziofus nous a permis de loger. Malheureusement, cela n'a pas fait avancer notre enquête.

Ithan'ak jugea que Fork et Vonth'ak avaient agi judicieusement, quoi qu'il fût contrarié que ses blessures aient ralenti leurs recherches. À peine venait-il de se lever qu'il cherchait déjà à continuer son enquête. D'après lui, la foi des svilts était la clé de leur secret. L'hypothèse la plus plausible était qu'ils étaient chargés d'une mission divine : protéger la porte d'Asilbruck.

Vonth'ak, probablement attiré par les voix, apparut dans l'escalier circulaire qui menait au second palier.

— Tu suggères qu'une communauté secrète constituée de prêtres et de prêtresses, dit-il, serait chargée de veiller sur une porte dont personne ne connaît l'existence.

Le magicien s'était introduit dans la conversation, sans montrer aucune émotion concernant le rétablissement d'Ithan'ak.

— Ce que tu avances me semble un peu extravagant, continua-t-il, en considérant qu'aucun étranger n'a mis les pieds dans cette cité depuis des générations.

— J'en suis conscient, répliqua le priman'ak. Voilà pourquoi la foi joue un rôle essentiel dans leur vie. Seul un dévouement inconditionnel envers les dieux saurait guider tout un peuple dans l'accomplissement d'une tâche sans fin comme celle-ci. De plus, je soupçonne Ziofus d'avoir déjà mis les pieds à la surface.

Vonth'ak arqua un sourcil en entendant cette remarque.

— Ne me regarde pas ainsi, se fâcha Ithan'ak. N'avez-vous pas remarqué que le précepteur était parfaitement en contrôle de la situation, comme s'il avait déjà vu des warraks ou des bosotoss auparavant ? Peut-être avait-il besoin de s'assurer qu'il existait vraiment d'autres peuples à la surface. Peut-être que le guide spirituel des svilts a déjà connu un manque de foi, provoqué par un scepticisme qui l'aurait poussé à s'assurer que ce qu'on lui avait appris n'était pas qu'un ramassis de mensonges.

— Même si tu as raison, intervint Fork, comment comptes-tu utiliser cela contre Ziofus ? N'oublie pas qu'il a l'avantage de lire dans nos pensées.

— Je crois qu'il ne peut pas intercepter chacune de nos pensées, dit Ithan'ak. Toutefois, il est vrai que ce svilt a une longueur d'avance sur nous. Je pense qu'une petite visite à l'amphithéâtre pourrait nous fournir quelques indices sur le secret que gardent nos nouveaux amis.

Le priman'ak tourna la tête vers Fork, en ajoutant qu'il était préférable que leur présence ne soit pas remarquée. Le colosse, visiblement déçu, accepta de ne pas accompagner les deux warraks, à condition qu'à leur retour ils lui racontent en détail ce qu'ils auraient découvert.

Ithan'ak était en pleine forme, comme si les lacérations que lui avait faites le monstre n'avaient jamais existé. Il devait ce rétablissement spectaculaire à Ziofus, qui avait lui-même puisé l'eau aux propriétés curatives dans un puits que le priman'ak se promettait de visiter.

Les deux warraks avaient quitté leur refuge précipitamment et s'étaient dirigés vers l'édifice qui abritait le département de la foi. À partir de cet endroit, il leur avait été aisé de trouver l'amphithéâtre, où avait lieu un sermon du précepteur. Les trois mille sièges destinés à accueillir les svilts n'étaient pas suffisants et un système de rotation avait été mis en place. Les citoyens d'Ostencil ne pouvaient donc pas assister à tous les sermons de leur guide spirituel, mais il était impératif qu'ils pratiquent les nombreuses prières destinées à rendre leur foi plus forte et à les rapprocher de la voie divine.

Ithan'ak et Vonth'ak avaient trouvé un endroit retiré, derrière une colonne de marbre, d'où ils entendaient parfaitement chaque parole que prononçait sévèrement Ziofus. Les svilts qui assistaient au sermon ne semblaient pas troublés par la présence des deux intrus, ce qui laissait croire que toute leur concentration était dirigée vers les paroles du précepteur. Ce dernier, bien qu'il fût très loin de l'endroit où avaient pris position les deux intrus, était parfaitement audible. Cela avait certainement un rapport avec la façon dont était construit l'amphithéâtre, mais Ithan'ak décida de ne pas y accorder d'attention et de se concentrer sur les indices qu'il était venu chercher.

À plusieurs reprises durant son exposé, Ziofus avait rappelé que le peuple des svilts avait été choisi par les dieux pour veiller sur la porte d'Asilbruck, sans pour autant donner de précisions sur cette mystérieuse entrée qui semblait être d'une importance capitale pour la civilisation souterraine. Dans l'esprit d'Ithan'ak, il n'y avait aucun doute que cette porte, la foi inconditionnelle des svilts et l'eau aux propriétés extraordinaires étaient toutes reliées par une seule et unique chose. Pour percer ce mystère, il lui fallait découvrir ce qu'il y avait derrière la porte d'Asilbruck. Vonth'ak était aussi de cet avis, mais ne partageait pas l'optimisme du priman'ak.

— Si je pouvais utiliser mes pouvoirs, se plaignit-il, j'aurais sans doute pu contraindre Ziofus, ou tout autre svilt, à me révéler ses secrets.

— Voilà pourquoi leurs ancêtres ont pris soin de construire Ostencil dans une pierre qui absorbe l'énergie dont les magiciens se nourrissent, rétorqua Ithan'ak. Nous devons nous montrer plus rusés. Je crois que notre meilleure chance est de retrouver Sven. La foi de ce svilt paraissait moins profondément ancrée en lui, ce qui nous laisse une chance de le faire parler.

— J'en doute, le contredit Vonth'ak. Je l'ai observé pendant que nous étions dans le bureau du précepteur. Il semblait terrifié à l'idée d'avoir commis une faute irréparable. Même si nous arrivions à le retrouver, il est peu probable que nous puissions en tirer quelque chose.

— Nous devons tenter notre chance, l'encouragea Ithan'ak. Commençons par nous rendre au puits dont l'eau m'a permis de guérir aussi rapidement. Nous pourrons en profiter pour nous renseigner à propos de Sven.

Puisqu'il n'avait rien de mieux à proposer, Vonth'ak accepta de suivre le priman'ak, peu convaincu d'obtenir des résultats. Ils se dirigèrent d'abord vers le puits duquel les svilts tiraient une eau miraculeuse. Le priman'ak l'examina sous toutes les coutures et Vonth'ak dut le retenir pour l'empêcher d'y descendre.

— Je dois savoir d'où provient cette source, argumenta Ithan'ak, qui ne craignait aucunement d'entrer en contact avec l'eau grâce à l'émyantine qu'il portait autour du cou. Il y a de fortes chances que cette source ait quelque chose à voir avec la porte d'Asilbruck.

— Même si tu descends dans ce puits, plaida le magicien, ce qui pourrait d'ailleurs nous attirer la colère des svilts, tu ne trouveras rien d'autre que de l'eau d'infiltration. Essayons plutôt de retrouver Sven, comme tu le suggérais un peu plus tôt. Si tu as raison et que sa foi est ébranlée, il acceptera peut-être de nous révéler les informations dont nous avons besoin.

Le priman'ak dut se résoudre à écouter Vonth'ak et à quitter le mystérieux puits. Ils parcoururent la cité lumineuse d'Ostencil de long en large, à la recherche de Sven. Malheureusement, de leur point de vue, tous les svilts se ressemblaient et ils engagèrent plusieurs fois la conversation avec des individus qu'ils confondaient avec celui qu'ils recherchaient. Au bout d'un moment, ils comprirent qu'ils n'arriveraient à rien de cette façon et commencèrent à questionner tous les svilts qu'ils croisaient, dans l'espoir que l'un d'entre eux puisse les renseigner.

L'investigation des deux warraks se prolongea interminablement, jusqu'à ce que Vonth'ak n'ait plus la force de continuer. Même Ithan'ak, plus robuste que le frêle magicien, était épuisé autant physiquement que mentalement. Incapables de continuer plus longtemps, ils marchèrent péniblement vers l'habitation où les attendait Fork. Lorsqu'ils montèrent au second palier, le bosotoss les attendait en compagnie du précepteur. Ithan'ak se figea en voyant ce dernier, inquiet à l'idée que Fork ait pu lui livrer malgré lui des informations sur la raison de leur présence.

— Je viens tout juste d'arriver, spécifia Ziofus. Puis-je vous demander où vous étiez ?

— Nous explorions votre magnifique cité, répondit Ithan'ak, en tâchant de se faire une image mentale des multiples lieux qu'il avait visités.

Tromper la vigilance de quelqu'un apte à lire les pensées n'était pas une chose facile, mais le priman'ak était certain qu'en se concentrant sur des faits véridiques il arriverait à fournir au svilt une demi-vérité.

— Vous semblez exténués, dit le précepteur, qui pouvait capter la fatigue des warraks. Qu'y avait-il de si important à voir pour que vous vous soyez mis dans un tel état ?

— Rien en particulier, répondit Vonth'ak. Sans les astres du jour et de la nuit, notre notion du temps est complètement chamboulée.

Ithan'ak se promit de féliciter le magicien pour cette réponse plus que plausible. Le précepteur semblait soudain plus détendu, comme s'il avait craint jusque-là que les deux explorateurs aient découvert le secret qu'il gardait jalousement.

— Puisque nous connaissons déjà Sven, tenta Ithan'ak, serait-il possible de nous organiser une petite visite guidée avec lui ?

Le précepteur reprit son air morose et expliqua que Sven était actuellement indisponible, car il procédait à une introspection visant au renforcement de sa foi.

Un profond silence tomba dans la pièce, durant lequel les trois compagnons sentirent que Ziofus tentait de percer leurs pensées, en quête de la véritable raison de leur présence à Ostencil.

— Vous pouvez rester ici aussi longtemps que vous le désirez, dit finalement le svilt, qui essaya de se montrer aimable. En tant que magistrat de la cité, je veillerai à ce que vous ne manquiez de rien et que personne ne vienne vous importuner.

Sur ces bonnes paroles, Ziofus se dirigea vers l'escalier circulaire et salua une dernière fois les trois camarades avant de quitter le palier. Ithan'ak attendit qu'il soit hors de portée avant de s'entretenir avec Fork et Vonth'ak.

— Il ment ! déclara-t-il. Je n'ai pas besoin de lire ses pensées pour savoir qu'il a pu lire les nôtres. Il sait ce que nous cherchons et il mettra tout en œuvre pour voiler ce que nous désirons tant découvrir.

— S'il connaît vraiment la raison de notre présence et qu'il tient à nous tenir à l'écart, dit Fork, pourquoi ne demande-t-il pas au département de la défense de nous expulser de la cité ?

— Ce sont des prêtres, répondit Vonth'ak. Ziofus s'est probablement déjà rendu compte qu'Ithan'ak n'acceptera jamais de partir sans combattre. Toutefois, d'après le sermon que nous avons entendu, le combat va à l'encontre des valeurs des svilts. Avant d'envisager cette solution, le précepteur essaiera de nous dissuader de poursuivre notre but.

— Nous devons donc exploiter au maximum le temps dont nous disposons, conclut Ithan'ak, avant que Ziofus se résolve à nous chasser de sa cité. Avec ou sans l'aide de Sven, nous devons trouver la porte d'Asilbruck. Elle est la clé de l'énigme que nous essayons de résoudre.

Pendant que les trois compagnons s'appliquaient à définir une marche à suivre, Ziofus se dirigeait vers l'endroit où se trouvait Sven. Ce n'était pas l'amphithéâtre, ni l'édifice du département de la foi, pas plus que le bureau du magistrat. Le lieu où se rendait le svilt était l'endroit le plus sûr d'Ostencil. Seuls le précepteur et ceux qu'il désignait y avaient accès. Pour des raisons de sécurité, l'entrée de cet endroit était située à l'intérieur même de la caserne où séjournaient les gardes chargés de la protéger. Bien que ces svilts maîtrisassent parfaitement l'art du combat, il leur était interdit d'utiliser leurs aptitudes sous une forme offensive. Bien entendu, ils s'entraînaient entre eux et il en résultait souvent quelques ecchymoses, mais ils devaient à tout prix éviter de faire couler le sang, si ce n'était pour protéger l'entrée unique de la caserne et ce qu'elle renfermait.

Quoi qu'il en soit, le précepteur avait informé le peuple que les trois intrus qui séjournaient dans la cité ne devaient en aucun cas être mis au courant de l'existence de la caserne et encore moins de ce qu'il y avait en son ventre. Lorsque les deux warraks avaient exploré les rues d'Ostencil, les svilts avaient discrètement pris soin de les orienter sur des chemins qui les éloignaient de l'endroit le plus important de la cité. Heureusement, lorsque les anciens avaient conçu Ostencil, ils avaient compris qu'ils ne devaient pas mettre en valeur ce qu'ils devaient protéger. Au contraire, la discrétion leur avait semblé tout indiquée.

Depuis que son prédécesseur lui avait passé le pouvoir, Ziofus avait pris l'habitude de se rendre à la caserne chaque fois qu'il le pouvait. Ses importantes fonctions accaparaient presque tout son temps, mais il trouvait toujours le moyen de se libérer. À présent que des intrus avaient découvert la cité lumineuse, il diminuait ses visites, sans pour autant renoncer à son privilège.

En quittant l'habitation qui logeait temporairement ceux qu'il espérait voir partir le plus rapidement possible, le précepteur s'était assuré que ceux-ci ne l'avaient pas suivi. Une fois à la caserne, les gardes l'avaient respectueusement salué et laissé passer. Le bâtiment était comme tous les autres édifices de la cité, mais il comportait un niveau inférieur au sol. En effet, l'échelle qu'empruntait le précepteur conduisait sous le bâtiment, ce qui n'avait rien à voir avec l'architecture traditionnelle des habitations construites par les svilts. Sous le premier palier, une nouvelle série de gardes se tenaient devant une solide grille dont seul le précepteur possédait la clé. Derrière celle-ci, dans une petite pièce circulaire, se trouvait un monumental bloc de pierre, si lourd que six svilts devaient unir leurs forces pour le déplacer. Le précepteur pouvait ensuite descendre les quelques marches qui menaient au lieu sacré où même les gardes ne pouvaient le suivre sans son consentement.

Cette fois-ci, ce qui n'était jamais arrivé auparavant, Ziofus avait permis à un garde de descendre le rejoindre, seulement dans le cas où une nouvelle importante devait lui être transmise dans les plus brefs délais. C'était là un signe que le précepteur était très préoccupé par la présence des étrangers.

Lorsque Ziofus descendit dans l'endroit presque mythique, Sven l'y attendait. Ce dernier était obnubilé par la sphère des âmes dont il ne pouvait détacher son regard. Ce phénomène divin était en effet très impressionnant, même pour Ziofus qui avait pourtant eu la rare chance de l'observer d'innombrables fois. Cette manifestation naturelle, qui ressemblait à un globe gigantesque, contenait les âmes des défunts durant les minutes suivant leur décès. Ensuite, elles traversaient la porte d'Asilbruck. Celle-ci n'avait rien d'une porte ordinaire. De forme circulaire, elle était taillée dans la paroi rocheuse. Bien qu'elle fût l'entrée qui menait du monde matériel au monde immatériel, il n'y avait aucun moyen de l'ouvrir. En vérité, il s'agissait davantage d'un portail qu'une véritable porte. Lorsqu'un individu poussait son dernier souffle de vie, son âme était immédiatement précipitée dans la sphère, où elle tournoyait un moment, en attendant son tour pour traverser la porte d'Asilbruck. Ce spectacle grandiose menait inévitablement à la réflexion sur l'existence, la vie et la mort. Ziofus le savait, ce pour quoi il avait envoyé Sven se recueillir dans cet endroit divin.

— Sven ! dit le précepteur, afin de tirer son disciple de sa contemplation. Pour la seconde fois, je t'ai accordé le privilège d'accéder à ce lieu divin que la majorité des svilts ne verront jamais. Dis-moi, qu'as-tu appris durant cet exercice de méditation et d'introspection ?

Sven adopta un air grave, car il savait que ce qu'il s'apprêtait à dire ne plairait pas au magistrat. Il prit le temps de choisir chacun de ses mots, afin d'exposer le mieux possible son point de vue.

— Quelque chose ne va pas dans le monde, annonça-t-il d'un ton qui ne se voulait pas rassurant. J'ai remarqué une extrême variation dans la sphère des âmes. Comparativement à la première fois où vous m'avez permis d'accéder à cette pièce, l'affluence a presque doublé. Un fléau semble s'abattre à la surface, menaçant de détruire les peuples qui y vivent.

— Je ne t'ai pas fait venir ici pour que tu t'inquiètes de ces choses, répliqua Ziofus. Ce portail n'est pas le seul à recueillir les âmes des défunts. Il en existe d'autres dispersés sur Nürma, la terre bienfaitrice. La variation dont tu as été témoin n'est liée qu'au continent d'Anosios et notre devoir n'est pas d'intervenir dans les affaires du monde extérieur. Les dieux nous ont confié la tâche de garder le portail, ce que nous continuerons de faire, quoi qu'il advienne.

— Nous ne pouvons pas laisser tous ces gens mourir, s'obstina Sven. Nous gardons depuis toujours ce portail, afin que les morts ne puissent revenir à la vie, alors que nous savons pertinemment qu'il n'y a aucun moyen pour un être vivant d'y entrer et que les âmes peuvent encore moins en sortir. Quel est notre rôle, si ce n'est d'intervenir lorsqu'un changement bouleverse l'ordre normal des choses ? Je sais que vous êtes méfiant vis-à-vis des étrangers, mais leur présence à Ostencil n'est-elle pas un signe que quelque chose ne va pas à la surface ? J'ai pu lire certaines de leurs pensées et je peux vous certifier qu'ils ne sont pas ici pour répandre l'anarchie.

— Assez ! le coupa Ziofus. Je constate que ta méditation n'a pas fortifié ta foi. Elle t'a rendu encore plus impertinent que tu ne l'étais déjà. J'ai moi aussi pu accéder à certains de leurs secrets, qu'ils dissimulent avec soin dans les sombres recoins de leur tête. Il est vrai qu'ils ne connaissaient rien de la porte d'Asilbruck avant d'arriver à Ostencil, mais par ta faute ils sont maintenant à sa recherche.

La voix du précepteur trahissait une colère qu'il n'avait pas éprouvée depuis des lustres.

— S'ils ne partent pas de leur plein gré, dit-il, je serai forcé de faire couler le sang, ce que j'avais juré de ne jamais faire. Par ta faute, la sérénité des svilts risque d'être compromise.

Sven jugeait que les accusations qu'on lui portait étaient injustes. Il s'apprêtait à répliquer lorsqu'un garde apparut derrière le précepteur.

— Vous m'aviez ordonné de vous quérir s'il arrivait quelque chose d'important, dit le svilt, mal à l'aise d'avoir mis les pieds dans un endroit qui lui avait toujours été interdit. L'un des warraks a assommé les gardes de votre bureau et requiert votre présence.

Ziofus, qui n'en avait pas terminé avec Sven, lui fit signe de le suivre et quitta prestement la caserne. Les svilts n'avaient pas l'habitude de se presser, car le temps ne représentait rien pour eux. Les citoyens furent donc surpris de voir leur guide spirituel cavaler dans les rues, en direction du bâtiment de la fonction publique.

Lorsque le précepteur atteignit enfin le dernier palier, toujours accompagné de Sven, un warrak l'y attendait. Il crut qu'il s'agissait d'Ithan'ak, puis se ravisa, car le guerrier qui était devant lui était plus petit. Toutefois, il était beaucoup plus robuste que Vonth'ak, ce qui permit à Ziofus de conclure qu'il s'agissait d'un individu qu'il n'avait jamais rencontré. Grâce à son don télépathique, il pénétra les pensées de l'étranger et obtint son nom : Ryan.

Chapitre 12

L'arrivée d'un nouveau warrak inquiéta le précepteur, qui redoutait que l'existence de sa cité ait été révélée au monde extérieur. Il se concentra et fouilla plus profondément dans l'esprit de l'étranger, ce qui lui permit de comprendre que Ryan n'avait fait que suivre Ithan'ak et ses compagnons.

— Votre but est de le tuer, dit Ziofus. Votre esprit est rongé par ce désir. Vous ne devriez pas cultiver une telle haine.

Ryan fut d'abord troublé par une si grande familiarité, mais il retrouva rapidement sa contenance.

— Je ne suis pas venu jusqu'ici pour obtenir les conseils d'un prêtre qui ne connaît rien à la guerre, répondit durement le jeune warrak. J'ai suivi Ithan'ak jusque dans les profondeurs de Nürma pour mettre un terme à sa vie et j'ai besoin de votre aide.

— Vous ne nous connaissez même pas, intervint Sven, qui était resté en retrait jusque-là. Les svilts condamnent la violence. Ne comptez pas sur nous pour appuyer votre barbarie.

Ryan jaugea un instant le svilt qui venait de s'adresser à lui, en adoptant un sourire moqueur.

— Je vous observe depuis un moment, déclara-t-il. Votre peuple est faible et ne connaît pas la fierté qu'apporte la victoire. Il m'a été aisé d'arriver jusqu'à votre bureau sans la moindre égratignure. Je pourrais vous tuer sur-le-champ, si telle était ma volonté. Toutefois, je dois faire appel à vous pour m'aider à supprimer Ithan'ak et ses deux acolytes. J'ignore de quoi il est question, mais je sais que vous dissimulez un secret et que ces trois importuns risquent tôt ou tard de le découvrir. Je n'ai aucun intérêt pour ce qu'ils recherchent, pourvu qu'Ithan'ak paie de sa vie la honte qu'il a jetée sur moi. Une alliance entre nous serait grandement profitable pour les deux parties.

Ziofus ordonna de façon télépathique à Sven de se taire, puis porta une main à son menton affilé. Il était visiblement préoccupé par l'arrivée impromptue de Ryan et faisait de son mieux pour analyser rapidement la situation. Ce que proposait le jeune warrak était littéralement à l'opposé des valeurs cultivées par les svilts. En temps normal, le précepteur ne se serait même pas attardé sur une telle offre. Cependant, il ne pouvait ignorer la présence d'Ithan'ak, qui était maintenant à la recherche de la porte d'Asilbruck. Le précepteur commençait à considérer Ryan comme un moyen d'accomplir ce qui devait être fait sans se salir les mains.

— Voici le pacte que nous allons conclure, signifia le guide spirituel des svilts. Je mettrai les gardes d'Ostencil à votre disposition, à la condition qu'Ithan'ak et ses deux compagnons se rapprochent dangereusement de leur but. Pendant ce temps, vous demeurerez à l'abri des regards, dans un endroit de mon choix. S'il s'avérait qu'Ithan'ak et ses compagnons quittent Ostencil, vous perdriez notre appui, mais vous pourriez quitter notre cité sans être gêné. Dans le cas contraire, les gardes appuieront votre démarche. Quoi qu'il arrive, vous serez tenu responsable du sang qui coulera et serez par conséquent expulsé de notre cité.

— Je savais que nous pourrions trouver un terrain d'entente, se délecta le jeune warrak. Si vos gardes sont suffisamment nombreux, ils pourront maîtriser Ithan'ak et le bosotoss, puis je n'aurai qu'à leur asséner le coup fatal. Par contre, j'entrevois des difficultés en ce qui concerne le magicien qui les accompagne. À lui seul, s'il en a le temps, il pourrait se débarrasser d'une vingtaine de gardes en un éclair.

— Ne vous en faites pas pour lui, le rassura Ziofus. Ostencil est construite dans une pierre qui annule les effets de la magie. Vonth'ak est donc le cadet de nos soucis.

Sven, silencieux, écoutait le précepteur et le jeune warrak manigancer et ne pouvait s'empêcher de désapprouver ce qu'ils préparaient. Il pensait sans cesse à la sphère des âmes et devenait de plus en plus convaincu qu'Ithan'ak était venu pour rétablir l'équilibre qui était bouleversé sur Nürma.

Lorsque le précepteur eut terminé de négocier avec le warrak qui souhaitait faire couler le sang dans la cité, et après que ce dernier eut quitté le bureau, il se tourna vers Sven et sonda son esprit.

— Tu fais beaucoup trop confiance à ces étrangers, déclara Ziofus. Contrairement à ce que tu crois, s'ils découvrent la sphère des âmes et la porte d'Asilbruck, il n'en sortira aucun bien.

— Vous êtes vous-même enclin à faire confiance à ce warrak dont la seule motivation est la vengeance, se défendit Sven. De plus, je ne vois pas ce qu'Ithan'ak, Fork ou Vonth'ak pourraient causer comme tort. La sphère des âmes ne peut être altérée et aucun être vivant ne peut traverser la porte d'Asilbruck.

— Premièrement, expliqua Ziofus, je n'ai aucune confiance en ce Ryan. Je dois pourtant considérer sa présence comme un signe des dieux et utiliser son potentiel en notre faveur. Deuxièmement, notre mission divine est de protéger la porte d'Asilbruck. Notre rôle n'est pas de juger qui peut s'en approcher ou même de connaître quelles pourraient en être les conséquences. Qui sommes-nous pour remettre en cause la décision des dieux ? Je suis amèrement déçu que contempler la sphère des âmes ne t'ait pas redonné la foi dont tu as grandement besoin. Peut-être est-ce pour cette raison que parmi tous les svilts tu es celui à qui je suis le plus attaché. J'ai le sentiment de devoir t'apporter davantage que les enseignements prodigués à tes frères et sœurs. J'espère qu'un jour tu sauras apprécier tout ce que j'ai fait pour toi et que tu retrouveras la foi.

Sven n'avait pas besoin de lire dans l'esprit du magistrat pour comprendre ce qui l'attendait. La vie cloîtrée était d'ordinaire réservée aux svilts dont la foi était irréprochable. Consacrer sa vie entière aux dieux était un honneur, car seuls ceux qui réussissaient à atteindre un niveau spirituel sans pareil pouvaient y accéder.

— Je ne mérite pas cet honneur, mentit Sven, rebuté par cette vie sans saveur. Les dieux ont droit à une foi irréprochable, ce que je ne peux leur offrir.

— Je sais que tes paroles ne sont que mensonges, dit le précepteur. En réalité, ta foi est si vacillante que tu refuserais l'honneur de donner ta vie aux dieux, distinction à laquelle tous les svilts rêvent d'accéder. C'est pourtant le destin qui t'attend, car je suis décidé à ce que tu trouves la foi, même si je dois faire une entorse au règlement.

Deux gardes se postèrent derrière Sven, qui supplia Ziofus de reconsidérer sa décision. Inflexible, ce dernier ordonna qu'on emmène le malheureux dans la caverne qui se trouvait hors de la cité, où il devrait adorer les dieux jusqu'à la fin de sa vie, dans la noirceur la plus totale.

Durant ce temps, Ithan'ak réfléchissait sans cesse à un moyen de trouver la porte d'Asilbruck. Même si les svilts étaient accueillants et veillaient à ce que les visiteurs ne manquent de rien, il était clair que chacun d'entre eux souhaitait voir les warraks et le géant qui les accompagnait quitter la cité lumineuse.

Vonth'ak, privé de ses pouvoirs, était d'une humeur de plus en plus aigre. Afin de s'occuper l'esprit, il improvisait de nouvelles façons de calculer le temps, plus ou moins précises. Le frêle warrak estimait que deux semaines s'étaient écoulées depuis leur arrivée à Ostencil. Quant à Fork, il commençait à envisager la possibilité de ne jamais découvrir la porte d'Asilbruck et spéculait continuellement sur la situation à la surface. Plusieurs mois étaient passés depuis la bataille des ombres et Xioltys était peut-être rétabli, prêt à faire appel aux spectres de la nuit.

— Nous ne pouvons remonter là-haut sans avoir découvert ce que Nicadème nous a envoyés chercher, répéta encore une fois Ithan'ak. Nous avons eu de la chance lors du dernier combat, mais Xioltys ne répétera pas la même erreur deux fois. Sans un moyen de détruire les ombres meurtrières, il est inutile de penser remporter la victoire. Notre salut se trouve quelque part ici et réside dans ce secret qu'il nous faut à tout prix découvrir.

— Ils savent que nous recherchons la porte d'Asilbruck, répliqua aussitôt Vonth'ak, qui ne partageait aucunement l'optimisme du priman'ak. Le précepteur fera tout ce qui est en son pouvoir pour nous empêcher d'atteindre notre but. Je suis certain que leur département de la défense est entièrement mobilisé, prêt à se ruer sur nous à la moindre alerte.

Alors que les deux warraks étaient au beau milieu d'une de leurs querelles qui devenaient de plus en plus courantes, Fork leur fit signe de se taire. Le colosse pointait du doigt un svilt qui venait d'apparaître dans les escaliers menant au deuxième palier. Ce dernier était à bout de souffle, comme s'il avait couru pendant des heures. Sa forte respiration brisait sporadiquement le silence qui s'était installé. Ithan'ak, Fork et Vonth'ak l'observèrent un instant, curieux de connaître la raison de cette intrusion.

— C'est moi, dit le svilt. Sven.

Aussitôt, Ithan'ak se leva et lui offrit de l'eau. Il ignorait ce qui était arrivé à Sven depuis la dernière fois qu'il l'avait vu, mais il était certain que son retour impromptu signifiait qu'il avait tourné le dos au précepteur, ce qui était une très bonne nouvelle.

— Êtes-vous venu nous aider ? voulut confirmer Ithan'ak.

Le svilt voulut répondre, mais ses poumons n'avaient pas terminé de faire le plein d'air.

— Laisse-lui le temps de reprendre son souffle, intervint Fork. J'ai l'intuition que ce svilt a défié mille dangers pour arriver jusqu'à nous.

Ithan'ak dut se résoudre à patienter, ce qui ne l'empêcha pas de taper du pied pendant que Fork remplissait de nouveau le gobelet de Sven.

— Il semblerait que notre patience sera enfin récompensée, chuchota Vonth'ak à l'oreille du priman'ak. Toutefois, je me demande s'il est sage de nous fier à lui, car il nous est impossible d'être certain qu'il n'a pas été envoyé par Ziofus pour nous méprendre.

— Tu vois toujours le côté noir des choses, répliqua le priman'ak. Comme tu le sais, nous avons déjà perdu beaucoup trop de temps et ce svilt représente peut-être notre seule chance de découvrir ce que nous sommes venus chercher. Nous devons donc lui faire confiance, même si cela risque de nous entraîner dans un piège.

— Il n'y a aucun piège, assura Sven. Je suis venu vous révéler ce qu'est la porte d'Asilbruck et où elle se situe. De plus, je dois vous avertir que le précepteur a conclu une entente avec un warrak prénommé Ryan et qu'il vous exécutera si vous tentez d'approcher de l'endroit où est dissimulée la porte.

Les trois compagnons étaient abasourdis par les révélations de Sven, particulièrement celle à propos de Ryan. À quelques reprises, ils avaient cru être suivis dans les souterrains d'Asilbruck. Ils avaient supposé qu'il pouvait s'agir du général Karst, sans jamais penser à Ryan. Pourtant, le jeune warrak avait un motif fondé d'en vouloir à Ithan'ak, qui l'avait condamné à l'exil.

— Comment a-t-il pu nous suivre jusqu'ici ? demanda le priman'ak. Nous avons survolé le continent sur le dos d'animaux ailés.

— Je l'ignore, admit Sven, mais il est venu pour vous éliminer.

À ces mots, Fork adopta un regard sombre.

— N'oublions pas que Nicadème a prédit la mort d'Ithan'ak, souligna le colosse.

— Il a aussi déclaré que j'allais trahir un ami proche, commenta Vonth'ak, ce qui ne s'est toujours pas réalisé. Je crois que nous ne devrions pas accorder trop d'importance aux prophéties de ce magicien, qui a depuis longtemps perdu contact avec le monde dans lequel nous vivons.

— Vonth'ak a raison, approuva Ithan'ak. Concentrons-nous plutôt sur les informations que Sven est venu nous communiquer.

Le svilt avait enfin repris son souffle et paraissait disposé à raconter tout ce qu'il savait. Il demanda d'abord un banc pour s'asseoir, signe que cela durerait un moment.

— D'abord, commença-t-il, vous devez connaître l'origine des souterrains d'Asilbruck. Cette histoire date d'une époque où les civilisations n'existaient pas et que les différentes races commençaient tout juste à former de petits clans qui combattaient pour leur survie. La grande Nürma, la plus puissante des déesses, commanda aux autres dieux de guider les formes de vie primitives qu'elle avait créées. Durant cette période, que nous appelons l'avènement des civilisations, les dieux prenaient couramment part aux affaires des mortels. Chacun d'eux avait établi une relation particulière avec les nouvelles créatures dont ils avaient été chargés de prendre soin. C'est ainsi que chaque dieu en vint à personnifier les principaux aspects qui façonnent notre monde. Toutefois, malgré leur grande sagesse, les dieux n'arrivaient pas à comprendre le concept de la mort, que Nürma avait imposée aux créatures qui s'éteignaient au bout d'un moment. Selon la légende, ce fut Kumlaïd, le dieu de la guerre, qui mit le premier en doute les motifs de la terre bienfaitrice. Puisque les êtres qu'il avait choisi de guider étaient tous des guerriers, ceux-ci perdaient la vie beaucoup plus fréquemment et étaient emportés vers le néant.

— Vous parlez du gouffre éternel ? le questionna Ithan'ak.

— Pas du tout, répondit Sven, qui essayait de se montrer le plus clair possible. Les âmes des mortels disparaissaient à jamais et la mort signifiait la fin de tout, ce qui répugnait le dieu de la guerre. Les guerriers qu'il favorisait s'éteignaient un à un, comme s'ils n'avaient jamais existé. Ce cycle se répétait sans cesse, ce qui était pour lui une aberration. Selon Kumlaïd, les plus braves combattants méritaient de voir leur vaillance récompensée, et c'est ainsi que lui vint l'idée de créer les champs de bataille éternels, où pourraient combattre les braves jusqu'à la fin des temps. Toutefois, seule la grande Nürma était capable d'un tel prodige et le dieu de la guerre n'était pas certain d'obtenir son appui. Il avait donc demandé l'aide des dieux dont il était le plus proche, Hélisha et Asilbruck, afin de plaider sa cause auprès de Nürma.

— Asilbruck est un dieu ! s'étonna Ithan'ak.

— D'après le précepteur, expliqua Sven, les peuples de la surface ne vénèrent qu'une poignée de dieux, alors qu'il y en a plus d'une centaine. Votre manque de foi et votre piètre éducation sont probablement les facteurs principaux qui ont rendu votre panthéon si limité. Quoi qu'il en soit, Hélisha et Asilbruck acceptèrent d'appuyer Kumlaïd dans sa démarche, à condition que tous les individus, même ceux qui ne s'intéressaient pas à l'art du combat, puissent accéder à une nouvelle vie dans le monde immatériel. C'est ainsi que naquit l'idée des terres célestes. Les trois dieux présentèrent ce concept nouveau à la grande Nürma, qui fut impressionnée par leur créativité. Malheureusement, elle y voyait un inconvénient majeur. En effet, tous les mortels ne méritaient pas d'accéder à une seconde vie et un certain contrôle devait être pris en charge. Selon la légende, la terre bienfaitrice décida de créer la vision qu'on lui avait proposée, puis conçu un autre endroit pour entasser les âmes qui ne pourraient être reçues aux côtés des dieux : le gouffre éternel.

— Comment connaissez-vous cette histoire ? demanda Fork, qui avait du mal à croire qu'un être vivant pouvait en savoir tant à propos des dieux.

— J'allais y venir, répondit Sven, avec une certaine pointe d'impatience dans la voix. Kumlaïd, ainsi qu'Asilbruck et la déesse Hélisha, étaient abasourdis par ce qu'avait créé la terre bienfaitrice. Cela dépassait de loin leurs attentes et ils s'en réjouissaient grandement. À ce moment, ils ignoraient qu'il y aurait un prix à payer pour ce qu'ils venaient d'obtenir. En effet, l'un d'entre eux devait se charger de diriger les âmes vers l'un ou l'autre des deux niveaux immatériels qui venaient d'être créés et cette tâche lui incomberait à jamais. Ce travail colossal demandait un extrême dévouement et une impartialité sans pareille. Puisqu'il était évident que le dieu de la guerre était dénué de cette seconde qualité, il ne restait plus qu'à décider entre Hélisha et Asilbruck.

Ithan'ak gronda en entendant le svilt insulter Kumlaïd. Celui-ci ne s'en soucia pas. De son point de vue, les dieux avaient tous leurs forces et leurs faiblesses et ce n'était pas un blasphème que d'y faire référence. Il continua donc son récit sur la même intonation.

— Hélisha possédait une grande sagesse, déclara-t-il, qu'aucun dieu n'osait mettre à l'épreuve. Cela faisait d'elle à la fois une bonne et une mauvaise candidate, ce qu'Asilbruck savait en son cœur. Lui seul possédait la vertu essentielle pour remplir la douloureuse mission qu'imposait la grande Nürma : le sacrifice de soi. Parmi tous les dieux, Asilbruck était unique, car son altruisme allait bien au-delà de ses intérêts personnels. Il était le seul apte à supporter le labeur qui serait le sien pour l'éternité. La terre bienfaitrice voyant en lui cette particularité, c'est pourquoi elle refusa de confier le sort des défunts à la déesse Hélisha, qui s'était pourtant proposée la première.

Sven demanda de nouveau de l'eau, car son long monologue commençait à irriter sa gorge sèche. Ses auditeurs attendirent qu'il ait terminé de se rafraîchir.

— Nous en venons enfin au sujet qui nous intéresse de près, les informa le svilt. Dès qu'Asilbruck reçut la bénédiction de la terre bienfaitrice, il entama d'importants travaux pour recevoir les âmes qu'il se devait de juger. Afin de ne pas interférer avec les êtres vivants, celui qui était désormais désigné comme le dieu des âmes commença à creuser d'innombrables galeries souterraines, si vastes et si immenses qu'il mit plus d'une décennie à terminer son œuvre. Les souterrains d'Asilbruck étaient enfin prêts à accueillir les âmes des défunts, qui ne disparaîtraient plus dans le néant. Les terres célestes ou le gouffre éternel, voilà le terrible jugement auquel étaient soumises les âmes, avant de rejoindre le monde immatériel. Certains mortels, parmi les plus braves, osaient même s'introduire dans les souterrains pour dire une dernière fois au revoir à leurs proches, pratique qu'approuvait le dieu des âmes.

— J'ai l'intuition que tout n'a pas fonctionné comme prévu, anticipa Ithan'ak. Depuis que j'ai mis les pieds dans ces souterrains, je n'ai croisé aucune âme en attente d'être jugée, et encore moins un dieu.

— En effet, admit Sven, mais les ennuis vinrent d'une source qu'Asilbruck n'avait pas envisagée : les autres dieux. Au début, ceux-ci respectaient les jugements que portait le dieu des âmes, jusqu'à ce que l'un d'eux s'attache profondément à un mortel dont les actions n'avaient pas toujours été louables. Inquiet de voir son favori être soumis pour l'éternité au gouffre éternel, le dieu s'introduisit dans le repaire d'Asilbruck et s'empara de l'âme en question pour l'emmener sur les terres célestes. Cette pratique, qui ne devait être qu'un cas isolé, devint rapidement très populaire parmi les dieux. Même Kumlaïd et Hélisha, qui avaient appuyé Asilbruck dans sa démarche, se permettaient à l'occasion une ou deux incartades. Furieux de voir son travail saboté, le dieu des âmes demanda à la grande Nürma d'intervenir, requête à laquelle elle accéda en créant plusieurs portes que seul Asilbruck pouvait contrôler.

— Il existe plus d'une porte comme celle que votre peuple est chargé de protéger ? s'étonna Vonth'ak.

— Elles sont dispersées sur la terre bienfaitrice et donnent toutes accès au cœur des souterrains d'Asilbruck, lui apprit Sven. Les galeries que vous avez traversées ne représentent qu'une infime partie de ce qu'a créé le dieu des âmes.

— Parlez-nous davantage de ces portes créées par Nürma, demanda Ithan'ak.

— Elles sont d'une extrême puissance, expliqua le svilt. Ce sont davantage des portails que des portes, qu'aucun être vivant ne peut traverser. Seuls les âmes et les dieux sont aptes à passer de l'autre côté, dans le repaire d'Asilbruck.

— Je croyais que ces portes devaient empêcher les différents dieux d'interférer avec le travail du dieu des âmes, souligna Fork, fasciné par ce qu'il apprenait.

— C'est exact, confirma Sven. Les différentes divinités peuvent traverser l'une ou l'autre des portes créées par Nürma, mais elles sont soumises à certaines conditions. Une fois dans l'antre d'Asilbruck, les dieux n'ont plus aucun pouvoir, sinon celui d'en ressortir à leur gré. Pour des êtres aussi puissants qu'eux, la perspective de devenir aussi désarmé qu'un simple mortel est peu reluisante, même pour un instant.

— Les svilts sont néanmoins chargés de surveiller l'entrée située près d'ici, souligna Vonth'ak. D'où tenez-vous cette importante tâche ?

— Avant de s'enfermer à jamais derrière les portes qu'avait créées pour lui la terre bienfaitrice, expliqua Sven, Asilbruck choisit parmi les peuples les plus pieux ceux qui auraient le privilège de garder les différentes entrées de son sanctuaire. Cette mission fut confiée, il y a bien des millénaires, à nos lointains ancêtres, ainsi que les enseignements du dieu des âmes qui sont transmis de génération en génération. Nous n'avons pas la prétention de pouvoir arrêter un dieu qui déciderait de franchir la porte que nous gardons, mais il en va différemment pour les êtres vivants.

Sven dirigea un regard sévère vers Vonth'ak.

— Grâce à la pierre qui a servi à bâtir notre cité, même les magiciens ne peuvent accéder à la porte d'Asilbruck, ajouta-t-il.

— De mon point de vue, déclara Fork, tout cela n'a aucun sens. Puisque seuls les dieux et les défunts peuvent traverser les portes qui mènent à son repaire, pourquoi Asilbruck voudrait-il empêcher les êtres vivants de les approcher ?

Sven demeura silencieux, car il ne savait manifestement pas quoi répondre. Après une longue hésitation, il releva la tête et déclara que ce n'était pas le rôle des mortels de juger les actions des dieux. Le manque de conviction flagrant du svilt n'avait pas échappé à Ithan'ak.

— Votre manque de foi est ce qui vous a conduit jusqu'à nous, déclara le priman'ak, qui regardait par la fenêtre, les mains derrière le dos. Il m'est impossible de lire dans votre esprit, mais je devine que vous avez l'intention de nous conduire jusqu'à la porte d'Asilbruck qui est dissimulée dans la cité d'Ostencil. J'aimerais savoir pourquoi.

Les propos du warrak étaient fermes et implacables, ce qui déstabilisa Sven encore plus qu'il ne l'était déjà.

— Vous avez raison, avoua-t-il, soudainement au bord des larmes. J'ai trahi mon peuple et fui l'endroit où m'avait envoyé le précepteur, car je suis persuadé que je dois vous aider. Il existe un phénomène appelé la sphère des âmes, par où passent les défunts avant de traverser la porte d'Asilbruck. D'après ce que nous a enseigné le précepteur, ce n'est qu'un reflet de la réalité et les âmes qui apparaissent dans cette sphère ne sont ni dans notre monde ni dans le monde immatériel. Il est donc impossible, même pour un dieu, d'intervenir dans cette étape de transition. Seule la grande Nürma a ce pouvoir. Quoi qu'il en soit, depuis quelque temps, les âmes dans la sphère sont anormalement nombreuses. J'ai informé le précepteur que les peuples de la surface étaient en proie à un nombre de morts alarmant, mais il a refusé de prêter l'oreille à mes inquiétudes. Afin de m'empêcher de nuire, il a jugé bon de m'éloigner, comme il le fera avec vous si nous ne réagissons pas très rapidement. Je peux vous aider, mais je dois d'abord savoir si mes inquiétudes sont fondées.

— Elles le sont, répondit gravement Ithan'ak. Un fléau s'abat sur le continent d'Anosios, que nul ne peut arrêter. Alors que les différents peuples s'unissent pour résister à cette menace dont nous ne connaissons rien, Fork, Vonth'ak et moi-même sommes partis chercher de l'aide, ce qui nous a conduits jusqu'à Ostencil. Nos intentions sont nobles et vous honorerez vos ancêtres en nous conduisant à la porte qu'ils ont juré de protéger.

— Je te connais suffisamment pour savoir que tu viens tout juste de comprendre ce que tu devais faire, dit Fork à l'intention du priman'ak. J'aimerais tout de même être informé de ton plan, avant que nous nous lancions tête baissée dans cette aventure.

— Il sait comment traverser la porte, s'étonna Sven, qui avait lu dans l'esprit du warrak. Le dieu de la guerre a doté son bras d'un pouvoir divin, qu'il compte utiliser pour pénétrer dans le repère d'Asilbruck. Voilà la raison pour laquelle le dieu des âmes désirait que les différents portails soient gardés : il savait qu'un jour un dieu serait assez puissant pour recréer une infime partie de son énergie et la transmettre à un mortel.

— Comment pouvons-nous être certains que cela fonctionnera ? demanda Vonth'ak, qui n'avait jamais cru aveuglément en Ithan'ak.

L'esprit pragmatique du magicien se nourrissait de faits, ce qui ne s'accordait pas facilement avec la façon de procéder des warraks, qui était de suivre les ordres sans poser de questions.

— Comme l'a mentionné Sven, expliqua Ithan'ak, Kumlaïd a doté mon bras d'une puissance divine. Au début, je croyais que ce don devait être utilisé pour mettre fin au règne du roi Limius, ce qui était une énorme erreur. Le dieu de la guerre ne m'aurait jamais confié un si grand pouvoir pour combattre de simples mortels. Si je l'avais compris plus tôt, peut-être aurions-nous pu éviter la bataille des ombres, qui fut une tragédie. Nicadème a prédit que je connaîtrais la mort si je décidais de suivre le chemin qu'il me montrait. En traversant la porte d'Asilbruck, je réaliserai sa prophétie en rejoignant le domaine où sont jugés les défunts.

— Tu ignores toujours ce que tu y feras, devina Vonth'ak. Peut-être ne pourras-tu jamais revenir de cet endroit.

— J'en suis conscient, dit le priman'ak. Heureusement, la mort ne m'effraie pas et, si tel est mon destin, je suis prêt à recevoir le jugement qui m'expédiera dans le gouffre éternel ou sur les champs de bataille éternels. Toutefois, il se pourrait que tu doives m'aider à traverser la porte d'Asilbruck. Nicadème a aussi prédit que tu trahirais un ami proche et nous ignorons toujours la signification de ses paroles. Si je n'arrive pas à pénétrer dans l'antre du dieu des âmes, tu devras mettre fin à ma vie.

Fork voulut montrer sa désapprobation, mais Ithan'ak leva la main pour lui signifier de se taire. Tous les éléments concordaient et rien n'aurait pu faire changer d'avis le warrak, qui avait toujours été d'une nature têtue.

— De nombreux gardes protègent la caserne à l'intérieur de laquelle est dissimulée la porte d'Asilbruck, souligna Sven. Même si je vous montre le chemin, il sera presque impossible de l'atteindre.

— Nous y arriverons, déclara fermement Fork en empoignant son énorme massue. Les warraks ne connaissent peut-être pas la peur, mais aucun d'entre eux ne peut égaler la terreur que les bosotoss infligent à leurs ennemis lorsqu'ils déploient leur puissance.

— Toute cette affaire me semble peu prometteuse, souligna Vonth'ak, car Ithan'ak ne sait même pas pour quelle raison il doit se rendre dans le domaine d'Asilbruck. Je n'ai malheureusement rien de mieux à proposer, ce qui me contraint à vous appuyer dans votre démarche. Je n'aime pas l'idée d'aller au combat en étant privé de ma magie, mais je souhaite au moins autant que vous éliminer les ombres meurtrières, et Xioltys par la même occasion. Je vais donc utiliser le glaive qui dort à ma ceinture depuis si longtemps.

Sven, qui n'avait pas un tempérament aussi intrépide, décida de se recueillir pour trouver le courage d'accomplir son devoir. Les warraks et le bosotoss décidèrent de l'imiter.

Lorsqu'Ithan'ak ferma les yeux, sa vision devint noire, puis des images surgirent dans son esprit. Parmi celles-ci, le visage de Mikann'ak était de loin ce qui occupait le plus ses pensées. L'odeur de la celfide était toujours présente dans la mémoire du warrak, qui se sentait de plus en plus détendu. Curieusement, il y avait longtemps qu'il n'avait pas songé à celle qu'il avait perdue au profit d'Yrus'ak, son ancien capitaine. Inconsciemment, il avait mis ce douloureux souvenir de côté, en espérant que le temps guérirait sa blessure. Malheureusement, ce n'était pas le cas, car Ithan'ak se sentait misérable en se remémorant le visage de celle qu'il aimait. Incapable de supporter davantage ce tourment, il se leva et déclara qu'il était temps de passer à l'action.

Sven marchait à une bonne distance en avant des étrangers, afin que les svilts qui arpentaient les rues ne remarquent pas leur complicité. Les trois compagnons déambulaient légèrement, en commentant l'architecture des bâtiments et en spéculant sur les techniques de construction. Ils s'étaient donné l'objectif de passer pour de parfaits touristes, ce qu'ils réussissaient à merveille. Alors qu'ils progressaient, en prenant soin de ne pas perdre de vue leur guide, ils étaient de plus en plus abordés par des svilts, qui leur proposaient de visiter des endroits situés diamétralement à l'opposé de la direction dans laquelle les entraînait Sven. Ithan'ak en déduisit que la caserne ne devait plus être très loin et se concentra sur la description que Sven leur en avait faite.

— C'est le troisième bâtiment sur notre gauche, lui chuchota Fork à l'oreille, qui avait une meilleure vue d'ensemble grâce à sa grande taille.

L'édifice était modeste, de sorte qu'il n'attirait aucunement l'attention. Quelques svilts traînassaient devant l'entrée, en faisant de leur mieux pour ne pas ressembler à des gardes. Cette mise en scène était réussie et aucun des aventuriers ne se serait douté qu'il s'agissait de la caserne dans laquelle était dissimulée la porte d'Asilbruck si on ne les en avait pas informés.

Lorsqu'Ithan'ak approcha de l'édifice, il sentit les svilts se crisper autour de lui. Conscient que ceux-ci pouvaient lire ses pensées, il se concentra sur le souvenir de Mikann'ak, même si cela l'affligeait considérablement. Fork et Vonth'ak s'étaient eux aussi rapprochés et Sven était subtilement revenu sur ses pas. Tous les éléments étaient en place pour passer à l'assaut.

Comme convenu, Ithan'ak fut le premier à tirer son arme et fonça dans la caserne, avant même que les gardes aient eut le temps de le retenir. Aussitôt, Fork utilisa sa massue pour mettre hors d'état de nuire les svilts encore subjugués par l'élan précipité du priman'ak. Comme l'avait exigé Sven, le colosse prit soin de ne pas trop les blesser, dans la mesure du possible.

Des bruits de lames retentissaient déjà de l'intérieur, ce qui signifiait qu'Ithan'ak avait entrepris le combat. Fork s'empressa de le rejoindre, suivi de près par Vonth'ak et Sven.

Cerné par une cinquantaine de svilts, le priman'ak usait de son glaive pour les tenir à distance. Malgré les recommandations que lui avait faites Sven, il avait dû faire couler le sang et quelques morts jonchaient le plancher. Les gardes d'Ostencil avaient tous reçu un excellent entraînement au combat, mais aucun d'eux n'avait jamais participé à une véritable bataille et encore moins enlevé la vie à un individu. Cela donnait un avantage considérable à Ithan'ak, qui commençait néanmoins à crouler sous le nombre d'assaillants.

Voyant cela, Fork et Vonth'ak se lancèrent eux aussi à l'assaut. Le magicien, pour quelqu'un qui n'avait pas l'habitude des combats à l'arme blanche, se débrouillait passablement bien. Toutefois, sa maigre contribution n'était rien en comparaison avec le bosotoss, qui se débarrassait de quatre ou cinq adversaires à la fois.

L'arme utilisée par les svilts était un long bâton fabriqué dans un métal très léger. Une fine lame était fixée à l'une des extrémités, comme une griffe au bout d'un long doigt. Comme dans tous les combats, le type d'armement utilisé modifiait considérablement la façon de se battre, et les deux côtés devaient s'adapter au nouveau style qui leur était opposé.

Alors que les trois étrangers combattaient avec une férocité inconnue des svilts, Sven demeurait à l'écart, incapable de diriger son arme contre l'un des siens. Sa seule préoccupation avait été de conduire Ithan'ak et ses compagnons jusqu'à la porte d'Asilbruck et il n'avait pas réellement réalisé qu'il devrait combattre pour y arriver. Bien qu'il n'eût pas la trempe d'un combattant, Sven n'était pas dénué de courage. Il s'élança donc dans la foule de combattants pour rejoindre Ithan'ak.

— Vous ne viendrez jamais à bout de tous les gardes, dit-il lorsqu'il fut assez près du priman'ak. Il en arrive sans cesse des étages supérieurs et nous serons bientôt submergés. Nous devons descendre sous l'édifice et rejoindre la porte d'Asilbruck le plus rapidement possible.

— Montrez-moi le chemin, cria Ithan'ak, sans quitter des yeux ses nombreux adversaires.

Fork et Vonth'ak remarquèrent que Sven avait rejoint Ithan'ak et ils essayèrent de l'imiter, non sans difficulté. De l'autre côté du poteau central qui soutenait l'édifice, une trappe permettait de descendre sous le premier palier en empruntant une échelle.

— D'autres gardes nous attendent en bas, dit Sven, qui perdait graduellement confiance.

— J'y vais le premier, décida Ithan'ak.

Il demanda à Fork de descendre en dernier, afin de couvrir la descente de Vonth'ak et de Sven. Le colosse ne répondit pas, car il était trop occupé avec les svilts qui devenaient de plus en plus agressifs. Ithan'ak savait néanmoins que le colosse l'avait bien entendu.

Sans se soucier de ce qui l'attendait en bas, le warrak plongea dans la trappe en ignorant l'échelle. Dès qu'il mit le pied à terre, il dut relever son glaive pour parer les attaques que les gardes portaient déjà contre lui. Le priman'ak, dont les lacérations aux bras étaient totalement guéries, était au sommet de son art. Le mouvement de son glaive était d'une sanglante précision et d'une rapidité implacable. L'un après l'autre, les svilts recevaient la morsure froide du métal qui plongeait dans leur chair. Ithan'ak était conscient que Sven lui avait demandé de tout faire pour épargner la vie des gardes, mais il n'avait pas le temps de s'en soucier. Les svilts redoublaient d'efforts pour le repousser et il devait utiliser sa force meurtrière pour établir sa position. D'autre part, lorsque ses yeux adoptaient la couleur rouge du combat, il n'y avait plus de place pour la pitié ou les demi-mesures dans l'esprit du warrak.

Vonth'ak et Sven descendirent à leur tour et se rendirent compte qu'Ithan'ak avait la situation bien en main. En effet, la trappe qu'ils avaient empruntée était le seul accès à l'étage inférieur et les gardes qui y étaient postés ne pouvaient donc obtenir aucun renfort.

— Tant de sang ! se désola Sven, qui pleurait les nombreux morts dont il était en partie responsable. Que les dieux me pardonnent pour avoir participé à ce massacre.

— Nous prenons leurs vies pour en sauver des milliers, lui rappela Vonth'ak. Concentrez-vous sur ce que vous devez faire.

Fork commençait à faiblir et sa lourde massue devenait trop lourde pour qu'il la soulève d'un seul bras. Ses attaques avaient la même puissance qu'au début du combat, mais sa précision était indéniablement réduite. Conscient qu'il ne pourrait plus tenir très longtemps, le bosotoss sauta les pieds joints dans l'étroite trappe où l'avaient précédé ses compagnons. Son poids fit vibrer le sol et brisa même le carrelage soigné qui ornait le plancher. Un svilt suivit de près le colosse, mais Vonth'ak le transperça avec son glaive avant qu'il ait pu toucher le sol.

— Cet étage est sécurisé, haleta Ithan'ak, qui venait de venir à bout du dernier garde. Heureusement, cette trappe crée un entonnoir qui nous permettra de retenir facilement ceux qui essayeront de descendre. Pendant que Vonth'ak et Sven les retiendront, Fork m'aidera à passer les protections qui mènent à la porte d'Asilbruck.

Le bosotoss n'avait pas entièrement repris son souffle, mais il n'y avait pas de temps à perdre. Avec sa force colossale, il agrippa la grille qui bloquait l'accès à une petite pièce circulaire. Il tira dessus à quelques reprises, en poussant chaque fois un cri de rage, jusqu'à ce qu'elle cède.

Aussitôt, Ithan'ak s'avança jusqu'au centre de la pièce, où un énorme bloc de pierre couvrait le sol.

— L'entrée est certainement située en dessous, dit-il, tout en essayant de bouger la pierre, sans succès.

— Que ferais-tu sans moi ? s'amusa Fork, qui fit craquer ensemble ses énormes doigts. J'espère qu'il n'y a pas d'autres obstacles après celui-ci, car je suis presque à bout de force.

Le bosotoss s'accroupit à côté d'Ithan'ak et compta jusqu'à trois. Leur première poussée déplaça suffisamment le bloc pour qu'ils aperçoivent les marches dissimulées en dessous. Malheureusement, le passage était encore trop étroit pour qu'Ithan'ak puisse s'y glisser.

— Nous y sommes presque, dit Fork en rassemblant ses forces.

Le colosse poussa aussi fort qu'il le put et le bloc de pierre bougea assez pour qu'Ithan'ak puisse passer.

— Assure-toi que Vonth'ak et Sven arrivent à retenir les gardes, dit le priman'ak avant de dévaler les quelques marches qui menaient à la pièce inférieure.

Lorsqu'il arriva devant la sphère des âmes, le warrak fut pris de stupeur. Malgré la description que lui en avait faite Sven, il ne s'attendait pas à découvrir quelque chose d'aussi majestueux, d'aussi spirituel. Un seul regard avait suffi à le plonger dans une profonde réflexion concernant la vie, la mort et le chemin qui séparait ces deux entités fondamentalement opposées.

Ithan'ak contourna lentement la sphère, ne pouvant détacher ses yeux des âmes qui étaient sur le point de connaître une nouvelle existence, bonne ou mauvaise. « La porte d'Asilbruck », pensa le warrak. À contrecœur, il détourna le regard et pivota sur lui-même. Ses yeux, qui avaient repris leur couleur verte, fixaient maintenant la porte qu'avait créée Nürma, la terre bienfaitrice, pour le dieu des âmes. Un grand cercle était taillé dans la paroi rocheuse, à l'intérieur duquel étaient gravées de nombreuses ornementations. Ithan'ak se demanda s'il s'agissait de l'écriture des dieux et voulut poser sa main droite dessus pour essayer de la déchiffrer comme il l'avait fait pour l'Ominiak.

Au même moment, il entendit un bruit sourd en provenance des marches par où il était venu, comme si Fork avait fracassé le sol de son énorme massue. Le priman'ak n'avait plus de temps à perdre et décida de se fier à son instinct, ce qui lui avait souvent rendu service dans le passé.

Sans réfléchir, il enfonça sa main droite dans une cavité située exactement au centre des différentes gravures. Aussitôt, il sentit une puissante chaleur l'envahir, mais cela ne lui procurait aucune douleur. Curieusement, il se sentait en symbiose avec la porte d'Asilbruck, qui s'illumina et devint entièrement dorée. La pierre rigide dans laquelle le portail était tracé adopta une texture qui pouvait se comparer à celle de l'eau. Dès qu'il s'en aperçut, Ithan'ak eut le réflexe de reculer, puis se rappela que l'émyantine qu'il portait autour du cou le protégeait de l'effet néfaste qu'avait l'eau sur les warraks.

Grâce au don divin que lui avait donné Kumlaïd, le priman'ak avait pu ouvrir la porte d'Asilbruck, comme l'aurait fait un dieu. De toute évidence, il ne s'agissait pas d'une forme de magie comme celle qu'utilisaient Vonth'ak et Xioltys, car la pierre lumineuse qui avait servi à construire Ostencil n'en absorbait pas l'énergie. Ithan'ak savait que son bras renfermait un pouvoir qu'il ne comprenait pas et dont il n'utilisait probablement qu'une infime partie du potentiel. Cela lui était égal, car il savait qu'il pourrait toujours se fier à son glaive, quoi qu'il arrive.

La bataille qui faisait rage dans la pièce au-dessus du priman'ak devenait de plus en plus bruyante, mais ce dernier n'était pas encore prêt à franchir le portail qu'il avait ouvert. Sa retenue n'était pas motivée par la peur, ce qui aurait été indigne d'un warrak. Au contraire, il était impatient de découvrir ce qui l'attendait de l'autre côté, car il ignorait toujours la raison pour laquelle Nicadème lui avait montré le chemin qui menait dans l'antre du dieu des âmes. Pour cette raison, avant de se lancer tête baissée vers l'inconnu, il désirait ressourcer son esprit en récitant l'Ominiak, la prière de combat des warraks.

Alors que j'avance vers le chemin de la mort ;

Du sang de mon ennemi, je me couvre de gloire ;

Du sang de mon ennemi, je nourris la bravoure de mon âme ;

Du sang de mon ennemi, je trace mon destin et mon propre salut ;

Entendez mon puissant rugissement et faites qu'il résonne à jamais sur les champs de bataille éternels.

Les yeux brûlants d'un feu plus intense qu'un brasier, Ithan'ak traversa sans difficulté la porte d'Asilbruck. Il avait presque entièrement disparu lorsque Ryan agrippa son bras. Avant même que le priman'ak ait eu le temps de comprendre ce qui arrivait, le jeune warrak avait traversé avec lui le portail.

Chapitre 13

Plus d'un mois s'était écoulé depuis que Xioltys, qui n'était encore qu'un jeune garçon, avait dû quitter son village. Son sommeil était agité et il se réveillait souvent en sueur, après avoir rêvé de son père qui essayait de l'assassiner, comme il l'avait fait avec sa mère. Malheureusement, il n'avait personne avec qui discuter de ce tragique événement, car sa crainte d'utiliser les routes avoisinantes l'obligeait à se terrer dans les bois, non loin du village où il avait grandi.

Le garçon blond s'était plongé dans le livre de magie qu'il avait emporté avec lui, bien qu'il ne comprît pas la moitié des enchantements et des sortilèges dont les explications s'étendaient souvent sur plusieurs pages. Afin de se prémunir contre une éventuelle attaque de la part des villageois, il s'était d'abord concentré sur quelques sortilèges faciles à utiliser. Sa technique n'était pas encore au point, mais il apprenait rapidement.

Plusieurs fois par jour, Xioltys pensait à Sédora et se demandait s'il lui reparlerait un jour. Cette idée le ravivait pendant un moment, jusqu'à ce qu'il réalise que la jeune fille ne voudrait probablement plus lui adresser la parole. Encore pire, elle appellerait vraisemblablement de l'aide ou l'attirerait dans un piège. Pour la première fois, Xioltys sentit un recoin sombre se former dans son cœur. De jour en jour, il éprouvait davantage de haine pour ceux qui l'avaient si cruellement rejeté. Lorsque son moral était au plus bas, il s'accrochait à ses nouveaux pouvoirs, grâce auxquels il nourrissait maintenant un espoir de vengeance. Le moment venu, son père, Sédora, ainsi que tous les habitants du village subiraient son courroux. Ce n'était pour lui qu'une question de temps.

Une nuit, semblable à toutes les autres, un feu rougeoyant s'inséra dans les rêves du jeune vagabond. Au début, il n'entendait que des cris qui retentissaient dans la nuit. La maison de son père apparaissait devant lui, puis s'embrasait soudainement. Des colonnes de fumée s'échappaient des fenêtres, et des flammes s'étendaient du plancher jusqu'au toit. Xioltys voulait s'en approcher, mais la chaleur était beaucoup trop intense. Son rêve tournait au cauchemar. Il essayait d'appeler à l'aide, mais aucun son ne sortait de sa gorge.

— Père ! cria le garçon blond, qui s'était réveillé soudainement.

Le soleil était sur le point de se lever et la forêt baignait dans une douce lumière rougeâtre. Xioltys, rassuré, essuya les quelques perles de sueur qui coulaient sur son front. Il prit de profondes respirations et secoua la tête, mécontent du cauchemar qui avait ruiné son repos.

Puisque la nuit était presque terminée, le garçon décida de se lever et d'aller s'asperger le visage dans la rivière, au bord de laquelle il avait établi son campement. La froideur de l'eau le fit tressaillir, ce qui le réveilla complètement. À cette heure, où les animaux nocturnes cédaient la place à ceux qui vivaient dans la lumière, la forêt était plus calme qu'à n'importe quel autre moment dans la journée. Seul un oiseau émettait un timide sifflement depuis une branche, que Xioltys tenta de repérer. En levant les yeux vers la cime des arbres, il aperçut une large colonne de fumée noire s'élever au loin, en direction de son village. Aussitôt, il repensa à son cauchemar, ce qui ne présageait rien de bon.

Oubliant les récents événements qui l'avaient obligé à quitter la maison de son père, le garçon s'empara à la hâte de son livre de magie et se précipita vers le village. Il avait lu la veille un enchantement en rapport avec l'eau, qu'il n'avait pas très bien compris. Avec de la chance, la nuit lui aurait apporté la solution et il pourrait l'utiliser pour venir en aide aux habitants.

Afin de gagner du temps, il quitta la forêt et emprunta la route qui menait à l'entrée ouest du village. Il avait néanmoins une grande distance à couvrir et il n'eut d'autre choix que de faire une pause à deux ou trois reprises. Lorsqu'il aperçut enfin les premières maisons, hors d'haleine, il crut être de nouveau victime d'un cauchemar. En effet, tous les bâtiments avaient été ravagés par le feu et certains d'entre eux continuaient de brûler. De l'endroit où il était, Xioltys ne pouvait apercevoir la maison où il habitait jusqu'à tout récemment. Inquiet, il reprit sa course, puis s'arrêta au centre du village. La scène à laquelle il assistait malgré lui était d'une monstruosité inconcevable. Entassés sur la place publique, les cadavres des villageois étaient pour la plupart calcinés.

Horrifié, le garçon mit une main devant sa bouche et faillit rendre le maigre repas qu'il avait pris la veille. Sans aucune raison, il approcha des cadavres, allant jusqu'à se pencher sur l'un d'eux. Le visage du malheureux était noir comme du charbon, ce qui faisait ressortir la blancheur de ses dents d'une façon monstrueuse. Lorsqu'il reconnut le boulanger, Xioltys ne put retenir plus longtemps son haut-le-cœur. Durant les dernières années, il avait côtoyé le gaillard qui était un ami de son père.

— Mon père ! s'alarma le garçon, tout en s'essuyant la bouche.

Sans plus de considération pour les dizaines de cadavres, dont quelques-uns fumaient encore, il se précipita en direction de la demeure familiale. Des larmes coulaient le long de ses joues, se faufilant jusque dans son cou. L'univers de Xioltys, bon ou mauvais, venait d'être complètement chamboulé, ce qu'il avait peine à concevoir.

Au moment où il arriva devant chez lui, le garçon s'arrêta tout d'un coup. À son grand étonnement, l'incendie n'avait pas détruit sa maison, ce qui était effarant compte tenu de l'état dans lequel était le reste du village. Sous le porche, deux soldats discutaient tranquillement, comme s'ils n'avaient aucun égard pour le drame qui venait de s'abattre sur le village. Leurs armures étaient reluisantes, d'une splendeur que Xioltys n'avait jamais vue ailleurs que dans les livres de son père. L'un des deux hommes fit probablement une plaisanterie, car l'autre se mit à rire bruyamment, ce qui contrastait avec la tragédie dont venait d'être témoin l'apprenti magicien.

— Voilà un jeune garçon, dit le premier, qui venait d'apercevoir Xioltys.

— C'est peut-être celui que nous sommes venus chercher, ajouta l'autre.

Xioltys ne comprenait absolument rien à ce qui se passait. Apparemment, les deux soldats étaient à la recherche d'un garçon de son âge. Se pouvait-il qu'ils soient venus l'arrêter parce qu'il avait utilisé la magie ?

— Ce n'est pas moi qui ai incendié le village, se défendit Xioltys, craignant d'être accusé de ce crime.

L'un des hommes descendit les marches du balcon, qui grincèrent sous son poids. Le garçon blond, peu rassuré, recula de quelques pas.

— Ne crains rien, dit l'homme. Nous savons que tu n'as rien fait de mal. Nous voudrions simplement savoir quel est ton nom.

Il avait dit ces mots avec une certaine douceur, comme on s'adresse à un animal qu'on veut rassurer afin qu'il se laisse caresser.

— Je m'appelle Xioltys, dit le garçon. Est-ce que mon père est à la maison ?

— C'est lui ! s'exclama le soldat qui était resté en retrait. Attrape-le !

— Vous n'en ferez rien, intervint un homme grand, qui venait de sortir de la maison, avant même que Xioltys ait le réflexe de fuir. Ce jeune garçon a connu suffisamment de tourments sans avoir à supporter deux lourdauds tels que vous deux. Entrez et laissez-moi seul avec lui.

Les soldats, qui semblaient craindre le nouveau venu, s'exécutèrent sans discuter. Ce dernier était richement vêtu et possédait de nombreux bijoux qui s'agençaient parfaitement avec ses yeux bleus perçants. Grand et svelte, il avait une certaine prestance, signe qu'il s'agissait bien d'un grand seigneur. Toutefois, ce qui retint vraiment l'attention de Xioltys était la couronne qui cernait les longs cheveux bruns de l'inconnu.

— Je suis le roi Limius, dit l'homme, en offrant une poignée de main au jeune garçon. Es-tu bien Xioltys, le fils du maire de ce village ?

Impressionné, l'apprenti magicien se contenta de confirmer d'un signe de la tête.

— On m'a raconté que tu possédais des pouvoirs extraordinaires, dit le roi. Je sais aussi que pour cette raison les villageois t'ont chassé et que même ton père ne voulait plus de toi.

— Ce n'était pas ma faute, pleurnicha Xioltys. Ils avaient peur de moi, mais je ne leur voulais aucun mal.

Il essuya ses larmes du revers de la main.

— En es-tu certain ? demanda le roi. Je ne suis pas ici pour te juger. Ces gens ne te comprenaient pas et c'est la raison pour laquelle ils ne voulaient plus de toi auprès d'eux. Il serait tout naturel que tu aies souhaité te venger.

— C'est vrai, avoua le garçon blond, mais je n'ai rien fait. Ils sont tous morts, mais je ne suis pas responsable.

— J'ai compris, s'impatienta le monarque. Il est inutile de s'apitoyer plus longtemps sur ces minables créatures. Je me suis chargé de les punir pour ce qu'ils t'ont fait.

Cette fois, Xioltys n'était plus certain de comprendre. Le roi de Kalamdir prétendait avoir lui-même organisé l'incendie qui avait décimé le village et ses habitants. Cela n'avait aucun sens, car le devoir d'un grand seigneur était de veiller sur ses sujets. Encore plus curieux, bien que ses propres lois interdissent à quiconque d'utiliser la magie, le roi Limius ne s'inquiétait absolument pas des récents agissements de Xioltys.

— Avez-vous tué tous ces gens ? s'effraya le garçon blond.

— Seulement parce que cela était nécessaire, répondit le monarque. Tu as un don et je ne pouvais les laisser te persécuter comme ils l'ont fait.

— Mon père, balbutia Xioltys, qui avait des sanglots dans la gorge.

— Cet homme, qui aurait dû veiller sur toi chaque jour de ta vie, avait décidé de te renier. Il méritait le châtiment auquel il a eu droit.

Les sentiments de Xioltys s'entremêlaient de façon vertigineuse. D'un côté, il éprouvait de la haine pour le roi, qui avait fait massacrer tous les gens qu'il avait un jour connus. Toutefois, il ne pouvait s'empêcher de lui être reconnaissant de s'être sali les mains pour punir ceux qui l'avaient si cruellement rejeté. « Il a fait ce que je n'aurais peut-être pas eu le courage de faire, pensa le garçon. Pourquoi lui en voudrais-je ? »

L'esprit vif et manipulateur du roi Limius venait de l'emporter sur le jeune garçon inexpérimenté qui ne connaissait encore rien aux disciplines de l'esprit. Xioltys s'apprêtait à s'en remettre entièrement à son nouveau bienfaiteur lorsqu'une pensée horrible le gagna.

— Sédora ! s'affola-t-il.

De nouvelles larmes montèrent à ses yeux et il sentit son cœur se serrer dans sa poitrine. Il répéta sans cesse le nom de la fillette, étourdi par une angoisse incontrôlable qui l'empêchait de dire autre chose.

— Sédora est l'une de tes amies, devina le roi Limius. Il est inutile de t'inquiéter pour elle, car nous avons épargné les enfants. Ils n'étaient pas responsables de ce que les adultes t'ont fait subir. J'ai ordonné qu'on les envoie dans de nouvelles familles où ils seront très heureux. Je suis certain que ton amie Sédora adorera son nouveau foyer.

Xioltys absorbait comme une éponge les paroles du monarque. Il se sentait rassuré et surtout compris. Bien entendu, il regrettait de n'avoir pu faire ses adieux à Sédora, mais la savoir en sûreté était tout ce qui lui importait. Quant à son père, cet assassin qui avait cruellement pris la vie de sa propre femme, il avait reçu ce qu'il méritait. Le garçon blond, qui était maintenant orphelin, était prêt à commencer une nouvelle vie.

— Je veux que tu viennes avec moi, lui dit le roi, interrompant sa réflexion. Tu vivras à Ymirion, la capitale de mon royaume, dans un château où tu auras tes propres serviteurs.

— Jusqu'à récemment, dit Xioltys, j'avais pour ambition de suivre les traces de mon père et de devenir maire de ce village. Malheureusement, l'espoir que je nourrissais depuis si longtemps s'est évanoui de façon si abrupte qu'il m'est encore impossible de réaliser tout ce qui m'est arrivé. Que deviendrais-je si je vais avec vous ?

— Je mettrai à ta disposition les anciens documents traitant de la magie, répondit le monarque, afin que tu développes ton talent. Mes lois condamnent ce genre de pratique, mais pour toi je suis prêt à faire une exception. Toutefois, tu devras te montrer très discret, car certaines personnes ne pourraient comprendre. Ma volonté est que tu te consacres entièrement à la magie. Tu n'auras donc pas à travailler pour te loger et te nourrir. Qu'en dis-tu ?

Le garçon voulut répondre qu'il acceptait l'offre du roi, mais un détail continuait de le préoccuper.

— Je comprends que je pourrai me consacrer à la magie, dit-il, ce dont je vous suis reconnaissant. Toutefois, j'aimerais savoir si vous comptez m'adopter. Est-ce que vous ferez de moi votre fils dans le but de me voir monter sur le trône lorsque vous quitterez notre monde ?

— Bien entendu, mentit le roi Limius, qui souhaitait s'approprier les pouvoirs du garçon en le prenant sous son aile.

Avant la fin de la journée, Xioltys avait pris la route d'Ymirion sur un cheval que lui avait donné son nouveau protecteur. Quelques heures et la promesse d'un avenir prometteur avaient suffi à lui faire oublier le massacre de son village. Alors qu'il chevauchait, tel un grand seigneur sur sa noble monture, il se promit qu'un jour il retrouverait Sédora et l'emmènerait vivre avec lui.

Malheureusement, la vie sous la tutelle du roi Limius ne s'était pas montrée aussi agréable que ce dernier avait voulu le laisser entendre et Xioltys s'était rapidement rendu compte de la fourberie du monarque. Dans les premiers temps, tout s'était déroulé comme prévu. Le garçon blond étudiait la magie et le roi le visitait régulièrement pour constater ses progrès. Rapidement, Xioltys comprit qu'il avait un véritable talent pour la magie et sa soif d'apprendre devint intarissable. Toutefois, il nourrissait aussi des ambitions politiques, sujet que le roi Limius évitait soigneusement. Le jeune garçon blond se laissait manipuler par le souverain, car il refusait de voir la vérité : jamais il ne deviendrait roi. Pire encore, Limius refusait catégoriquement de le présenter officiellement à la noblesse. Non seulement Xioltys n'accéderait jamais au trône, mais il était aussi condamné à demeurer l'obscur enfant qui avait un jour été recueilli au château. Avant la fin de sa première année à Ymirion, le garçon blond avait décelé la plupart des mensonges dont l'avait gavé le monarque, mais il en fut un qui tint bon durant de nombreux printemps. Progressivement, Xioltys avait développé un certain mépris pour celui qui avait décimé son village dans le seul but de s'approprier ses talents de jeune magicien. Toutefois, ce n'est qu'à l'âge de la maturité que le jeune homme blond avait enfin mis au jour le plus odieux des mensonges du roi Limius : celui concernant la mort de Sédora. Avec le recul, il était évident que les enfants du village n'avaient pas été épargnés à la boucherie. Certains soirs, le jeune homme qu'était devenu Xioltys ouvrait les yeux en sursaut, réveillé par des cris d'enfants qui appelaient à l'aide. Petit à petit, la haine du magicien d'Ymirion grandissait et le désir de vengeance qu'il avait connu plus jeune remontait à la surface. Sous la tutelle du roi Limius, sa sournoiserie était devenue prodigieuse et l'élève en vint à dépasser le maître. Le garçon innocent qu'avait un jour été Xioltys ne se nourrissait plus que de mots comme trahison, ambition et mépris. Dans l'ombre, il obéissait au seigneur de Kalamdir, dans l'attente du jour où il éliminerait ce vieillard insipide afin de prendre la place qui lui revenait de droit.

Pendant que Xioltys ressassait ces sombres souvenirs, Miverne cuisinait un ragoût dont l'odeur envahissait peu à peu la pièce. Le magicien avait entièrement retrouvé ses pouvoirs depuis quelques semaines, mais cela le rendait indifférent. Il était lui-même impressionné par cette métamorphose et en attribuait les effets à la jeune fille qui l'accueillait désormais dans son lit. En examinant les événements marquants de sa vie, il se rendait compte des erreurs qu'il avait commises et à quel point il s'était éloigné du jeune garçon sans malice qui n'aspirait qu'à passer du bon temps avec ses camarades. La défaite qu'il avait subie quelques mois plus tôt était peut-être la meilleure chose qui lui soit arrivée depuis longtemps. Privé de ses pouvoirs, il avait redécouvert la vie simple de la campagne qu'il avait méprisée durant tant d'années. Qui plus est, il avait accordé sa confiance à autrui, ce qu'il s'était juré de ne plus jamais faire. Ces changements positifs l'avaient conduit à entretenir une relation amoureuse pour la première fois de sa vie, ce qui avait eu raison des derniers lambeaux de son sombre passé.

— Que dirais-tu si nous nous évadions quelques jours ? dit Xioltys, brisant ainsi le doux silence qui s'était installé. Nous pourrions aller visiter la ville où tes parents se sont rencontrés. Ce serait romantique, ne crois-tu pas ?

Miverne ne répondit pas, mais ses épaules commencèrent à trembler. Le jeune homme comprit qu'elle pleurait et s'empressa d'aller la prendre dans ses bras.

— Qu'est-ce qui ne va pas ? demanda-t-il. Je croyais que cette proposition te ferait plaisir. Nous ne sommes jamais allés plus loin que la rivière.

— Tu es très gentil et je suis touchée par ton attention, le rassura Miverne, mais je ne peux pas t'accompagner.

Elle essuya ses larmes avec un morceau de tissu qui traînait sur le comptoir. Lorsqu'elle était ainsi, sans défense, Xioltys la trouvait d'une beauté incomparable. Cependant, il ne pouvait supporter de la voir triste très longtemps et plaisantait pour lui redonner le sourire.

— Aurais-tu honte de te présenter en public avec moi ? dit-il pour la taquiner.

La jeune fille esquissa un sourire, puis elle prit une profonde respiration.

— Je ne peux m'éloigner de cette maison, déclara-t-elle. Depuis la dernière lettre que j'ai reçue, dans laquelle mon père expliquait qu'un traité venait d'être signé avec les nains et qu'il partait avec mon frère combattre les warraks, je n'ai plus aucune nouvelle d'eux.

Miverne tremblait de tout son corps en essayant de retenir ses sanglots qui devenaient hors de contrôle.

— Je suis certaine qu'ils sont morts ! gémit-elle en se jetant dans les bras de son amant.

Xioltys la serra tendrement contre lui et lui caressa les cheveux pour la calmer. Il désirait être là pour celle qu'il aimait, tout comme elle l'avait fait lorsqu'il était lui-même dans le besoin.

— J'aimerais pouvoir te dire qu'ils sont en vie, chuchota-t-il, mais je ne peux qu'espérer leur retour. Sois certaine que nous ne quitterons pas cette maison tant que nous ne saurons pas ce qu'il est advenu de ton père et de ton frère.

— Merci, sanglota Miverne, merci. J'ignore ce que je serais devenue si les dieux ne t'avaient pas envoyé pour veiller sur moi.

— Tu sais très bien que c'est moi qui suis le plus redevable aux dieux, rétorqua Xioltys.

Les amants se regardèrent amoureusement, enchantés de pouvoir compter l'un sur l'autre. Ce fut Xioltys qui approcha ses lèvres pour échanger un baiser, que la jeune femme accepta sans résistance.

Les jours passaient et le jeune homme blond se détachait de plus en plus de son ancienne vie, même s'il lui était impossible de renoncer à la magie, qui était depuis toujours au centre de son existence. Quelquefois, il faisait de longues promenades en solitaire, qui le menaient dans des lieux isolés où il pouvait exercer ses pouvoirs sans risquer d'être découvert. Il lui déplaisait de mentir ainsi à Miverne et projetait de lui dévoiler son secret lorsqu'il le jugerait opportun. La jeune femme voyait en lui un homme doux et prévenant, ce que Xioltys était devenu. Sa nouvelle vie, beaucoup plus simple que celle qu'il menait à Ymirion, lui plaisait à un point tel qu'il ressentait le besoin de tirer un trait définitif sur le passé.

Vers la fin de la matinée, lors d'une magnifique journée ensoleillée, le magicien blond entraîna sa compagne près de la rivière, armé d'un panier de pique-nique. La jeune femme, qui délectait chaque moment de bonheur que lui offrait son amant, ne remarqua pas la nervosité pourtant flagrante de celui-ci.

Durant tout le repas, Xioltys ne parla presque pas, jusqu'à ce que Miverne découvre le bracelet étincelant qu'il avait dissimulé au fond du panier.

— J'ignore quelle est la coutume dans cette région, dit-il, mais là d'où je viens les hommes offrent un bracelet à la femme à qui ils désirent unir leur vie.

Miverne était rayonnante. Elle demanda à Xioltys si elle rêvait, ce à quoi le jeune homme blond répondit par un baiser sur le front.

— Comment t'es-tu procuré un bijou aussi somptueux? demanda-t-elle. Cela doit t'avoir coûté une fortune.

— Puisque je désire passer ma vie avec toi, expliqua Xioltys, je dois partager avec toi un secret à mon sujet.

Il marqua une pause, pour s'assurer que la jeune femme comprenait le sérieux de son propos.

— C'est moi qui ai fabriqué ce bracelet, continua-t-il, incapable de révéler d'un seul coup sa véritable nature.

— Que veux-tu dire ? demanda la jeune femme. Est-ce que tu étais un joaillier ?

— Pas exactement, avoua Xioltys. En fait, le talent que je possède est beaucoup plus polyvalent. Puisque je n'arrive pas à te dire de quoi il est question, laisse-moi te faire une démonstration.

Le magicien cueillit une fleur qu'il serra entre ses deux paumes. Il se concentra un instant en fermant les yeux et une fine couche de glace monta le long de la tige aux pétales, jusqu'à ce que la fleur soit entièrement givrée. Satisfait, il la tendit à sa bien-aimée, qui eut le réflexe de reculer.

— Qu'as-tu fait à cette fleur ? demanda-t-elle avec dédain.

— Je suis un magicien, avoua Xioltys, en prenant soin d'adopter une voix douce et rassurante. Je maîtrise la magie depuis mon enfance.

— Tu m'as menti, l'accusa aussitôt Miverne. Je te faisais confiance et tu n'étais qu'un misérable criminel.

— Je suis le même homme que tu as appris à aimer, tenta le magicien. La magie n'est pas un crime ; c'est un don.

— Ne m'approche pas ! le prévint Miverne, autant dégoûtée qu'effrayée. Je ne veux pas être touchée par un monstre.

Hystérique, elle lança le bracelet que lui avait offert Xioltys dans la rivière, puis s'enfuit en direction de la maison. Même dans ses prévisions les plus pessimistes, le magicien ne s'était pas attendu à une réaction aussi navrante. Il y avait longtemps qu'il n'avait pas connu cette sensation de rejet, ce qui l'affligea davantage qu'il ne pouvait le supporter. Il éprouvait un mélange de colère et de tristesse, le faisant hésiter sur la façon dont il devait réagir. Toute sa vie, la promesse d'une vie enviable lui avait échappé. Il avait d'abord dû renoncer à suivre les traces de son père en tant que maire, échec dont il aurait pu se remettre si le roi Limius ne l'avait pas ensuite trompé en lui promettant le trône royal. À présent, le jeune homme blond essuyait un nouveau revers, encore plus cuisant que les précédents, car il était animé par de puissants sentiments.

Révolté par le destin qui s'acharnait sur lui, le magicien se leva et se précipita à son tour vers la maison, où Miverne s'était enfermée. Il ressentait de nouveau la colère qu'il avait cru disparue à jamais. Il essayait de contrôler ce sentiment néfaste qui voulait dicter ses actes, mais cela lui était impossible. La rage qui s'était emparée de lui prenait sa source à même la souffrance qu'il éprouvait. Hors de lui, il cogna violemment à la porte en sommant la jeune femme de la lui ouvrir.

— Laisse-moi entrer, dit-il sans cacher sa rage. Je sais que tu m'aimes et j'ai besoin de toi. Tu dois m'aider à rester celui que je suis devenu, afin que le mal qui m'habite ne soit plus jamais maître de ma conduite.

— Va-t'en, cria Miverne de l'autre côté de la porte. Je souhaite oublier que je t'ai un jour connu et tout ce que nous avons partagé. Que les dieux soient assez cléments pour t'épargner le gouffre éternel, car c'est ce qui attend les montres dans ton genre !

Ces mots frappaient le magicien plus durement que l'aurait fait le métal. Incapable de retenir plus longtemps son courroux, il utilisa sa magie pour faire éclater en morceaux la porte qui le séparait de celle qui avait trahi sa confiance.

— Ton rôle était de comprendre, l'accusa-t-il en avançant vers elle avec un regard dément. Je croyais que tu étais différente des autres ; je me trompais. Tu n'es qu'un parasite de plus qui s'est dressé sur mon chemin. Je pourrais te dire que le sort que je te réserve ne sera pas douloureux, mais ce ne sera malheureusement pas le cas.

Le magicien joignit ses mains, desquelles apparut un feu rougeâtre. Affolée, Miverne voulut s'enfuir, mais elle n'avait aucune chance. Dès qu'elle fit quelques pas, Xioltys lança sur elle le terrible sortilège qu'il avait formé. Plutôt que de terrasser la jeune femme par un feu foudroyant, il projeta sur elle ce qui aurait pu se comparer à des charbons ardents. Des particules de braise se collèrent à la peau de la pauvre jeune femme, qui poussa des hurlements de douleur. Ce que lui infligeait Xioltys était une mort longue et souffrante, comme s'il tentait de noyer son chagrin dans une démonstration de cruauté extrême. Miverne sentait sa chair à vif et ne pouvait rien faire d'autre que supplier son bourreau de mettre fin à sa vie sans délai. Ce dernier la regardait d'un air indifférent, comme s'il n'avait jamais rien éprouvé pour elle. Ce ne fut que lorsqu'elle sentit l'odeur de sa chair brûlée que la malheureuse perdit enfin connaissance. Elle respirait à peine et Xioltys dut s'en approcher pour vérifier si elle était toujours vivante.

— Ta souffrance n'est rien en comparaison de la mienne, lui chuchota-t-il à l'oreille. D'un seul coup, tu as annihilé tous mes espoirs de rédemption. Je croyais pouvoir devenir un homme bien, mais ce n'est plus possible à présent. Tu as redonné vie au monstre qui sommeillait en moi et il est trop tard pour corriger cette erreur. Afin d'embrasser entièrement le destin grandiose auquel j'aspire, je dois d'abord me défaire des chaînes qui me retiennent à mon passé, en commençant par toi.

Le jeune homme blond agrippa d'une main le cou de la pauvre paysanne, puis serra jusqu'à ce qu'elle pousse son dernier souffle. Ce geste atroce lui causait un chagrin immense, qu'il accueillit sans fléchir, afin d'en tirer une leçon. Le magicien ne voulait plus jamais s'abandonner à la sensiblerie, car il considérait qu'elle ne pouvait le mener qu'à la souffrance. Miverne était morte de sa main et Xioltys ne pouvait plus revenir en arrière. Plusieurs mois plus tôt, le roi Limius avait connu le même sort, juste avant que le magicien subisse une humiliante défaite. Il était maintenant temps pour lui de terminer ce qu'il avait commencé. Bientôt, les ombres meurtrières seraient de nouveau sous son contrôle et, cette fois-ci, rien ne pourrait l'arrêter.

Enflammé à l'idée d'imposer sa puissance à ceux qui l'avaient sournoisement vaincu, il quitta la maison dans laquelle Miverne l'avait généreusement accueilli, laissant derrière lui tout ce qui restait du jeune garçon et du souvenir de Sédora auquel il s'était toujours raccroché.

CHAPITRE 14

Yrus'ak, maintenant à la tête du clan des sciaks, venait de passer les portes de la grande cité d'Ymirion. À la demande de Simcha, prince de Küran et régent du royaume de Kalamdir, les clans warraks avaient quitté les différentes régions dans lesquelles ils opéraient afin de débattre sur de nouvelles mesures visant à repousser les ombres meurtrières. Pour les féroces guerriers, il était étrange de passer les portes d'Ymirion, qu'ils avaient assiégées durant de nombreux mois. Derrière ses murs infranchissables, la capitale de Kalamdir était d'une beauté insoupçonnée des warraks. Ceux-ci étaient particulièrement impressionnés par le système d'aqueduc, qui permettait à tous les habitants de bénéficier d'une eau pure, sans avoir à se déplacer pour la puiser.

Simcha avait préalablement préparé les habitants d'Ymirion à la venue des warraks, afin d'éviter une quelconque catastrophe. Dans l'ensemble, tout se déroulait sans grabuge, excepté pour quelques cas isolés. Le prince de Küran avait fait un excellent travail en expliquant que dans les circonstances actuelles les vieilles rivalités qu'entretenait le roi Limius avant sa mort n'étaient plus de mise.

Chaque jour, de nouveaux clans arrivaient à la cité, ce qui créait une effervescence hors du commun. Comme il n'y avait pas assez d'auberges pour accueillir tous les warraks, ceux-ci avaient établit un campement hors des murs d'Ymirion, semblable à celui qui avait servi durant le siège de la cité. Cela rappelait de mauvais souvenirs aux Kalamdiens, qui faisaient de leur mieux pour s'adapter à cette situation inusitée.

Presque deux semaines s'étaient écoulées depuis qu'un premier clan warrak avait mis les pieds dans la capitale. Quelques-uns manquaient toujours à l'appel, ainsi que les cavaliers de la plume argentée, mais Simcha jugeait qu'il était imprudent d'attendre plus longtemps leur arrivée. Jusque-là, les citoyens d'Ymirion s'étaient montrés dociles à son commandement, ce qui pouvait changer à tout moment s'il leur imposait trop longtemps la présence des féroces guerriers. Accompagné d'Ackémios, l'hyliann d'or, qui lui prodiguait de précieux conseils, il avait convoqué tous les chefs de clan dans la grande salle du trône, ainsi que les principaux généraux de Kalamdir.

La tension était palpable dans la salle aux murs recouverts de zimz. Les deux peuples, qui avaient l'habitude de croiser le fer, ne pouvaient oublier d'un seul coup tout ce qu'ils avaient enduré chacun de leur côté. Les discussions animées entre les warraks et les hommes n'étaient pas toutes des plus courtoises et Simcha décida de prendre la parole avant que la situation s'envenime.

En tant que régent, le prince de Küran avait parfaitement le droit de s'asseoir sur le trône royal, ce qu'Ackémios lui avait pourtant déconseillé.

— Les Kalamdiens ne doivent pas sentir qu'on leur impose quoi que ce soit, avait-il dit au pirate. Au contraire, vous devez leur faire comprendre que leur destin est entre leurs mains, tout en les guidant vers le seul choix raisonnable qui s'offre à eux.

— Nous ne pouvons continuer à fermer les yeux devant la menace grandissante des ombres meurtrières, déclara à haute voix Simcha, en balayant la salle de son œil valide. Certes, sans Xioltys pour les commander, les spectres de la nuit ne sont pas aussi meurtriers que durant la bataille où nous avons uni pour la première fois nos forces, mais ils continuent de décimer des villages entiers. Certains clans warraks ont connu de lourdes pertes, de même que les troupes de Kalamdir.

— Nous devons tenir bon ! déclara un warrak en levant le poing en l'air. Notre priman'ak est parti chercher le moyen de détruire ces abominations et il sera bientôt de retour.

— Ithan'ak est un brave guerrier, acquiesça Simcha, mais nul ne sait ce qui est advenu de lui. Voilà pourquoi j'ai convoqué ce conseil. Nous ne pouvons attendre son retour plus longtemps, d'autant plus que nous ignorons s'il est toujours en vie.

Un flot de protestations s'éleva parmi les warraks, qui n'acceptaient pas qu'un homme mette en doute les capacités du priman'ak. Certains d'entre eux proféraient des insultes à l'endroit de Simcha, qui n'arrivait pas à reprendre le contrôle de la situation.

Yrus'ak, qui était dans l'assemblée, comprit qu'il devait intervenir. Il se faufila parmi les warraks en colère, jusqu'aux marches qui menaient au trône royal.

— Écoutez-moi ! clama-t-il afin d'attirer sur lui l'attention. Je connais Ithan'ak mieux que quiconque parmi vous. Durant de nombreuses années, il fut mon chef et je n'ai jamais douté de ses capacités. Toutefois, je suis entièrement d'accord avec le prince de Küran ; nous ne pouvons attendre plus longtemps son retour.

— Le priman'ak possède des pouvoirs que nous n'avons pas, déclara un guerrier. Je suis convaincu qu'il reviendra et qu'il nous enseignera comment vaincre les ombres meurtrières.

Il était étrange d'entendre un warrak louer les pouvoirs que possédait Ithan'ak. Les féroces guerriers, qui avaient toujours condamné la magie, commençaient à en apprécier les utilités, en grande partie parce que le chef suprême des armées warraks était lui-même doté de dons hors du commun.

— Je suis sûr qu'Ithan'ak reviendra bientôt, précisa Yrus'ak, ce qui n'est pas une raison pour demeurer inactif. Que dira-t-il lorsqu'il constatera que nous n'avons aucunement progressé durant son absence ? Les spectres de la nuit continuent de faire des ravages parmi nos rangs et il est temps de mettre un terme à leurs funestes activités.

Les paroles d'Yrus'ak étaient emplies de courage, mais la plupart des guerriers ne partageaient pas son enthousiasme. Au contraire, certains chefs de clan l'accusèrent de vouloir se distinguer en affrontant un ennemi dont il ne connaissait rien. Cette fois-ci, ce fut Simcha qui vint au secours du warrak.

— J'ai convoqué les généraux de Kalamdir et les chefs de clan pour une seule et unique raison, déclara le pirate : je connais l'origine des ombres meurtrières.

Un profond silence tomba dans la salle du trône. À l'écart, l'hyliann d'or observait la scène, qui avait quelque chose d'irréel. Une cause perdue avait su unir les hommes et les warraks, auxquels se joindraient bientôt les hylianns si la mission de l'ambassadrice de Lelmüd était couronnée de succès. Alors que Simcha s'apprêtait à révéler aux hommes et aux warraks le secret qu'Ackémios avait découvert, Kamélia s'était rendue auprès du conseil des hylianns. Les nouvelles informations qu'elle devait transmettre seraient peut-être suffisantes pour que les hylianns entrent enfin en guerre. Avant son départ, Kamélia avait supplié Ackémios de l'accompagner, ce que ce dernier avait refusé catégoriquement. La déesse Hélisha avait commandé à l'hyliann d'or de ne pas mener son peuple à la guerre et il avait l'intention de suivre ses instructions. Toutefois, il ne ferait rien pour s'opposer à une action du haut conseil, qui était autonome en son absence.

Simcha jeta un œil à l'hyliann d'or, grâce à qui il détenait les informations qu'il s'apprêtait à révéler. Dans ses habits somptueux, le prince de Küran avait une prestance imposante, bien que son cache-œil rappelât constamment l'image du pirate qu'il avait adoptée durant tant d'années.

— Tout d'abord, dit-il, je dois vous relater quelques hauts faits qui se sont déroulés il y a près de deux mille ans, durant ce qu'on appelle aujourd'hui la Guerre de l'Alliance. Les Kalamdiens connaissent bien cette histoire, mais la plupart des warraks n'en ont entendu que les grandes lignes. Je vous demande donc de faire preuve de patience et d'écouter attentivement ce qui va suivre.

En premier lieu, Simcha exposa les origines du roi Kalam, l'ancêtre du roi Limius, qui était à la tête d'un modeste royaume. Afin de préserver les habitants d'Anosios de cruels envahisseurs qui s'étaient déjà adonnés à quelques rixes, le charismatique monarque était parvenu à convaincre non seulement les différents royaumes gouvernés par les hommes, mais aussi les hylianns et les nains, d'unir leurs forces pour repousser l'envahisseur.

Lorsque le pirate expliqua la raison pour laquelle les warraks n'avaient pas participé à l'Alliance, il dut faire face à de nombreuses protestations, mais il ne pouvait malheureusement pas occulter la vérité : les envahisseurs ressemblaient à un point tel aux warraks que les autres peuples craignaient de les voir unir leurs forces.

— Les histoires racontées par les hommes ne sont que mensonges et fourberies ! explosa un warrak, dont l'opinion était partagée par la plupart de ses congénères.

— Au contraire, réfuta Simcha. Laissez-moi seulement terminer mon exposé et vous pourrez ensuite juger de sa pertinence.

L'homme borgne était agacé par les incessantes remarques désobligeantes des warraks, mais il ne pouvait le laisser paraître. Il continua donc à faire le récit de la Guerre de l'Alliance. D'après lui, les hommes, les hylianns et les nains, ainsi que l'ordre des magiciens, avaient fait preuve d'un grand courage. Malgré tout, ils n'avaient pas réussi à repousser l'envahisseur.

À court d'options, Kalam avait réuni en secret l'ordre des magiciens, dans le but d'élaborer avec eux un stratagème qui lui permettrait de vaincre l'ennemi. Toutefois, la solution à laquelle ils étaient venus était si radicale qu'elle ne devait être envisagée qu'en dernier recours ; ce qui avait malheureusement été le cas. Alors qu'une ultime bataille faisait rage et que tout espoir de victoire était perdu, Kalam et cinq cents soldats s'étaient réunis près des magiciens, qui avaient opéré sur eux un enchantement d'une puissance prodigieuse. Sous un ciel rouge comme le sang, Kalam et ses hommes s'étaient transformés en soldats de pierre. Indestructibles, ils s'étaient rués sur l'ennemi, dont les armes ne pouvaient rien contre des adversaires d'une telle nature. Certains envahisseurs avaient pu battre en retraite, bien que la plupart d'entre eux eussent connu une mort rapide et sanglante.

— Nous connaissons l'histoire de la Guerre de l'Alliance, intervint un général de Kalamdir. Je ne vois pas quel est le lien avec les ombres meurtrières.

— Pour différentes raisons, répondit Simcha, ce que je m'apprête à vous révéler a été oublié, autant par les historiens que par la tradition orale.

Le pirate expliqua qu'à la suite de leur victoire Kalam et les hommes qui s'étaient comme lui transformés en soldats de pierre n'avaient eu droit qu'à une seule nuit pour savourer leur victoire. Les magiciens avaient été formels à ce sujet : au lever du jour, les valeureux soldats se transformeraient en statues de sable et seraient à la merci du vent. Jusque-là, tout ce qu'avait raconté le prince de Küran faisait partie de l'histoire de Kalamdir.

— Kalam et ses hommes se sont bien transformés en statues de sable, déclara Simcha, et ce qui resta d'eux ne tarda pas à disparaître et à se mélanger à la terre. Toutefois, contrairement à ce que nous pensions, ils ne disparurent pas totalement. Comme l'avaient prévu les magiciens, ce qui restait de leurs corps s'était dissipé, mais les vaillants soldats n'étaient pas véritablement morts.

Cette fois, les hommes et les warraks présents dans la salle du trône commencèrent à comprendre où voulait en venir le pirate. Un silence parfait régnait dans l'assistance, jusqu'à ce que Simcha lève le voile sur le mystère qui n'en était déjà plus un.

— Ils sont devenus autre chose, dit l'homme borgne ; ils sont devenus ce que nous appelons aujourd'hui les ombres meurtrières.

Il y eut un court instant de calme, après quoi les Kalamdiens commencèrent à injurier celui qui montrait du doigt le fondateur du puissant royaume auquel ils appartenaient. Aucun d'eux ne voulait croire que Kalam était devenu une ombre sanguinaire qui s'en prenait aux habitants d'Anosios, ce qui était pourtant la vérité.

— Avez-vous des preuves de ce que vous avancez ? demanda coléreusement un général. Comment serait-il possible que l'histoire ait oublié un tel sacrilège ?

— Ce que vous savez de l'histoire est ce que les rois ont bien voulu transmettre aux générations qui les ont suivis, déclara Ackémios.

L'intervention de l'hyliann d'or, qui était resté en retrait jusque-là, suffit à faire taire les mauvaises langues. Bien qu'il n'appartînt à aucun des peuples à qui il s'adressait, le légendaire hyliann d'or inspirait un respect auquel ni les hommes ni les warraks ne pouvaient se soustraire.

— Le roi Kalam, continua-t-il, dont le fils nomma le royaume de Kalamdir en son honneur, était d'un courage et d'un dévouement exceptionnels. Le fait qu'il ait été victime de la maladresse des magiciens n'enlève rien au sacrifice inouï dont ses hommes et lui-même ont su faire preuve. Toutefois, ses descendants ont cru bon d'effacer cet épisode peu reluisant de la Guerre de l'Alliance et il s'en fallut de peu pour qu'il soit oublié à jamais.

Les paroles de l'hyliann d'or résonnaient dans la grande salle et les Kalamdiens se montraient déjà plus enclins à concevoir la terrible vérité qu'on venait de leur exposer. L'un d'eux demanda néanmoins de quelle façon ces précisions concernant la Guerre de l'Alliance avaient ressurgi du passé.

— La vérité ne peut jamais être totalement occultée, déclara l'hyliann d'or. Malgré toutes les précautions visant à la dissimuler, j'ai pu déchiffrer le carnet personnel d'un simple serviteur, grâce auquel nous avons maintenant une vision plus claire de ce qui est advenu de Kalam et ses hommes.

Ackémios expliqua que, peu de temps après la nuit fatidique où Kalam et cinq cents courageux soldats avaient festoyé pour la dernière fois parmi les vivants, d'étranges manifestations étaient survenues dans les différentes régions qui allaient un jour former le royaume de Kalamdir. Dans tous les cas, ceux qui avaient été témoins de ce qu'ils qualifiaient d'apparition soutenaient que l'esprit d'un soldat était venu demander leur aide. Inquiet, l'héritier de Kalam avait consulté l'ordre des magiciens, qui avait rapidement identifié la cause de ces apparitions inusitées. L'enchantement qu'ils avaient opéré pour permettre à Kalam de remporter la victoire était d'une complexité hors du commun et une anomalie semblait s'être glissée dans le processus. Plutôt que de rejoindre le monde immatériel, les malheureux soldats continuaient d'errer sur le continent d'Anosios, sous une forme plus ou moins tangible.

— Ce que vous avancez est difficile à croire, souligna Yrus'ak, sans adopter un ton négatif. J'aimerais savoir comment un simple serviteur pouvait avoir accès à toutes ces informations.

— La réponse est très simple, répondit Ackémios. L'homme qui a rédigé ce carnet était le frère de l'un des soldats ayant combattu sous la forme d'une statue de pierre. Durant de nombreuses pages, il décrit les visites inattendues d'une créature presque invisible, prétendant être de sa famille. Au début, l'ombre communiquait à l'aide de mots, ce qui ne dura pas très longtemps. Apparemment, les malheureux soldats perdaient rapidement ce qui restait de leur humanité et développaient une jalousie qui se traduisait en rage contre les êtres vivants.

Il n'y avait plus aucun doute dans l'assistance : les ombres meurtrières n'étaient nul autre que les héros qui avaient sacrifié leurs vies pour défendre le continent. Cela avait quelque chose d'ironique, car c'était maintenant leur tour de menacer d'extinction les habitants d'Anosios.

À présent que les Kalamdiens et les warraks avaient accepté la terrible vérité, Ackémios céda de nouveau la parole à Simcha, afin que le pirate explique pourquoi il les avait convoqués.

— Nous ne pouvons continuer ainsi, dit-il, car nous courrons à notre perte. Certes, le priman'ak est allé quérir de l'aide, mais il est temps pour nous d'envisager le pire et de prendre les décisions qui s'imposent.

Le prince de Küran pesait ses mots avec soin, afin de ne pas froisser ses interlocuteurs, en particulier les warraks. En effet, ce qu'il s'apprêtait à proposer risquait d'être interprété comme de la couardise par les farouches guerriers.

— La situation à laquelle nous faisons face est très épineuse, déclara Simcha. Même si la chance nous souriait et que nous arrivions à débusquer Xioltys avant qu'il ait retrouvé ses capacités, les ombres meurtrières continueraient de hanter notre continent. Puisque nous nous heurtons à une force que nous sommes dans l'incapacité de vaincre, notre seule option est de nous replier et d'envoyer...

Le discours du pirate fut interrompu par un bruit sourd provoqué par la grande porte de la salle du trône, qu'on venait d'ouvrir à grande volée. Deux hylianns, précédés de l'ambassadrice de Lelmüd, portaient un brancard sur lequel reposait un cavalier de la plume argentée. Kamélia, sans se soucier de l'assistance qui portait sur elle des yeux inquisiteurs, avança d'un pas rapide vers Simcha. Celui-ci, d'abord ravi de revoir l'ambassadrice, comprit au regard de celle-ci que l'heure était grave.

— Faites venir le docteur Claymore, ordonna Kamélia, avant de faire quelques pas de côté.

Simcha porta les yeux sur l'homme étendu sur le brancard et reconnut Toran, le chef des cavaliers de la plume argentée.

— Nous allons tous périr, dit péniblement l'homme, incapable de relever la tête. Notre civilisation ne sera bientôt plus qu'un lointain souvenir et Anosios sera englouti par la noirceur des ténèbres.

— Il délire, constata le prince de Küran.

— N'en soyez pas si certain, répondit l'ambassadrice de Lelmüd. Je crois que nous devrions discuter de cette affaire en privé.

Il y eut aussitôt un flot de protestations de la part des Kalamdiens et des warraks, que Simcha eut du mal à contrôler. Il dut promettre d'organiser un nouveau conseil aussitôt que possible, afin d'exposer ce qui était arrivé au chef des cavaliers de la plume argentée. Pour le prince de Küran, maîtriser les Kalamdiens et les warraks sur qui il ne possédait aucun pouvoir légitime n'était pas une chose facile. À sa grande surprise, il espérait de plus en plus le retour d'Ithan'ak et devait admettre que ce dernier avait une incroyable capacité à gérer ce genre de situation. « Il a l'âme d'un chef, pensa Simcha, j'aimerais pouvoir en dire autant de moi-même. »

Sur les ordres du prince de Küran, Toran fut emmené dans une pièce située directement derrière le trône royal, où le docteur Claymore ne tarda pas à le rejoindre. Le petit homme grisonnant posa quelques questions à Kamélia, afin de mieux connaître l'état de son patient. Les habits de Toran étaient couverts de sang, provenant en grande partie d'une sérieuse blessure subie à l'abdomen. Le docteur retira délicatement les bandages souillés, qui avaient le mérite d'avoir arrêté l'hémorragie, puis examina soigneusement la plaie.

— Il survivra, déclara Claymore, à condition qu'il soit immédiatement transporté dans mes quartiers, où je pourrai m'occuper de lui sans être gêné.

Lorsqu'on lui confiait un cas sérieux, l'homme réservé qu'était Claymore devenait subitement autoritaire et sûr de lui. Comme un général qui s'apprête à gagner une bataille, il donnait des ordres auxquels il attendait qu'on obéisse à la lettre.

— Si vous désirez l'interroger, dit Claymore à l'intention de Simcha, je vous conseille de le faire immédiatement.

— Où l'avez-vous trouvé ? demanda d'abord le pirate à Kamélia.

L'ambassadrice hésita un instant, puis trouva le courage de révéler à Simcha ce qu'elle savait.

— J'ai pu convaincre le haut conseil des hylianns d'entrer en guerre, expliqua-t-elle. Alors que notre armée traversait le royaume de Küran, nous avons trouvé plusieurs cavaliers de la plume argentée, la plupart dans un état aussi lamentable que leur chef. Il semblerait qu'ils ont subi une attaque sévère de la part des ombres meurtrières, à la suite de laquelle Toran et ses hommes ont dû fuir de façon désorganisée. D'après ce que j'en sais, aucune attaque n'avait été aussi meurtrière depuis la bataille des ombres.

— Où était-ce ? demanda fermement le pirate, qui sentait que l'ambassadrice lui cachait quelque chose d'important.

— Nous les avons trouvés près du château d'Estragot, répondit-elle à contrecœur ; la demeure de votre père.

Simcha figea, le regard vide, comme si les mots de Kamélia l'avaient paralysé. Il essayait d'assimiler ce qu'il venait d'apprendre, mais son esprit n'arrivait pas à envisager tout ce que cela signifiait. Ce fut le docteur Claymore qui rappela le pirate à la réalité, en spécifiant que tous les blessés graves devaient être transportés dans un endroit propre et éclairé, où il pourrait les examiner convenablement.

— Un instant, dit Simcha, qui se pencha vers Toran.

Il perçut le râlement du blessé, dont chaque respiration semblait provoquer chez lui une douleur insoutenable.

— Est-ce que le roi de Küran est toujours en vie ? demanda fébrilement l'homme borgne, qui serrait maintenant la main du cavalier.

— Xioltys est de retour, dit faiblement le blessé en crachant un jet de sang. Il contrôle les ombres meurtrières et...

Toran perdit conscience et ne put terminer sa phrase, ce qui laissa Simcha sans réponse. Le pirate leva les yeux vers Kamélia, à la recherche de réconfort. Il aurait aimé se jeter dans les bras de l'hyliann, ce qu'il n'avait encore jamais fait, mais Ackémios pénétra dans la pièce et se plaça entre le pirate et l'ambassadrice. Inquiet, l'hyliann d'or regarda le docteur Claymore et ses assistants emporter Toran, puis demanda ce qui était arrivé à celui-ci.

— Xioltys est de retour, monseigneur, expliqua Kamélia. De toute évidence, il a recouvré ses forces et s'est emparé du château d'Estragot, que les cavaliers de la plume argentée ont tenté de protéger ; sans succès.

À ces mots, Simcha ne put s'empêcher de tressaillir. Malgré toutes ses années d'absence, le prince de Küran n'avait jamais renié ses liens avec le royaume qui lui reviendrait un jour. Alors qu'il venait tout juste de renouer avec son père, le roi Filistant, il était possible que ce dernier ait péri de la main de Xioltys.

— Je dois me rendre au château d'Estragot, déclara l'homme borgne, qui n'était plus tout à fait lucide. Mon père est peut-être toujours en vie, prisonnier de sa propre demeure.

— C'est de la folie ! s'exclama Kamélia, qui ne pouvait envisager de laisser le pirate courir vers une mort certaine. Même si votre père est toujours en vie, vous ne pourrez rien contre la puissance du magicien blond.

Des larmes étaient montées aux yeux de l'ambassadrice, ce qu'elle ne voulait pas laisser paraître. Plutôt que de se précipiter dans une argumentation enflammée, comme à son habitude, elle tourna les talons et quitta la pièce en claquant la porte derrière elle. Cette démonstration surprit Simcha, qui jeta un regard pantois vers Ackémios.

— Xioltys ne tardera pas à attaquer Ymirion, dit l'hyliann d'or, sans se préoccuper de l'échange qui venait d'avoir lieu entre Simcha et Kamélia. Je sais que vous souhaitez venir en aide à votre peuple, mais sacrifier votre vie ne servira à rien. Les warraks et les Kalamdiens sont disposés à suivre vos ordres...

— Je sais ! le coupa Simcha. Il faut ordonner l'évacuation d'Ymirion, ce qui prendra plusieurs jours, peut-être même des semaines. Avant tout, Xioltys désire s'emparer du trône de Kalamdir. Je ferai ce que je peux pour le ralentir, pendant que vous coordonnerez la retraite.

Ackémios parut hésiter, ce qui ne découragea pas le pirate.

— Vous êtes l'hyliann d'or, rappela Simcha. Je n'ai aucun doute que les warraks et les Kalamdiens accepteront de vous suivre.

— Ce n'est pas ce qui m'inquiète, avoua Ackémios, tourmenté par un dilemme intérieur. J'ai juré à la déesse Hélisha de ne pas conduire les hylianns en guerre, ce que je suis sur le point de faire. Kamélia a réussi à convaincre le haut conseil d'ouvrir les yeux sur la menace grandissante qui plane sur le continent, mais je souhaitais demeurer en retrait, afin de respecter la volonté de la déesse.

— Hélisha est à la fois la protectrice des Kalamdiens et des hylianns, spécifia Simcha. Puisque les descendants du roi Kalam sont menacés par leurs propres ancêtres qui se sont transformés en spectres de la nuit, il est possible que la déesse ne puisse rien faire pour les aider. En revanche, elle tente de son mieux d'épargner les hylianns qui sont eux aussi chers à son cœur.

— C'est aussi ce que je pense, approuva l'hyliann d'or. Toutefois, je ne vois pas en quoi cela fait une différence.

— Hélisha tente de préserver votre peuple, expliqua l'homme borgne, mais vous êtes maître de votre destin. Je doute qu'elle vous punisse pour avoir fait preuve de courage et d'altruisme. Même si vous n'interveniez pas, il devient évident que les hylianns devront tôt ou tard faire face à Xioltys et ses ombres. Votre déesse tente de vous protéger, mais je suis certain qu'elle est consciente que vous ne pourrez pas respecter éternellement la limite qu'elle vous a imposée. Il est temps pour Ackémios, l'hyliann d'or, de prendre la tête de ses armées et de celles qui ont désespérément besoin d'un chef.

Les paroles de Simcha étaient dignes du prince qui avait sommeillé tant d'années en lui. Comme pour la plupart des individus, c'est dans les moments les plus sombres que le pirate montrait ce qu'il y avait de meilleur en lui. Convaincu qu'Ackémios saurait prendre la bonne décision, il lui recommanda de demander conseil à Yrus'ak, le chef des sciaks, avant de s'adresser aux warraks. Il voulut ajouter quelque chose à propos de Kamélia, mais il s'en abstint.

Il ne fallut que quelques minutes au prince de Küran pour rejoindre ses appartements. Contrairement à ce qu'il espérait, l'ambassadrice de Lelmüd ne l'y attendait pas. Déçu de ne pas pouvoir lui faire les adieux qu'il aurait souhaités, l'homme borgne rassembla ses affaires et se dirigea vers les écuries. Il était conscient que le voyage qu'il s'apprêtait à entreprendre serait son dernier, car il ne pourrait rien faire contre le nouveau tyran, pire que son prédécesseur, qui s'était emparé du château de son père. Le pirate ne possédait pas l'habileté au combat ou l'ingéniosité militaire d'Ithan'ak, mais il estimait son courage au moins aussi grand que celui du warrak. Plutôt que d'appréhender la venue de l'ennemi, il avait décidé de se rendre au château d'Estragot et de prendre la place qui lui revenait aux côtés de son père, même si ce dernier geste devait lui coûter la vie.

Chapitre 15

Il était impossible de savoir d'où provenait la lumière qui éclairait un brouillard si épais que le sol semblait inexistant. Toutefois, Ithan'ak pouvait toujours distinguer les parois rocheuses délimitant le tunnel dans lequel il se trouvait. D'abord étourdi, il s'accorda quelques secondes pour faire le point. En examinant davantage l'endroit où il se trouvait, il s'aperçut que de nombreuses avenues s'offraient à lui, dans toutes les directions. Confus, il essaya de déterminer quel chemin il devait emprunter, ce qui ne pouvait être fait de façon logique. Autour de lui, tout était comme dans un songe, bien qu'il ne rêvait pas. Le warrak était certain que ce qu'il vivait était bien réel, sans véritablement comprendre ce qui lui arrivait.

— Suis-je dans le monde immatériel ? dit-il pour lui-même.

Aussitôt, il sentit une présence près de lui, bien que tout lui indiquât qu'il était seul.

— Qui êtes-vous ? demanda une voix très distincte. Je suis ici depuis un bon moment et je n'ai jamais vu quelqu'un conserver une forme aussi tangible que la vôtre.

Ithan'ak jeta un regard circulaire, qui s'arrêta sur une silhouette translucide, si pâle qu'il ne l'avait pas vue au départ. Surpris, il fit quelques pas en arrière et trébucha sur un escarpement dans le sol. Aveuglé par le brouillard, il ne put amortir correctement sa chute et s'écorcha l'épaule. Lorsqu'il se releva, une goutte de sang coulait de la blessure.

— Vous êtes toujours en vie ! s'exclama l'individu translucide. Comment un être vivant a-t-il pu pénétrer dans l'antre d'Asilbruck ?

Soudain, tout revint à la mémoire d'Ithan'ak. Traverser la porte d'Asilbruck l'avait certainement perturbé, car il avait momentanément oublié ce qui s'était passé. Avant de se retrouver dans le brouillard, il avait senti une main l'agripper, puis tout était devenu noir.

— Vous pouvez baisser votre arme, dit l'inconnu, dont le priman'ak distinguait à peine la silhouette. Je sais que ma forme physique a presque entièrement disparu et que cela vous rend méfiant, mais je ne peux malheureusement rien y faire. Il y a longtemps que j'aurais dû quitter cet endroit, ce qui m'aurait évité de devenir presque invisible. Le problème est que le dieu des âmes est plus occupé que jamais. Je crains de devoir attendre encore longtemps avant de connaître mon sort. J'ai bon espoir de ne pas être envoyé dans le gouffre éternel, car j'ai mené une existence paisible sur une petite ferme, au nord du royaume de Kalamdir.

Ithan'ak était déboussolé par ce qu'il entendait. Certes, en pénétrant dans la demeure d'Asilbruck, il avait prévu rencontrer les âmes des défunts en attente de leur verdict, mais pas d'une façon si concrète. C'était pour lui troublant, mais aussi très stimulant. En effet, puisqu'il pouvait s'entretenir avec les esprits, il lui serait plus aisé d'accomplir ce pour quoi il était venu.

— Savez-vous où je pourrais trouver le dieu des âmes ? demanda le warrak, qui espérait une réponse positive.

— Certainement, répondit l'inconnu. Je me suis déjà rendu quelquefois jusqu'aux marches qui mènent à son siège divin, mais l'heure de mon jugement n'était pas encore venue. D'ailleurs, je doute qu'il accepte de vous recevoir, puisque vous êtes toujours en vie. Pour quelle raison désirez-vous le rencontrer ?

— Je l'ignore, avoua Ithan'ak. Dans le monde des vivants, des ombres meurtrières ravagent le continent d'Anosios. Voilà pourquoi Asilbruck est plus occupé que jamais. Je dois exposer cette affaire au dieu des âmes, qui saura probablement m'indiquer comment mettre fin à ce fléau.

— Je ne suis pas certain d'avoir tout compris, dit le personnage translucide à qui s'adressait le priman'ak. Toutefois, je vous recommande une grande prudence.

Ithan'ak, qui croyait que les âmes ne pouvaient rien contre lui, demanda de quoi il devrait se méfier. Selon son interlocuteur, les défunts n'étaient pas les seuls à parcourir le domaine d'Asilbruck. Ce dernier, afin de maintenir l'ordre et de l'appuyer dans sa tâche colossale, avait créé des créatures qu'on appelait les hyperius. Ces gardiens, contrairement aux âmes qui erraient dans les souterrains, avaient une forme tangible. Leur fonction première était de trouver et de conduire les défunts, le moment venu, jusque devant Asilbruck. Celui-ci envoyait les âmes sur les terres célestes ou dans le gouffre éternel. La seconde utilité des hyperius était de patrouiller et de s'assurer qu'aucun dieu et aucun être vivant ne parcourait le royaume de leur maître.

— Que pourraient faire ces hyperius contre un dieu ? s'étonna Ithan'ak.

— Les lois des mondes matériel et immatériel ne s'appliquent pas dans l'antre du dieu des âmes, expliqua l'inconnu. Ici, hormis Asilbruck, un dieu ne serait pas plus puissant que vous ne l'êtes.

Voilà pourquoi les divinités n'osent plus venir au secours de leurs favoris pour les arracher à la mort ou au gouffre éternel.

Lorsque le priman'ak demanda d'où provenaient ces informations, l'être translucide répondit qu'il l'ignorait. D'après lui, tous les défunts en savaient autant, comme s'ils avaient compris d'un seul coup les règles et les usages du royaume d'Asilbruck. Ithan'ak ne s'attarda pas sur la question et demanda de nouveau comment se rendre jusqu'aux marches qui menaient au dieu des âmes. L'inconnu lui indiqua l'entrée d'un tunnel, mais refusa de l'y conduire sous prétexte qu'il ne voulait pas retourner à cet endroit avant d'y être appelé. La conversation se termina de façon abrupte et l'inconnu s'éloigna avant que le warrak ait eu le temps de le remercier pour ses précieuses indications.

Le tunnel que devait emprunter Ithan'ak n'avait rien de particulier. Le brouillard était aussi dense que dans les autres ouvertures et rien n'indiquait que ce chemin menait vers l'endroit où le dieu des âmes rendait ses jugements. Toutefois, le priman'ak ne disposait que des informations que lui avait données l'esprit translucide, ce qui ne lui laissait pas beaucoup de latitude pour prendre une décision éclairée. Étranger à la peur, comme tous les warraks, il avança vers l'ouverture dans laquelle il s'engouffra sans hésiter.

La cavité où aboutit le priman'ak était immensément plus grande que la précédente. Cette fois-ci, des centaines d'âmes circulaient autour de lui et l'apparence physique de certaines était bien définie. La plupart des défunts ignoraient l'intrus qui se trouvait parmi eux, bien que quelques-uns l'observassent d'un œil interrogateur.

Alors qu'il allait s'adresser à un esprit pour demander son chemin, Ithan'ak vit s'avancer un soldat de Kalamdir. L'homme, qui avait une épée à la main, avait l'air très en colère. Lorsqu'il dirigea son arme vers le priman'ak, ce dernier eut le réflexe de l'esquiver et de tirer sa propre lame. Le soldat tenta une nouvelle attaque et Ithan'ak plaça son glaive de façon à contrer le coup. À sa grande surprise, l'épée qu'il tentait de bloquer passa à travers sa lame, puis traversa son corps, sans qu'il ressente quoi que ce soit.

— Je sais qui tu es ! ragea l'homme en pointant du doigt le warrak. C'est toi qui m'as enlevé la vie lors d'une bataille entre ton clan et la milice à laquelle j'appartenais. Si je le pouvais, je te découperais en morceaux sur-le-champ.

— Vous n'avez rien pu faire contre moi lorsque vous étiez vivant, répondit impudemment Ithan'ak. Je doute que vous puissiez faire mieux à présent que vous êtes mort.

Le priman'ak n'avait jamais aimé qu'on lui fasse un affront, ce à quoi il répondait invariablement par la force, physique ou mentale. Répondre ainsi à un homme qu'il avait déjà vaincu était sans doute puéril, mais l'orgueil d'Ithan'ak avait pris le dessus. Le priman'ak et le soldat échangèrent donc quelques insultes bien placées, ce qui attira l'attention des âmes situées aux alentours. Parmi les curieux se trouvaient bien entendu plusieurs Kalamdiens, ainsi qu'une poignée de warraks, qui s'ajoutèrent immédiatement à la joute verbale. Les défunts, qui avaient l'habitude de s'ignorer, se couvraient maintenant mutuellement d'injures.

Tout ce remue-ménage était hors du commun dans l'antre d'Asilbruck, ce qui ne manqua pas d'attirer l'attention d'un hyperius, qui trouva rapidement la source de cette agitation. Alors qu'Ithan'ak s'entretenait brutalement avec l'homme qui avait tenté de le tuer, celui-ci fit soudainement quelques pas en arrière en levant les yeux au-dessus du warrak.

Le priman'ak fit rapidement volte-face afin de voir ce qui avait ainsi fait reculer l'esprit translucide avec qui il échangeait des propos hargneux. Ce qu'il découvrit n'était en rien comparable aux âmes translucides qu'il avait rencontrées jusque-là. Au moins aussi grand qu'un bosotoss, le gardien était bel et bien fait d'os et de chair. L'ensemble de son corps était bleu, plus foncé par endroits. Sa tête presque carrée et ses membres costaux étaient si raboteux qu'il paraissait être couvert d'un minerai, ce qui était probablement le cas. Ithan'ak n'avait aucun mal à imaginer que le dieu des âmes ait pu extirper de la pierre les gardiens qui devaient protéger à jamais son sanctuaire. Quoi qu'il en soit, l'hyperius était visiblement contrarié par la présence d'un être vivant. Tout en grognant, ce qui était la seule forme de communication qu'il connaissait, il voulut frapper l'intrus de sa main, ce à quoi même Fork n'aurait pas survécu.

Ithan'ak se pencha juste à temps pour éviter le coup, qui caressa sa fourrure. Concentré sur son nouvel adversaire, qui n'avait aucunement besoin d'arme pour représenter une menace, le warrak se plaça en position offensive, le glaive au poing. Lorsque l'hyperius attaqua de nouveau, Ithan'ak était prêt. Rapidement, il se déplaça hors de portée, puis dirigea sa lame de façon à trancher le bras de son ennemi. Ce fut comme si le priman'ak avait frappé un rocher. La vibration qui remonta jusque dans son bras gauche faillit lui faire lâcher son arme.

De son côté, l'hyperius n'était aucunement importuné par la piqûre que venait de lui faire l'impétueux guerrier qui violait le sanctuaire de son maître. Impatient d'en terminer avec l'importun, il fonça sur lui dans le but de l'écraser contre la paroi rocheuse. Afin d'éviter la manœuvre, Ithan'ak dut rouler sur le sol couvert de brouillard et se cogna durement la tête sur une pierre qu'il n'avait pu voir. Étourdi, il se releva et constata que le gardien lui faisait déjà face. À ce rythme, si le warrak ne découvrait pas rapidement le point faible de son adversaire, il risquait d'être ajouté au nombre des âmes qui attendaient leur jugement.

Puisque le métal était impuissant contre l'hyperius, Ithan'ak rangea son glaive et tenta une nouvelle tactique. Comme le lui avaient appris Nicadème et Vonth'ak, il leva son bras droit et tenta d'y concentrer suffisamment d'énergie pour lancer une attaque. Cette opération délicate demandait généralement au priman'ak une grande concentration, ce qu'il n'avait pas le temps d'atteindre. En vérité, il ne ressentait absolument aucune énergie, comme si le pouvoir qui habitait son bras avait disparu. C'est alors qu'il se rappela ce qu'avait dit Sven à propos du domaine d'Asilbruck. Dans cet endroit, même les dieux sont privés de leurs pouvoirs.

Incapable de faire appel à la magie, Ithan'ak comprit que ses ennuis ne faisaient que commencer. Certes, il était plus rapide que son assaillant, mais éviter indéfiniment tous les coups qui lui étaient portés n'était pas une stratégie très habile, d'autant plus qu'il ignorait si les hyperius étaient soumis à la fatigue. À court d'options, il dut tout de même se contenter de continuer d'esquiver, ce qui ne faisait qu'accroître la colère de son ennemi.

Alors que le priman'ak croyait ne plus avoir le souffle nécessaire pour éviter une nouvelle attaque, le gardien s'arrêta brusquement et grogna en se recroquevillant sur lui-même. Pendant un court instant, Ithan'ak crut que l'hyperius s'arrêtait pour reprendre ses forces, mais il découvrit rapidement que ce n'était pas le cas. Soudain plus calme, le gardien se releva et fixa intensément sa proie. Ce qui advint était d'une telle subtilité que le priman'ak ne comprit pas immédiatement ce qui lui arrivait. Un lien presque invisible l'unissait à l'hyperius, qui tentait de le dépouiller de son enveloppe charnelle. Le warrak se sentait bousculé, comme si on essayait de le séparer de son corps, ce qui était précisément le cas. Étourdi, il s'appuya sur un gros rocher qui pointait hors du brouillard. Il voulut résister, mais l'attaque qu'il subissait était d'une nature inconnue et il ignorait comment la contrer. Impuissant, il rassembla ses forces et fit face à son bourreau, ce qui fut plus aisé qu'il ne l'avait escompté. À dire vrai, il retrouvait rapidement sa vigueur, signe que l'attaque de l'hyperius n'était pas aussi redoutable qu'il l'avait d'abord cru.

Le gardien, en constatant que sa proie résistait, redoubla d'effort afin de resserrer son emprise. C'est alors que le priman'ak remarqua un phénomène étrange, qui était sans aucun doute ce qui empêchait l'hyperius de le terrasser. L'émyantine qu'il portait au cou avait adopté une teinte bleutée et attirait vers elle le flux d'énergie qui s'en était d'abord pris à son possesseur. Le warrak comprit que la pierre que lui avait offerte Mikann'ak possédait des aptitudes dont il ne savait rien. Quoi qu'il en soit, il devait profiter de ce répit pour en finir avec le combat dont l'issue était toujours incertaine. Déterminé, il tira de nouveau son glaive et s'approcha de l'hyperius, ce qui ne fit qu'augmenter la tension entre l'émyantine et ce dernier. La pierre était devenue luminescente, ainsi que les yeux du gardien. À chaque pas que faisait Ithan'ak, le flux d'énergie devenait plus intense. Hors de lui, l'hyperius augmenta de nouveau la puissance de son attaque, ce qui mit brusquement fin à l'affrontement. Les deux adversaires furent projetés à l'opposé l'un de l'autre, à la suite d'une déflagration qui souleva le brouillard pendant un court instant.

Le terrible combat avait fait fuir toutes les âmes présentes, hormis une seule. Celle-ci s'approcha du warrak qui reprenait ses esprits. Dès qu'il eut les idées claires, sans se soucier de l'intrus qui l'observait, Ithan'ak bondit sur ses pieds et se dirigea vers l'hyperius qui ne s'était toujours pas relevé. Celui-ci était sur le dos, à demi couvert par le brouillard omniprésent. Prudent, le priman'ak contourna l'énorme masse inanimée.

— Je crois que vous l'avez tué, dit l'esprit qui s'était rapproché du warrak. Normalement, je condamnerais votre geste, mais je ferai une exception pour cette fois. J'ai vu tout ce qui s'est passé et je sais que ce n'est pas vous qui avez engagé les hostilités. J'ignore pourquoi, mais je suis ravi que vous ayez gagné.

Ithan'ak regarda d'un air incrédule son interlocuteur, incapable de répondre quoi que ce soit. Pantois, il n'arrivait pas à croire ce qu'il voyait pourtant de ses yeux.

— Skeip, bafouilla-t-il, le regard braqué sur le rongeur translucide qui l'examinait de ses yeux globuleux.

— Est-ce votre nom ? demanda le keenox. N'êtes-vous pas un warrak ? Je croyais que tous ceux de votre race portaient le suffixe « ak » à la suite de leur nom, en l'honneur d'Akum, leur ancêtre commun.

Le priman'ak resta muet, incapable d'admettre qu'il avait devant lui l'insouciant rongeur que le général Karst avait tué durant la bataille des ombres. Hormis son aspect translucide, Skeip était exactement comme la dernière fois que le warrak l'avait vu. Toutefois, le rongeur paraissait ne pas reconnaître Ithan'ak, ni même se souvenir de son propre nom.

— Je suis Ithan'ak, dit le warrak. Ne me reconnais-tu pas ?

— Le devrais-je ? s'intéressa le rongeur. À vrai dire, j'ai l'impression de vous avoir déjà vu quelque part, mais il s'agit d'un souvenir très nébuleux.

— Pourrais-tu me dire qui tu es ? demanda le priman'ak, qui voulait déterminer si le keenox avait entièrement perdu la mémoire.

Skeip hésita un instant, puis abaissa les épaules, peiné de ne pouvoir répondre à la question.

— Je suis le dernier des keenox, dit-il enfin ; c'est tout ce dont je me souviens. D'après ce qu'on m'a expliqué, il arrive que les âmes en attente de leur jugement oublient les détails de leur existence en tant que mortel. Heureusement, une fois dans le monde immatériel, tous nos souvenirs nous sont rendus, peu importe si l'on nous envoie sur les terres célestes ou dans le gouffre éternel. Je suis impatient de connaître le keenox que j'étais avant de mourir. Je suis certain que j'étais un personnage très influent et qu'on regrette amèrement mon départ. Peut-être a-t-on déjà érigé une statue en mon honneur.

Le warrak sourit en constatant que même sans ses souvenirs son espiègle compagnon possédait toujours sa personnalité. Puisque le keenox n'avait rien perdu de son légendaire amour-propre, Ithan'ak décida d'exploiter cette particularité du rongeur pour raviver sa mémoire.

— Le nom de Skeip ne te rappelle peut-être rien, dit-il, mais il est possible que tu n'aies pas oublié le Pourfendeur de dragons.

Cette fois-ci, les oreilles pointues de Skeip se dressèrent sur sa tête et ses yeux globuleux s'écarquillèrent. Quelque chose en lui venait de renaître, bien qu'il ne se souvînt toujours pas de son nom.

— Je me rappelle un homme avec un visage de métal, dit le keenox en tenant son menton avec l'une de ses petites pattes rachitiques. Je crois que c'est lui qui m'a enlevé la vie.

— Il s'agit du général Karst, spécifia Ithan'ak, heureux de constater que son compagnon faisait des progrès. De quoi te souviens-tu encore ?

Skeip ferma les yeux afin de se remémorer les événements précédant sa mort. Tout d'abord, il se souvint du bruit de la bataille, parsemé de cris et du son étincelant des armes qui s'entrechoquaient. Apparurent ensuite les warraks et les hommes qui se livraient un combat sans merci. Un curieux détail fit penser au keenox que ses souvenirs étaient inexacts. En effet, tous les hommes ne semblaient pas être du même côté. Certains d'entre eux appuyaient les warraks ; c'étaient les Küraniens et les cavaliers de la plume argentée. La scène devenait de plus en plus précise et Skeip se souvenait maintenant du roi Limius et de son sinistre magicien.

— Nous combattions les Kalamdiens ! s'écria le rongeur, qui sentait sa mémoire revenir.

Il regarda attentivement le warrak qui se tenait devant lui, jusqu'à ce que son regard s'illumine enfin.

— Ithan'ak ! s'exclama-t-il en se lançant dans les bras de son ami. Où sont les autres ? Simcha, Elwym, Fork, Vonth'ak...

Le priman'ak baissa les yeux, désolé de devoir annoncer une si mauvaise nouvelle au keenox.

— Elwym est mort, annonça-t-il, peu avant que tu sois tué toi aussi. Le général Karst l'a éliminé alors qu'il tentait de protéger Kamélia.

La mine du rongeur devint sombre, mais le keenox reprit rapidement son aplomb.

— Dans ce cas, se réjouit-il, Elwym est certainement quelque part dans ces souterrains. Nous n'avons plus qu'à partir à sa recherche.

— Un sort différent du nôtre attend les hylianns après leur mort, lui rappela Ithan'ak. L'âme d'Elwym a rejoint ses ancêtres parmi les étoiles qui illuminent notre ciel.

— Dans ce cas, dit le keenox, il veille toujours sur nous et je suis certain que c'est grâce à lui que tu as pu me retrouver.

Ithan'ak se contenta d'acquiescer, car il ne souhaitait pas ruiner le moral de son compagnon. Toutefois, ce qu'avait dit Skeip amenait une question essentielle. Il était évident que la rencontre du priman'ak avec le keenox n'était pas fortuite et que c'est pour cela que Nicadème avait envoyé le warrak sur la piste des souterrains d'Asilbruck. Ithan'ak avait d'abord cru qu'il devait avertir le dieu des âmes à propos des ombres meurtrières, ce qui était encore une énorme erreur. Pour une raison inconnue, Skeip était la clé qui permettrait de détruire les spectres qui ravageaient le continent d'Anosios.

Le priman'ak prit un instant pour réfléchir, afin d'examiner les différents indices en sa possession. Tout d'abord, Nicadème lui avait conseillé de chercher les souterrains d'Asilbruck, ce qui devait le conduire à la mort. Sur ce point, le magicien ne s'était pas trompé, car Ithan'ak avait bien quitté le monde des vivants. Cela ne le renseignait malheureusement pas sur ce qu'il devait accomplir. En investiguant davantage dans sa mémoire, il se rappela que Nicadème lui avait d'abord demandé s'il pouvait lire un livre ancien à l'aide de la magie dont était investi son bras droit. Le priman'ak en avait été incapable, comme Nicadème avant lui.

— Voilà pourquoi le vieil homme m'a envoyé ici, comprit Ithan'ak.

— De quoi parles-tu ? demanda Skeip, qui n'avait pu suivre la réflexion du warrak.

— Nous avons besoin de toi, le dernier des keenox, afin de déchiffrer l'information qui nous permettra d'éliminer les ombres meurtrières. Je ne vois aucune autre possibilité ; je dois te rendre la vie.

— Bien entendu, rétorqua le rongeur.

Selon lui, il allait de soi que le monde ne pouvait se passer de lui.

— Sais-tu comment t'y prendre pour que je retrouve mon corps ? J'estime que cette forme translucide ne met pas mes traits en valeur.

Ithan'ak ne put s'empêcher d'esquisser un sourire et d'ajouter que le Pourfendeur de dragons ne pouvait demeurer plus longtemps sous une apparence qui n'exploitait pas tout le potentiel de son incroyable charme.

Skeip fut flatté par cette remarque, qu'il jugeait tout à fait juste. Cependant, il devait reconnaître qu'Ithan'ak avait lui aussi quelques attributs séduisants.

— Puisque nous parlons d'allure, dit le keenox, je dois souligner que tes nouveaux yeux bleus s'agencent parfaitement bien avec ta fourrure.

Contrairement à ce dont s'attendait le rongeur, Ithan'ak ne s'enorgueillit pas du compliment. Au contraire, le warrak sembla quelque peu troublé. Il jeta un coup d'œil autour de lui, à la recherche d'une surface sur laquelle il pourrait voir le reflet de son visage. Il ne chercha pas très longtemps avant de se rappeler que son glaive avait une telle propriété. En baissant les yeux pour empoigner le pommeau de son arme, un détail attira son attention. Sur sa poitrine, l'émyantine qui était suspendue à son cou par une corde était devenue blanchâtre, presque terne. Aussitôt, le priman'ak prit la pierre entre ses mains pour l'examiner. Le dernier lien qui subsistait entre Mikann'ak et lui venait de perdre toute sa vivacité, comme une chandelle qui ne peut outrepasser sa durée de vie limitée. Cela attrista le warrak, qui voulut tout de même comprendre ce qui s'était passé. Refusant de s'attarder plus longtemps à l'objet qui menaçait de le plonger dans une profonde amertume, il tira son glaive et le plaça de façon à ce que le métal reflète son visage. Cette fois-ci, il fut profondément bouleversé par ce qu'il vit, davantage que par le désarroi qu'avait créé en lui l'émyantine. Ses yeux, qui auraient dû être verts, étaient d'un bleu intense, ce qui donnait l'impression au warrak de regarder quelqu'un d'autre, bien qu'aucun individu de sa race n'ait jamais eu les yeux d'une autre couleur que vert ou rouge.

— De quelle couleur sont mes pupilles ? demanda-t-il, en se tournant brusquement vers Skeip.

— Je t'ai déjà dit qu'elles étaient bleues, répondit le keenox, déconcerté. Je présume que tu as demandé à Vonth'ak de modifier leur pigmentation, afin de te distinguer des autres warraks. Crois-tu qu'il accepterait de faire la même chose pour moi ? À moins que je lui demande de rendre ma fourrure plus colorée.

— Hélas ! dit Ithan'ak, j'ignore comment s'est opérée cette transformation. J'imagine qu'il y a un lien à faire avec l'émyantine qui semble avoir perdu ses propriétés magiques. Peut-être est-ce arrivé durant l'attaque de l'hyperius. La pierre semblait canaliser toute l'énergie destructrice qui était dirigée contre moi, jusqu'à ce que le flux devienne trop intense et que le lien soit brutalement rompu. À cet instant précis, les pouvoirs de l'émyantine ont probablement fusionné à mon être.

— Dans ce cas, commenta Skeip, tu n'auras plus besoin de cet objet pour être immunisé contre l'eau.

La réflexion du keenox était étonnamment pertinente, mais cela ne suffit pas à rassurer Ithan'ak. En effet, celui-ci anticipait la réaction des autres warraks lorsqu'ils constateraient que leur priman'ak, en plus de maîtriser la magie et de faire fréquemment une entorse aux coutumes de son peuple, continuait à pousser son excentricité en s'éloignant de l'apparence commune à tous les warraks. De plus, il souffrait d'avoir abîmé la seule chose qui l'unissait toujours à Mikann'ak.

Skeip, ignorant l'introspection de son compagnon, lui fit remarquer que de nombreuses âmes arrivaient depuis les différents tunnels, probablement attirées par le silence suivant le vacarme qu'avait causé le combat opposant Ithan'ak à l'hyperius.

Retrouvant rapidement ses esprits, Ithan'ak mit ses doutes de côté et prit en main la situation. Il était maintenant certain d'une chose : sa venue dans les souterrains d'Asilbruck avait pour seul but d'arracher Skeip à la mort, ce qui ne serait probablement pas aisé. Le warrak ignorait si le dieu des âmes était informé de la présence d'un mortel dans sa demeure, ce qui, le cas échéant, ne lui simplifierait pas la tâche. Le combat qu'il venait de livrer avec un hyperius était une preuve flagrante qu'Asilbruck souhaitait tout mettre en œuvre pour repousser les impétueux intrus qui oseraient violer sa demeure. Dans de telles circonstances, il valait mieux ne pas attirer l'attention du dieu des âmes.

— Nous devons quitter cet endroit le plus rapidement possible, dit-il à Skeip sur un ton de confidence. Notre seule chance de sortir d'ici est de demander notre chemin aux âmes que nous rencontrerons. Avec de la chance, l'une d'entre elles saura nous indiquer le chemin qui mène au portail par lequel je suis arrivé.

— Ce sera un jeu d'enfant, se réjouit le rongeur. Ma légendaire cordialité saura nous être utile dans nos déplacements. Heureusement que tu peux compter sur moi.

Parfois, Ithan'ak se demandait si le keenox n'avait pas du sang warrak, car cet insouciant rongeur semblait ignorer le danger et la peur au même titre que n'importe quel guerrier. Dans la situation présente, c'était un avantage de taille, car rien ne laissait croire que les deux compagnons arriveraient à s'échapper de l'antre d'Asilbruck.

Ithan'ak repéra le tunnel par lequel il croyait être arrivé et s'y engagea, suivi de près par Skeip. Les esprits qu'ils croisaient ne s'intéressaient pas à eux et Ithan'ak ne prenait même pas la peine de les éviter. Le warrak passait au travers des défunts et incitait Skeip à faire de même, afin d'accélérer le pas. Soudain, alors qu'il fonçait à toute allure, le priman'ak entra en collision avec un warrak qui n'avait rien d'un esprit.

L'impact avait fait perdre l'équilibre à Ithan'ak, qui tituba et posa sa main sur un rocher afin de ne pas tomber. Dès qu'il eut retrouvé sa stabilité, il voulut savoir ce qu'il avait heurté. Le warrak, qui avait lui aussi été déstabilisé par l'impact, était toujours sur le sol, dissimulé dans le brouillard. Lorsqu'Ithan'ak vit Ryan se remettre debout et tirer son glaive, sa surprise fut complète.

— Tu as saisi mon bras pendant que je traversais le portail, déclara Ithan'ak d'un ton accusateur. Qu'es-tu venu faire dans cet endroit ?

— Voilà une question des plus futiles, railla le jeune warrak. Je suis en quête de vengeance pour le déshonneur dont vous m'avez couvert. Il y a longtemps que je vous poursuis en espérant obtenir l'occasion de vous tuer. Ziofus, le précepteur des svilts, m'avait même promis d'appuyer ma cause si vous découvriez l'entrée qu'il était chargé de protéger. Malheureusement, ses gardes sont des incapables. Ils ne me furent d'aucune aide.

— Comment as-tu pu nous suivre pendant que nous voyagions sur le dos des belwigs ? s'intrigua Ithan'ak. Qui t'a informé que nous recherchions les souterrains d'Asilbruck ?

— Je vous croyais plus perspicace, se moqua Ryan. C'est tout de même avec plaisir que je répondrai à vos questions. Lorsque vous avez quitté la demeure du vieux magicien qui habite dans la forêt de Grownox, je me suis rendu jusqu'à lui. Il ne fut pas aisé d'éviter les créatures qui gardent la forêt, ce qui m'a considérablement ralenti. Toutefois, lorsque Nicadème accepta enfin de me rencontrer, je compris immédiatement qu'il avait la faculté de lire dans mon esprit. Il me fallut donc lui faire croire, en modifiant mes pensées, que nous avions retrouvé Xioltys et que, sous la menace, il avait accepté de nous aider à détruire les ombres meurtrières. Cette supercherie fonctionna parfaitement, car Nicadème accepta de lancer un enchantement qui m'enverrait instantanément dans le marécage où vous étiez.

Ithan'ak devait reconnaître que tromper le vieux magicien n'était pas une chose aisée et que le jeune warrak possédait d'incroyables aptitudes.

— J'ignorais que Nicadème était capable d'un tel prodige, dit-il. Cela l'aura probablement affaibli pour de nombreuses semaines.

— J'oubliais que vous étiez désormais un adepte de la magie, commenta Ryan d'un air dégoûté. Toutefois, d'après ce que j'ai compris de cet endroit, vous ne pourrez pas utiliser de sortilèges contre moi.

— Je n'ai nullement besoin de magie pour éliminer un jeune impétueux dans ton genre ! tonna Ithan'ak. J'ai commis une erreur en te laissant la vie ; je paie aujourd'hui pour ma trop grande clémence. Je suis devenu beaucoup trop indulgent depuis que nous avons quitté la pointe d'Antos. Je constate que ce trait de caractère peut convenir à certains peuples, mais qu'il n'est pas compatible avec les valeurs des warraks.

Les yeux nouvellement bleus du priman'ak s'enflammèrent alors qu'il s'emparait de son arme. Skeip, bien qu'il ne courût aucun risque en tant qu'esprit, resta en retrait, afin de ne pas gêner Ithan'ak.

Ce fut Ryan qui ouvrit les hostilités, espérant ainsi prendre l'avantage sur son adversaire. Le jeune warrak effectua quelques pas rapides sur sa gauche, puis bondit vers son ennemi en traçant un trait vertical avec son glaive. Ithan'ak, dont la force et l'expérience étaient supérieures à celles de Ryan, dut tout de même réagir promptement pour bloquer le coup qui lui était destiné. Avant même que Ryan touche de nouveau le sol, le priman'ak lui assena un solide coup de pied dans l'estomac. Le jeune warrak fut projeté vers l'arrière, effectua une habile roulade sur lui-même et se remit sur ses pieds.

— Tu possèdes une grande habileté, le félicita Ithan'ak, mais cela ne suffira pas à me battre. Bientôt, tu rejoindras les âmes qui attendent de gagner le monde immatériel.

— C'est probable, rétorqua Ryan, mais je mourrai fièrement en combattant. Ainsi, je regagnerai l'honneur que vous m'avez si injustement retiré.

Ithan'ak voulut défendre son point de vue, mais Ryan ne lui en laissa pas le temps. Aveuglé par la haine, le jeune warrak fonça sur l'objet de sa colère, pivota sur lui-même et dirigea son glaive vers le cou d'Ithan'ak.

Plutôt que de bloquer la lame de son adversaire, le priman'ak se contenta d'esquiver en fléchissant les genoux, ce qui lui permit de répliquer avant même que le glaive de Ryan ait terminé sa course. Avec une aisance étonnante, il se plaça de façon à planter sa lame vers les côtes du jeune warrak.

Alors qu'il s'apprêtait à commettre l'irréparable, Ithan'ak sentit une main d'une grande force le tirer vers l'arrière. Pourtant, lorsqu'il se retourna pour voir qui l'avait empêché d'éliminer son rival, il constata qu'il n'y avait personne derrière lui.

— Comment osez-vous pénétrer dans mon sanctuaire ? prononça une voix grave et autoritaire.

Les deux warraks se tournèrent vers la sombre silhouette qui s'était adressée à eux. Le dieu des âmes, contrairement à ce que s'était imaginé Ithan'ak, n'avait rien d'un personnage sombre et ténébreux. Au contraire, il dégageait une lumière presque éblouissante. Le bas de son corps était drapé d'une pièce de tissu blanc scintillant, qui formait une culotte ; c'était le seul vêtement qu'il portait. Son torse, d'une impressionnante musculature, semblait être fait de bronze. En vérité, toute la peau du dieu avait un aspect métallique. Son visage, à la fois lisse et angulaire, inspirait le respect. De longs cheveux bleus soigneusement tressés couvraient les épaules du dieu. De ses yeux flamboyants, Asilbruck fixait les deux téméraires warraks qui avaient violé sa demeure.

— Absorbé par la tâche qui est mienne, dit-il gravement, je n'avais pas ressenti votre présence, jusqu'à ce que vous ayez l'audace de croiser le fer dans ce lieu sacré dont je suis le maître. Puisque vous désirez tant quitter le monde des vivants, je vais moi-même m'occuper de vous retirer la vie. Mais d'abord, je veux savoir qui vous a aidés à traverser l'un des portails qui scellent mon sanctuaire. Je constate que l'un de vous deux possède des pouvoirs que seul un dieu aurait pu lui transmettre. Lequel de mes semblables vous a envoyés ici dans le but de soutirer cette créature à mon jugement ?

Asilbruck pointa Skeip du doigt, sans rompre le contact visuel avec les deux warraks. Ryan, déconcerté par la tournure des événements, se contenta de conserver le silence, ce qui permit à Ithan'ak d'exposer les faits comme il le souhaitait.

— Le continent d'Anosios est en grand danger, déclara-t-il. Nous sommes à la merci de créatures de la nuit contre lesquelles nos armes ne peuvent rien. Je suis venu ici...

— Qui vous a envoyé ? rugit le dieu des âmes, d'une façon si forte et si courroucée que le plus brave guerrier n'aurait pu se dérober plus longtemps à son questionnement.

— Kumlaïd, répondit Ithan'ak. Il m'a fait don de la puissance qui m'a permis de traverser le portail gardé par les svilts. Le dieu de la guerre ne m'a jamais demandé de violer votre domaine, mais je devais le faire pour récupérer ce keenox.

— Mon frère ne vous a rien révélé, dit le dieu, mais il savait que vous finiriez par venir jusque dans le sanctuaire réservé aux défunts. Il y avait longtemps qu'un de mes semblables ne s'était pas ingéré dans mes affaires. Je suis déçu de constater qu'il s'agisse de l'un d'eux dont j'étais le plus proche autrefois.

— Avec tout le respect que je vous dois, tenta Ithan'ak, le dieu de la guerre ne m'a pas envoyé ici pour protéger l'un de ses favoris. Vous n'êtes pas sans savoir que les keenox ne sont pas de grands combattants et que rares sont ceux qui aspirent à terminer leur existence sur les champs de bataille éternels. Je crois dire la vérité en avançant que la préoccupation de Kumlaïd était de rétablir l'ordre qui a été bouleversé.

Le priman'ak s'arrêta, dans le but de voir si Asilbruck était sensible à son plaidoyer, mais le dieu des âmes ne fit aucun commentaire. L'air absent, il fixait droit devant lui, comme s'il cherchait une réponse enfoui au fond de lui-même. Cela ne dura qu'un instant, mais parut une éternité aux yeux du warrak.

— Ce que vous dites est vrai, déclara enfin le dieu, qui paraissait soudainement moins courroucé. Le cycle de la mort a été violé il y a fort longtemps et j'étais si préoccupé par le sort des défunts que je n'accordais plus aucune importance au monde des vivants. Je comprends pourquoi Kumlaïd s'est permis de vous envoyer jusqu'à moi. Toutefois, j'aimerais savoir ce que fait ici cet autre warrak et connaître la raison pour laquelle vous étiez engagés dans un duel.

— Les simples mortels ont eux aussi leurs soucis, répondit poliment Ithan'ak. Avec votre permission, j'aimerais régler moi-même ce problème.

— Kumlaïd a jugé que vous étiez digne de confiance, dit Asilbruck, je me fie donc à son jugement. Il nous faut maintenant régler le problème du keenox. Vous devez savoir qu'en créant les différents portails qui scellent ma demeure la grande Nürma a fixé des règles que même moi je ne peux violer. L'une des plus importantes est qu'il est impossible de rendre la vie à un défunt sans en prendre une autre en retour. De plus, l'individu qui fait don de sa vie doit être consentant. Êtes-vous enclin à accepter un tel sacrifice ?

— Aurais-je droit à une mort de guerrier ? s'informa le priman'ak.

— Bien entendu, répondit le dieu des âmes. Je peux même vous assurer que mon jugement à votre égard sera favorable et que vous rejoindrez Kumlaïd sur les champs de bataille éternels.

— Dans ce cas, soupira Ithan'ak, je me vois dans l'obligation de vous offrir ma vie en échange de celle de Skeip.

— Non ! s'écria le rongeur qui s'interposa entre le dieu et le warrak.

Jusque-là, le keenox n'avait pas prononcé un seul mot, de peur que le dieu des âmes l'expédie sur-le-champ dans le gouffre éternel. Malgré cela, en voyant Ithan'ak se sacrifier pour lui, il n'avait pu s'empêcher d'intervenir.

— Je suis conscient de ma grande importance, dit-il, et que ma disparition serait une immense perte pour tous les peuples de Nürma. Cependant, la mort d'Ithan'ak serait aussi une catastrophe, car ce n'est pas un warrak ordinaire. Avec mon aide, il a réussi à remporter la bataille de Locktar, à devenir priman'ak, ainsi qu'à unir les différents peuples pour s'opposer à la tyrannie du souverain de Kalamdir. S'il meurt aujourd'hui, qui sait ce qu'il n'aura pu accomplir ?

— Ce que dit le keenox est vrai, intervint Ryan.

En constatant que le priman'ak n'avait pas hésité à se sacrifier pour le bien de tous, le jeune warrak s'était rendu compte à quel point il avait toujours été centré sur lui-même. Cet aspect de sa personnalité l'avait peu à peu conduit au bord du gouffre en le guidant vers de mauvaises décisions, dont celle de laisser Skeip sans protection, ce qui avait causé la mort du keenox. D'un seul coup, Ryan revoyait toutes les actions qu'il avait commises et comprenait pourquoi Ithan'ak l'avait condamné à l'exil. Aveuglé par la vengeance, le jeune warrak n'avait même pas pensé à chercher l'esprit de son ami Kalë, alors que ce dernier devait toujours se trouver quelque part dans les innombrables souterrains sur lesquels régnait Asilbruck. Voilà jusqu'où allait son égocentrisme.

— Notre peuple a besoin d'être guidé par son priman'ak, continua Ryan. Quant à moi, je commence enfin à comprendre qu'un véritable guerrier doit parfois savoir faire preuve d'humilité et connaître les vertus du sacrifice. Ce serait donc un honneur pour moi de quitter ce monde en sachant que ma vie n'aura pas été entièrement inutile.

Ithan'ak observait en silence le jeune warrak, qui lui paraissait véritablement sincère. Si tel était le choix de Ryan, il n'avait pas l'intention d'aller contre sa volonté. De son côté, Skeip ne savait plus comment réagir. Il n'aimait pas l'idée qu'on prenne la vie d'un être vivant en échange de la sienne, mais il était soulagé que ce ne soit pas celle d'Ithan'ak.

— Tu me sembles très jeune pour renoncer à la vie, dit gravement Asilbruck. Es-tu bien conscient de ton choix ?

— Je n'ai jamais pris une décision aussi éclairée, répondit fièrement le jeune warrak. Ma vie contre celle du keenox ; voilà notre marché.

Le dieu des âmes semblait peu enclin à prendre la vie d'un individu qui avait encore tant d'années à vivre. Pour la seconde fois, il fixa droit devant lui, ce qui donnait l'impression qu'il quittait son corps pour visiter un endroit lointain. Cette absence d'esprit dura un peu plus longtemps que la première fois, ce qui permit à Ithan'ak de féliciter Ryan d'avoir enfin compris ce que représentait vraiment le fait d'être un guerrier.

— Une vie en échange de celle du keenox, dit enfin Asilbruck, dont le visage était de nouveau animé.

Résolu, Ryan approuva d'un signe de la tête, puis dirigea son regard vers Ithan'ak.

— Peut-être vous souviendrez-vous de moi comme d'un véritable guerrier, lui dit-il sans prétention.

— Tu es Ryan'ak, dit le priman'ak ; un fier membre du clan des kourofs. C'est sous ce nom que tu passeras dans le monde immatériel.

Skeip, conscient de l'immense sacrifice que le jeune warrak faisait pour lui, s'approcha et lui tendit l'une de ses petites pattes rachitiques.

— Votre geste ne sera pas en vain, déclara le rongeur. Le Pourfendeur de dragons saura honorer votre dévouement.

Ryan'ak esquissa un sourire, puis se tourna de nouveau vers Asilbruck. Il lui signifia qu'il n'avait plus rien à ajouter et qu'il était prêt à rejoindre le monde immatériel.

Une puissante lumière blanche émana du dieu des âmes, si intense que les warraks et le keenox durent se couvrir les yeux. Ils sentirent un étrange picotement sur l'ensemble de leur corps, incluant Skeip, qui regagnait peu à peu le monde matériel. Ils furent entourés d'une vive chaleur, qui augmenta au point d'être presque insoutenable, puis diminua d'un seul coup.

Lorsqu'il rouvrit les yeux, Ithan'ak était de nouveau devant la sphère des âmes, où Fork, Vonth'ak et Sven combattaient farouchement contre les svilts. Le priman'ak jeta un rapide coup d'œil pour s'assurer que Skeip était à ses côtés. Le keenox, sur sa gauche, regardait attentivement ses petites pattes, émerveillé d'avoir retrouvé son enveloppe charnelle. Toutefois, Ithan'ak ne s'attendait pas à voir Ryan'ak, qui était lui aussi de retour du sanctuaire d'Asilbruck.

Chapitre 16

Ithan'ak, surpris de constater que Ryan'ak était toujours en vie, voulut interroger le jeune guerrier, mais ce dernier ne lui en laissa pas le temps.

— Je crois que nous devrions intervenir pour interrompre les hostilités, dit Ryan'ak en tirant son glaive.

Le priman'ak approuva la suggestion et pointa Ziofus, qui se trouvait dans l'escalier, de l'autre côté de la salle. Le précepteur, qui observait les combats, paraissait dépassé par les événements. Certes, la protection de la porte d'Asilbruck était une priorité, mais la violence ne faisait pas partie de la culture des svilts et Ziofus ne pouvait faire autrement que déplorer l'effusion de sang à laquelle il assistait. Et c'était sans compter que plusieurs de ses fidèles disciples étaient morts, alors que l'ennemi ne comptait encore aucune perte.

Alors qu'il s'interrogeait sur la façon dont il devait réagir, Ziofus remarqua qu'Ithan'ak était de retour et se frayait un chemin dans sa direction à l'aide de son glaive. Curieusement, le jeune Ryan semblait travailler de concert avec le priman'ak, comme si leur rivalité s'était subitement envolée. Ensemble, les deux warraks étaient beaucoup trop forts pour les svilts, dont l'entraînement au combat était très loin d'égaler l'habileté des féroces guerriers. Malgré tout, chaque fois qu'Ithan'ak éliminait un adversaire, un autre prenait sa place. Il lui était donc impossible d'atteindre le précepteur et de lui relater sa rencontre avec le dieu des âmes.

— Les combats doivent cesser ! cria le priman'ak, dans l'espoir que Ziofus veuille bien l'écouter. Nous avons rencontré Asilbruck et il est en accord avec ce que nous tentons d'accomplir.

— Il dit la vérité ! renchérit Ryan'ak. Vous étiez mon allié, alors que j'étais guidé par la haine et la colère. Mon erreur était aussi la vôtre, mais nous avons une chance de corriger la situation. Daignez au moins écouter les informations que nous désirons vous communiquer.

Le précepteur était complètement déboussolé. D'un côté, il avait la tâche sacrée de protéger la porte d'Asilbruck, mais de l'autre il devait aussi prendre en compte que le dieu des âmes avait vraisemblablement laissé partir les deux warraks. Peut-être valait-il mieux vérifier si ces derniers disaient la vérité.

Soudainement plus confiant, Ziofus fit signe au chef de sa garde d'ordonner aux svilts de cesser les hostilités. Ce dernier obéit immédiatement et tira un sifflet en bois de sa poche, dans lequel il souffla à trois reprises. Entraînés à se conformer aux ordres séance tenante, tous les svilts reculèrent et adoptèrent une position défensive.

Surpris, Fork, Vonth'ak et Sven cherchèrent à comprendre la raison de cette interruption, puis ils remarquèrent enfin qu'Ithan'ak était de retour. De plus, Ryan l'accompagnait, ce qui était très mystérieux. En effet, à leurs yeux, le jeune warrak était apparu parmi les svilts et s'était montré très agressif. Il ne leur avait pas été difficile de comprendre que sa cible était Ithan'ak, qu'il avait suivi à travers le portail. Quoi qu'il en soit, le conflit était momentanément suspendu et tous les combattants étaient ravis de pouvoir reprendre leur souffle.

— Vous êtes venus m'accueillir ! s'écria Skeip en sautillant vers Fork et Vonth'ak. J'aurais dû savoir que vous seriez là. Je suis impatient de vous raconter tout ce qui m'est arrivé.

Le bosotoss et le magicien regardèrent le rongeur d'un air ahuri. Ils se souvenaient d'avoir vu mourir le keenox, mais voilà qu'il était de retour en chair et en os.

— Je ne comprends pas, s'étonna Fork. Tu étais mort et nous t'avons fait une sépulture.

— Formidable, se réjouit Skeip. J'ai hâte de voir l'endroit où vous avez enfoui mon corps. D'ailleurs, je me demande s'il est encore là.

— C'est toi que Nicadème nous a envoyés chercher, comprit Vonth'ak, qui essayait de mettre de l'ordre dans ses idées. Le vieillard n'arrivait pas à déchiffrer un livre ancien et Ithan'ak en était lui aussi incapable. Il nous a donc mis sur la piste des souterrains d'Asilbruck, en espérant que nous trouvions un moyen de te ramener à la vie. Toutefois, je ne comprends pas pourquoi il ne nous a pas indiqué ce que nous devions faire.

— Nous devions ignorer notre but, intervint Ithan'ak, afin de tromper la vigilance des svilts. Autrement, nous n'aurions jamais pu atteindre la porte d'Asilbruck. À présent, nous n'avons plus rien à cacher.

Fork et Vonth'ak fixèrent le priman'ak d'une façon inhabituelle, jusqu'à ce que ce dernier demande ce qui n'allait pas.

— Tes yeux, dit le bosotoss, sans rien ajouter de plus.

— C'est une longue histoire, commença le priman'ak. Je vous raconterai ce qui m'est arrivé, mais je dois d'abord prouver au précepteur que nous ne sommes pas ses ennemis.

Il se tourna vers Ziofus et l'invita mentalement à parcourir ses pensées, afin que le svilt constate que le dieu des âmes avait pardonné l'intrusion dans son antre et même redonné la vie au keenox. En lisant les pensées d'Ithan'ak, tout devint clair et limpide pour le précepteur, qui déplora ne pas avoir ouvert les yeux lorsque Sven lui avait mentionné que la sphère des âmes était anormalement occupée.

— Tous ces morts, bégaya-t-il. Si j'avais su...

— L'important, dit Ithan'ak en mettant une main sur l'épaule du svilt, est que vous ayez finalement pris la bonne décision. On ne peut revenir en arrière, hormis pour certains keenox qui sont assez fortunés pour échapper à la mort elle-même.

Ce commentaire plut énormément à Skeip, qui n'oublierait pas de l'inscrire dans la légende du Pourfendeur de dragons.

Ziofus, impatient de libérer la salle où se trouvait la sphère des âmes, invita Ithan'ak et ses acolytes à l'accompagner à son bureau, où ils seraient plus confortables pour discuter. Les récents événements avaient rappelé au précepteur que malgré sa grande sagesse il n'était pas infaillible et que son ego ne devait jamais l'aveugler au point de ne plus distinguer la vérité. Conscient qu'il avait considérablement nui à la mission d'Ithan'ak, il offrit de racheter sa faute en fournissant une escorte au priman'ak et ses compagnons, ce qui n'était pas un luxe si l'on considérait les dangereuses créatures qui peuplaient les souterrains d'Asilbruck. De plus, le précepteur connaissait un chemin qui ferait gagner du temps aux voyageurs.

— Nous vous remercions pour l'aide que vous daignez nous offrir, dit Ithan'ak. J'aimerais toutefois diriger votre attention sur le fait que nous n'aurions jamais atteint notre but sans le soutien de Sven.

Ziofus accueillit durement le commentaire du warrak, qui était pourtant juste. Il lui était difficile d'admettre que son élève le plus dissident était le seul à avoir correctement interprété l'activité anormale dans la sphère des âmes.

— Approche, dit le précepteur qui s'adressait à Sven. J'aimerais t'exprimer mon regret pour le manque de confiance envers toi dont j'ai fait preuve. Je croyais à tort que tes actes trahissaient un accroc dans ta foi, ce qui était une demi-vérité. Tu m'as aidé à comprendre qu'il ne suffit pas d'obéir aux cultes qu'on nous enseigne. Notre monde est rempli de contradictions et nous devons constamment ajuster le regard que nous portons sur lui, afin de ne pas devenir esclaves de ce que nous croyons être la vérité unique.

Sven s'inclina devant son maître, pour lui signifier qu'il n'entretenait aucune amertume à son égard. Toutefois, Ziofus n'avait pas encore terminé de féliciter son élève pour avoir suivi ce qu'il croyait être la bonne voie.

— Depuis que j'occupe mes fonctions, dit-il, ce qui remonte à très longtemps, aucun svilt n'a jamais fait preuve d'autant d'indépendance face à mon instruction. Tu es différent, comme je l'étais autrefois. Brûlant d'envie de connaître le monde qui s'étendait au-dessus de nous, je m'étais même enfui pour gagner la surface. Voilà pourquoi, lorsqu'ils se sont présentés devant moi la première fois, la physionomie des étrangers ne m'étonnait en rien.

— Votre entêtement à connaître le monde extérieur a su faire de vous un meilleur guide pour les svilts, comprit Sven.

— Exactement, approuva le précepteur. C'est peut-être pour cette raison que j'ai toujours eu un œil sur toi, plus que sur tout autre svilt qui peuple notre grande cité. Je ne voulais pas l'admettre, mais je voyais en toi le jeune entêté que j'étais autrefois. Quoi qu'il en soit, je crois que tu as prouvé que tu pouvais être digne de devenir un jour le guide spirituel de notre peuple, lorsque je rejoindrai le monde immatériel.

Cette nouvelle frappa d'étonnement Sven, qui s'était toujours considéré comme le pire gardien du culte des svilts. Il voulut répondre, mais les mots qu'il cherchait n'existaient tout simplement pas ou n'étaient pas suffisamment justes pour exprimer ce qu'il ressentait.

— Tu n'as pas à exprimer ta reconnaissance, lui dit Ziofus, car tu mérites ce que je t'offre. Cependant, je crois que je devrai me passer de toi durant un certain temps, car j'aimerais que tu accompagnes les gardes qui mèneront nos nouveaux alliés vers la surface.

— Cela me semble tout indiqué, ajouta Ithan'ak, à condition qu'il soit apte à endurer les babillages du Pourfendeur de dragons.

Cette remarque valut au priman'ak un coup de pied sur le genou de la part du keenox, qui estimait ses propos d'une valeur inestimable. Vonth'ak était aussi de cet avis. En effet, le magicien était impatient de partir, car il comptait s'entretenir avec Skeip durant la longue marche qui les ramènerait à la surface.

Avant de quitter Ostencil, Ithan'ak et ses compagnons assistèrent à une majestueuse cérémonie visant à rendre hommage aux svilts qui avaient donné leur vie pour protéger la porte d'Asilbruck. Ziofus fit un discours remarquable et insista sur le fait que leur sacrifice n'avait pas été vain. Selon le précepteur, cela avait permis de mieux comprendre les lacunes que recelaient les défenses mises en place par les anciens. Beaucoup de travail attendait les habitants de la cité lumineuse et cette ère de changement était pour eux une source de motivation.

Sven était lui aussi impatient d'apporter sa contribution en ce qui concernait les changements dont avait parlé Ziofus, mais il devait d'abord s'acquitter d'une besogne tout aussi importante. Dès que le cérémonial fut terminé, il réunit une dizaine de gardes, en prenant soin de choisir uniquement ceux qui avaient une grande expérience des souterrains éloignés d'Ostencil. Des provisions furent préparées et les étrangers purent enfin entreprendre le chemin du retour, différent et beaucoup plus rapide que celui par lequel ils étaient venus.

Durant les longues périodes de marche, Skeip parlait constamment, comme s'il devait rattraper tout le temps perdu depuis qu'il avait quitté le monde des vivants. Cela faisait grandement plaisir à Vonth'ak, qui était avide de mieux connaître le monde immatériel. Le magicien posait d'innombrables questions, auxquelles le rongeur ne se faisait pas prier pour répondre. Les svilts étaient eux aussi fortement intéressés par ce que racontait le keenox, car ils n'auraient probablement plus jamais la chance d'entendre parler de ce qui se trouvait derrière la porte d'Asilbruck. Sven avait même demandé à Skeip s'il lui permettait de prendre des notes, en précisant que le nom du rongeur serait mentionné au bas de chacun des textes. Il y avait longtemps que le keenox n'avait pas reçu autant d'attention, ce qui le rendait encore plus excité qu'à l'habitude. Même Fork, qui faisait rarement preuve d'une grande curiosité, offrait au rongeur de le porter, afin de mieux entendre son incessant discours. Le bosotoss ne se lassait pas d'entendre comment Ithan'ak avait combattu une créature nommée hyperius, à la suite de quoi ses yeux avaient pris une nouvelle teinte. Chaque fois, Skeip insistait sur le fait qu'il avait grandement contribué à cette victoire, ce que Fork et Vonth'ak jugeaient peu probable. Ryan'ak, afin de satisfaire l'ego du keenox, avait choisi d'approuver sa version des faits. Le jeune warrak, qui avait connu des moments difficiles, était heureux de constater que le priman'ak ne lui tenait pas rigueur pour ses récentes actions.

À quelques reprises, le groupe rencontra des créatures sauvages. Aucune n'était aussi dangereuse que celle qu'avaient affrontée Ithan'ak, Fork et Vonth'ak durant leur descente vers Ostencil. Chaque fois, les svilts maîtrisaient rapidement la situation et la progression pouvait reprendre.

Lorsque l'aura argentée entourant Vonth'ak commença à réapparaître, Ithan'ak suggéra à Sven et ses semblables de rebrousser chemin, en leur assurant qu'il n'y avait plus une très longue distance à parcourir avant de retrouver le soleil. Sven avoua au priman'ak qu'il aurait aimé explorer le continent d'Anosios, comme Ziofus l'avait fait dans sa jeunesse.

— Je crains que le moment soit très mal choisi, répliqua le warrak. Nous vivons une épreuve difficile dont le dénouement demeure incertain. Selon moi, il serait sage de remettre cette visite à plus tard, en espérant que le continent redeviendra un jour plus accueillant.

Sven avait échangé une poignée de main avec le warrak, en lui confiant qu'il avait une grande confiance en ses capacités, ainsi qu'en celles de Fork, de Vonth'ak et même de Skeip. Après quelques derniers échanges amicaux, les svilts firent volte-face et repartirent vers leur lointaine cité.

Deux longues périodes de marche se succédèrent avant qu'Ithan'ak et ses acolytes retrouvent enfin la lumière du soleil. Bien qu'ils empruntassent un chemin différent de celui qu'ils connaissaient, les cinq compagnons sortirent par la même ouverture qu'ils avaient découverte au milieu des marécages. Le cadavre du pauvre Flerk était toujours là, presque entièrement enseveli dans la boue. Cela rappela à Ithan'ak la témérité et le libre arbitre dont faisait trop souvent preuve Vonth'ak. L'amitié entre le priman'ak et le magicien était peu singulière, en grande partie régie par leurs objectifs communs. Comme dans bien des cas, un ennemi unissait les deux warraks : Xioltys. Pour vaincre ce puissant adversaire, ils devaient tirer profit de leurs aptitudes respectives, qui étaient considérables.

— Il est probable que Xioltys ait déjà retrouvé la totalité de ses forces, dit Ithan'ak, impatient de quitter le marécage. D'abord, nous devons recueillir des informations pour savoir s'il y a eu beaucoup de changements depuis notre départ. Nous pourrons ensuite nous diriger vers la forêt de Grownox.

— Je ne crois pas, le contredit Vonth'ak.

Courroucé d'être ainsi défié, le priman'ak tira son glaive et se plaça devant le magicien, de sorte que leurs visages pouvaient presque se toucher. Il était impossible de distinguer la couleur bleue qu'avaient récemment adoptée les yeux d'Ithan'ak, car ceux-ci étaient rouges comme la braise. Vonth'ak, refusant de se laisser impressionner, avait rassemblé l'énergie nécessaire pour riposter rapidement si la situation s'envenimait. La tension entre les deux warraks était telle que Fork et Skeip n'osaient pas intervenir.

Les deux antagonistes se dévisagèrent un long moment, entêtés à ne pas céder à la joute silencieuse qu'ils se livraient. Sans détourner le regard, Ithan'ak prit le premier la parole.

— Il y a trop longtemps que je tolère ton impertinence, dit-il en fronçant les sourcils. Le moment est peut-être venu de déterminer si Nicadème avait vu juste en prédisant que tu trahirais un ami.

— Tu parles de trahison, railla Vonth'ak, mais es-tu certain de bien connaître la signification de ce mot ? N'oublie pas que je n'ai jamais accepté de faire partie de ton clan. Contrairement aux kourofs et aux autres warraks, je ne dois allégeance à personne. Refuser d'obéir à tes ordres ne représente donc pas une trahison.

— Aurais-tu l'obligeance de me dire ce que tu considères comme une trahison ? ragea Ithan'ak.

— Pour que tu puisses me considérer comme un traître, répliqua le magicien, il faudrait que je tente de faire échouer ce que tu essaies d'accomplir, ce qui n'est absolument pas mon but. Au contraire, j'aspire moi aussi à éliminer Xioltys et à rayer les ombres meurtrières du continent d'Anosios.

La rage de Vonth'ak était sans aucun doute aussi grande que celle du priman'ak, mais il arrivait beaucoup mieux à la maîtriser. C'était probablement la seule raison pour laquelle les deux warraks ne s'étaient encore jamais affrontés.

— Tu prétends ne pas vouloir me nuire, raisonna Ithan'ak. Si c'est la vérité, pourquoi ne veux-tu pas que nous allions à la forêt de Grownox ?

Le magicien fit un sourire malicieux, comme s'il se délectait de la réponse qu'il s'apprêtait à donner.

— Nous rendre une fois de plus chez Nicadème serait une perte de temps, expliqua-t-il, car nous n'avons rien à y faire.

Cette déclaration n'apaisa aucunement Ithan'ak, qui était malgré tout intrigué et disposé à écouter la réflexion du magicien.

— Depuis que Skeip est de retour parmi nous, dit Vonth'ak, j'ai plusieurs fois repensé à notre rencontre avec Nicadème, ce qui m'a amené à mieux comprendre le vieil ermite. À présent, je ne crois pas qu'il souhaitait réellement qu'Ithan'ak arrive à déchiffrer le livre qu'il avait en sa possession.

— C'est absurde, l'interrompit le priman'ak. Nicadème nous a envoyés jusque dans les entrailles de Nürma afin de récupérer

Skeip. Son objectif était certainement que le keenox, grâce à son don inné pour les langues, traduise pour lui le vieux bouquin.

— C'est aussi ce que je croyais, répliqua Vonth'ak, mais je me souviens que même le titre du livre était dans une langue inconnue. Il est donc probable que le vieux magicien en ignorait le contenu. Selon moi, Nicadème voulait seulement savoir si le pouvoir qui t'avait été offert par le dieu de la guerre était suffisamment puissant pour déchiffrer un ouvrage protégé de façon surnaturelle. D'autre part, nous savons qu'à Ymirion, dans les appartements de Xioltys, il existe des livres possédant cette même protection. Je suis d'avis que c'est à ces écrits que Nicadème s'intéressait.

— Je ne comprends pas, commenta Fork. Pourquoi le vieil homme ne nous aurait-il pas expliqué tout cela ?

— Parce qu'il croyait que nous ne trouverions jamais les souterrains d'Asilbruck, répondit Ithan'ak. Nous voulions un espoir, il s'est donc appliqué à répondre à notre souhait, bien qu'il fût convaincu que nous courrions à notre perte.

Ce qu'avançait Vonth'ak avait un certain sens, mais il était difficile d'analyser la pensée de Nicadème, qui s'était depuis longtemps détaché du monde dans lequel il vivait.

— Lorsque j'ai convaincu Nicadème que nous avions capturé Xioltys, déclara Ryan'ak, il a immédiatement accepté d'utiliser sa magie pour me transporter jusqu'à vous. Je crois me souvenir qu'il m'ait confié que les secrets que recelaient les livres d'Ymirion resteraient enfouis à jamais. J'ignore pourquoi cela ne m'est pas revenu plus tôt en mémoire ; probablement parce que j'étais alors obsédé par la vengeance et que je n'avais rien à faire des préoccupations d'un vieil ermite.

— Es-tu certain que ce sont mot pour mot les paroles de Nicadème ? demanda sérieusement Ithan'ak. Notre temps est très précieux et je dois être sûr que je conduis Skeip au bon endroit.

Ryan'ak donna une réponse positive à la question du priman'ak, en ajoutant qu'il connaissait bien les enjeux et qu'il ne se risquerait pas à fournir des informations inexactes. Malgré tout, Ithan'ak hésitait encore entre deux choix qui présentaient chacun des lacunes. Amener Skeip jusqu'à Nicadème semblait la chose logique à faire, car le vieux magicien était le mieux placé pour tirer parti des capacités du keenox. D'un autre côté, il était vrai que l'ermite était plutôt excentrique et qu'il ne donnait que de demi-vérités. Il était donc fort possible que le seul moyen de détruire les ombres meurtrières se trouve à Ymirion.

— Puisque Skeip est la clé de cette énigme, suggéra Fork, ce devrait être à lui de choisir notre destination.

— Tout à fait, approuva le keenox. Je crois même que je devrais devenir votre chef. Vos muscles, jumelés à mon puissant intellect, seraient une combinaison redoutable.

— J'ai souvent fait appel à ta grande sagesse, dit Ithan'ak à l'intention du bosotoss, mais je dois cette fois-ci mettre de côté ta proposition. Je ne suis pas descendu récupérer ce rongeur jusque dans les entrailles de Nürma pour ensuite le laisser prendre au hasard une décision qui pourrait nous coûter cher si elle n'était pas la bonne. Mon instinct me dit que notre temps est compté et que nous n'avons pas le luxe de faire une erreur sur notre destination. Une seule route nous sera profitable et c'est à moi de découvrir laquelle.

Chapitre 17

Dans un village côtier, tout près du marécage d'où étaient sortis les cinq voyageurs, Ryan'ak avait récupéré une grande voiture tirée par des chevaux, qui servait au transport des voyageurs. Cette initiative avait été très appréciée d'Ithan'ak, qui était désormais beaucoup moins rigide à l'égard du jeune warrak. D'une certaine façon, Ryan'ak avait prouvé qu'il était animé par les valeurs que devait posséder un véritable guerrier, ce qu'avait toujours attendu de lui le priman'ak. Seul un mystère persistait concernant le jeune warrak : pourquoi Asilbruck n'avait-il pas pris sa vie, alors que c'était ce qui avait été convenu ? À plusieurs reprises depuis qu'ils avaient quitté Ostencil, les aventuriers avaient tenté d'élucider cette énigme ; même Skeip avait sa propre hypothèse. Quant à lui, Ryan'ak était tout simplement reconnaissant au dieu des âmes de lui avoir laissé la vie, d'autant plus qu'il avait retrouvé la dignité qu'il croyait avoir perdue à jamais.

Grâce au moyen de transport confortable et rapide dont ils disposaient, le priman'ak estimait pouvoir atteindre sa destination en moins d'une semaine. Il hésitait toujours entre les deux options qui s'offraient à lui, mais il ne pouvait repousser son choix indéfiniment. En effet, selon Fork, la route sur laquelle ils avançaient se séparerait bientôt en deux, d'un côté pour aller vers le sud et de l'autre, vers le nord.

— Demain, avait dit le bosotoss, il faudra prendre une décision.

Ce soir-là, conscient qu'Ithan'ak nageait dans le brouillard, Fork s'était approché de lui, alors qu'il faisait boire les chevaux. Comme un père, le colosse avait mis une main sur l'épaule du warrak, en lui signifiant qu'il ne doutait aucunement de sa capacité à faire le bon choix. Le priman'ak n'était pas d'une nature très sentimentale, mais son vieil ami savait intervenir lorsqu'il en avait le plus besoin.

— Cette nuit, avait dit le warrak, je dormirai en paix. Demain matin, je suis certain que le sommeil m'aura porté conseil.

Contrairement à ce qu'il croyait, Ithan'ak n'eut pas à attendre le lendemain pour obtenir l'illumination qu'il espérait. Au plus profond de son sommeil, il fut troublé par un bruit de plus en plus irritant, au point où il se réveilla en maugréant des paroles incompréhensibles.

— D'où provient ce raffut ? demanda Vonth'ak, qui s'était réveillé en même temps.

— Est-ce que ce sont les ombres ? s'inquiéta Skeip, qui avait aussi les yeux grands ouverts. Ne croyez pas que je suis effrayé, mais je ne suis pas totalement rassuré.

En vérité, le keenox était terrorisé. Son récent flirt avec la mort lui avait démontré qu'il n'était pas invincible, ce qui le rendait beaucoup moins insouciant. Ithan'ak était certain que ce nouveau trait de personnalité n'était que passager, quoi qu'il appréciât ne pas avoir à veiller constamment sur le rongeur afin qu'il ne commette aucune bêtise.

Le chahut avait fini par réveiller Fork et Ryan'ak, qui n'étaient pas encore très alertes.

— Les ombres meurtrières ne font jamais de bruit, bâilla le bosotoss, qui voulait rassurer Skeip. On dirait qu'il s'agit d'une armée en mouvement.

— C'est aussi ce que je crois, approuva Ithan'ak.

Le priman'ak demanda à Fork et à Ryan'ak de veiller sur Skeip, pendant qu'il allait vérifier de quoi il retournait. Bien que le jeune warrak eût regagné la confiance de son chef, ce dernier n'était pas encore disposé à lui laisser seul la garde du keenox, tâche à laquelle Ryan'ak avait déjà lamentablement échoué.

— S'il ne s'agit pas des ombres meurtrières, s'enthousiasma Skeip, je ne vois aucune raison pour que je ne vienne pas avec vous. Je pourrais même vous être d'une aide précieuse.

— Nous n'avons pas encore la certitude que ce ne sont pas les spectres de la nuit, intervint Vonth'ak, qui voulait volontairement effrayer le rongeur.

Le stratagème fonctionna à merveille, ce qui permit à Ithan'ak et au magicien de s'éloigner sans se soucier de leur espiègle compagnon. Les deux warraks étaient en effet très préoccupés par la sécurité de Skeip, car le rongeur représentait le seul moyen d'accomplir leur objectif respectif. Certes, Ithan'ak avait développé une réelle amitié avec le keenox, mais il ne pouvait occulter le fait qu'il avait besoin de lui pour vaincre son ennemi. Quant à Vonth'ak, ses ambitions étaient davantage à long terme. Comme Ithan'ak, il souhaitait d'abord éliminer Xioltys et les spectres que celui-ci contrôlait, mais l'aide qu'il attendait de Skeip ne se bornait pas à cela. Avec l'appui du keenox, qui avait la capacité de lire et de parler n'importe quel langage, le magicien comptait enlever la poussière sur les anciens livres de magie. Toutefois, il ne comptait pas s'approprier ce savoir inestimable et le garder pour lui seul. La véritable motivation de Vonth'ak avait toujours été de transmettre ses connaissances et de former de nouveaux magiciens ; probablement pour se sentir moins seul et moins différent. Quoi qu'il en soit, le frêle warrak considérait davantage Skeip comme un outil qu'un ami. C'était d'ailleurs le cas pour tous ceux qui entouraient le magicien.

C'était sans doute le seul genre de relation que pouvait développer le warrak, qui avait grandi dans la solitude. Il lui arrivait parfois de mettre la magie de côté et de devenir un individu à part entière, mais ces moments ne duraient jamais très longtemps.

Guidés par les reflets d'une lune timide, les deux warraks se rapprochèrent de plus en plus du tumulte qui les avait tirés du sommeil. Une rangée d'arbres les empêchait de distinguer quoi que ce soit, ce qui les obligea à se rapprocher davantage en rampant à travers les hautes herbes. Lorsqu'ils furent suffisamment près, ils purent enfin mettre un visage sur le bruit des pas, des cliquetis d'armures et des voix qui les avaient réveillés. À quelques enjambées de l'endroit où les warraks étaient dissimulés, des hommes défilaient. En observant leurs armures, il était aisé de deviner qu'ils étaient des soldats de Kalamdir. Un peu plus loin suivaient des cavaliers de la plume argentée, ainsi que des Küraniens. Même des hylianns les accompagnaient et avaient revêtu leurs habits de guerre.

— Nous n'avons rien à craindre, dit Ithan'ak. Essayons de trouver qui est responsable de cette impressionnante procession.

Il leur fallut près d'une demi-heure pour atteindre Ackémios, qui précédait la longue file de soldats. L'hyliann d'or, habituellement imperturbable, paraissait quelque peu nerveux. Le manque de sommeil avait creusé des cernes sous ses yeux et sa voix était rauque, comme s'il avait attrapé un rhume. Malgré tout, il conservait sa prestance et l'autorité qu'il avait sur les différents groupes sous ses ordres.

Kamélia ne tarda pas à rejoindre l'endroit où s'entretenaient Ackémios et les deux warraks. L'ambassadrice de Lelmüd était plus que jamais impliquée dans les relations qu'entretenaient les différents peuples. Elle était d'une grande aide à l'hyliann d'or, qui ne pouvait être partout à la fois.

— Je dois avouer que nous n'espérions plus votre retour, dit Kamélia en serrant le priman'ak mal à l'aise dans ses bras.

Elle dévisagea un instant Ithan'ak, intriguée par ses yeux qui étaient devenus bleus.

— Je suis impatiente de connaître les détails de votre périple, dit-elle, consciente de son manque de politesse. Je crois que nous allons devoir cesser d'avancer un moment, le temps que vos guerriers nous rejoignent.

— Mes guerriers ? s'intrigua Ithan'ak. Je n'ai pourtant vu aucun warrak.

— Ils ont tenu à fermer la marche, expliqua Ackémios, au cas où nous serions de nouveau victimes des ombres meurtrières. Heureusement, le docteur Claymore nous accompagne et plusieurs vies ont pu être épargnées grâce à ses soins.

— Est-ce que Xioltys a repris le contrôle des spectres de la nuit ? s'inquiéta Vonth'ak. Si c'est bien le cas, Skeip n'est plus en sécurité.

Cette remarque étonna les deux hylianns, qui savaient pertinemment que le général Karst avait éliminé le keenox durant la bataille des ombres. Il devenait évident qu'une réunion s'imposait, afin que chacun puisse prendre connaissance des récents événements. Kamélia ordonna aux différentes troupes de faire halte pour le reste de la nuit, ce qui en étonna plus d'un. En effet, il était maintenant connu que les ombres meurtrières n'attaquaient que la nuit, raison pour laquelle les troupes étaient constamment en mouvement dès le coucher du soleil. Toutefois, le retour inespéré d'Ithan'ak valait la peine de prendre quelques risques, surtout que le priman'ak disait avoir fait une importante découverte.

En attendant que les nombreux clans warraks atteignent l'endroit où les hommes et les hylianns s'étaient arrêtés pour le reste de la nuit, Ithan'ak et Vonth'ak allèrent chercher Fork, Skeip et Ryan'ak. Lorsqu'ils furent de retour, quelques chefs de clan, dont Yrus'ak, s'entretenaient avec l'ambassadrice de Lelmüd.

— Je suis ravi de constater que vous êtes toujours en vie, lui dit Ithan'ak. On m'a dit que vous aviez subi une attaque des ombres.

— En effet, répondit le chef des sciaks, qui était manifestement enchanté de revoir le priman'ak. Nous avons perdu peu de guerriers, mais ces créatures s'en sont prises à nos femmes.

Yrus'ak baissa la tête, honteux d'avoir à faire une telle révélation à Ithan'ak. Ce dernier fut immédiatement inquiété par l'attitude de son ancien capitaine.

— J'espère que votre nouvelle compagne n'a rien, se tourmenta le priman'ak.

— Il est très aimable de votre part de vous soucier de mon bien-être, répondit Yrus'ak, qui ne connaissait rien du lien unissant Ithan'ak et sa douce moitié. Heureusement, Mikann'ak est saine et sauve. Je ne saurais malheureusement pas en dire autant de toutes les épouses. Plusieurs guerriers ont perdu celle avec qui ils partageaient leur vie.

Ithan'ak souligna que tous les peuples d'Anosios vivaient des temps difficiles et qu'il était important de ne pas se laisser décourager par les multiples pertes injustes dont chacun était témoin.

Avant d'assister à la réunion organisée par Kamélia, le priman'ak voulut se rendre auprès de son propre clan, qu'il estimait avoir beaucoup négligé. C'est à ce moment qu'Yrus'ak lui annonça la mort du capitaine Horl'ak, survenue en pleine nuit, sans blessure apparente. Sans plus attendre, Ithan'ak se rendit auprès des kourofs, afin d'en apprendre davantage au sujet de cette mort suspecte. Il demanda à Ryan'ak de l'accompagner et le jeune warrak accepta à contrecœur. En effet, ce dernier redoutait le moment de retrouver le clan auquel il appartenait, car tous les kourofs connaissaient son passé peu reluisant.

Lorsqu'Ithan'ak retrouva enfin son clan, tous ses guerriers se levèrent pour le saluer, sans se soucier du jeune warrak qui suivait leur chef. Même s'ils ignoraient ce qu'avait fait le priman'ak durant les derniers mois, ils n'avaient aucun doute que cela était d'une importance capitale. En conséquence, ils ne lui en voulaient pas d'avoir délaissé si longtemps son commandement.

Le capitaine Drel'ak, qui avait pris la relève du malheureux Horl'ak, s'empressa de venir saluer son chef. Ce brave guerrier, qu'Ithan'ak avait nommé capitaine peu avant le départ de la pointe d'Antos, s'était retrouvé du jour au lendemain à la tête d'un clan, tâche qu'il avait remplie de son mieux. Toutefois, son manque d'expérience flagrant avait fait de lui une cible facile pour les plus féroces kourofs, qui avaient l'habitude d'être dirigés d'une main de fer. Ithan'ak n'eut aucune difficulté à remarquer le manque de discipline qui caractérisait désormais son clan.

— Je constate que vous n'avez pas su faire régner l'ordre depuis que vous avez pris le commandement, dit-il en jetant un regard sévère sur le capitaine. Faire de son mieux n'est parfois pas suffisant. À partir de maintenant, j'attends de vous que vous releviez le niveau de discipline dans mon clan. Est-ce trop vous demander ?

Drel'ak répondit qu'il ferait tout ce qui était nécessaire pour assurer une conduite exemplaire de la part des kourofs, ce qui satisfit Ithan'ak. Une fois ce point réglé, le priman'ak demanda à son nouveau bras droit de lui décrire avec précision la façon dont était mort le capitaine Horl'ak. Ce dernier, durant l'une des courtes périodes de repos qu'il s'accordait, avait eu un sommeil agité. D'après le guerrier assoupi près de lui, il avait parlé en dormant, marmonnant à propos du devoir et de la mort. Le pauvre warrak ne s'était jamais réveillé, ce qui était très étrange, car il n'avait aucune blessure ou maladie apparentes.

— A-t-il mentionné autre chose durant son sommeil? demanda Ithan'ak, fort intéressé par ce que lui racontait Drel'ak.

— On m'a dit qu'il avait parlé de son âme, répondit le capitaine d'un ton hésitant. Il s'agissait peut-être d'une sorte de délire fiévreux. Il n'y a aucun moyen d'être certain de ce qui lui est arrivé.

Le priman'ak n'en était pas convaincu. Au contraire, il croyait comprendre exactement la façon dont Horl'ak était mort. Tout prenait enfin place dans sa tête et il n'y avait qu'une explication logique. En se remémorant le cheminement de Ryan'ak, depuis son entraînement jusqu'à son expulsion du clan, Ithan'ak se souvint qu'Horl'ak était plus d'une fois intervenu en faveur du jeune prétentieux. Le priman'ak avait cru que le capitaine voyait tout simplement un grand avenir pour l'habile jeune warrak, mais il ne s'agissait pas que de cela.

Plus tard, lorsque Ryan'ak avait offert sa vie en échange de celle de Skeip, le dieu des âmes avait d'abord hésité, en mentionnant que le warrak était encore très jeune pour renoncer à la vie. Asilbruck avait ensuite quitté son enveloppe charnelle, pour une raison qu'Ithan'ak venait tout juste de comprendre. Il lui paraissait maintenant évident qu'Horl'ak était le père de Ryan'ak. D'une façon ou d'une autre, le capitaine avait réussi à connaître l'identité de son fils et n'avait pu s'empêcher d'être protecteur envers lui.

« Asilbruck s'est infiltré dans le sommeil du capitaine Horl'ak pour lui demander s'il était prêt à se sacrifier à la place de son fils », comprit Ithan'ak.

Il venait de résoudre l'énigme qui entourait la survie de Ryan'ak, qui était directement liée au mystère de la mort du capitaine Horl'ak.

— Ne mentionnez plus jamais quoi que ce soit concernant la mort d'Horl'ak, ordonna sévèrement Ithan'ak à son nouveau bras droit. Je tiens à éviter qu'un certain kourof puisse tirer la même conclusion que moi concernant le départ précipité de ce brave guerrier.

Drel'ak confirma qu'il garderait le silence, sans poser de questions. Il n'avait pas encore l'habitude de côtoyer de si près son chef et il lui faudrait du temps avant de se familiariser avec son comportement irrégulier. Le capitaine savait cependant qu'il était imprudent de discuter les ordres d'Ithan'ak et encore plus de les enfreindre.

Ithan'ak ordonna ensuite à tous les kourofs de se réunir, afin qu'il puisse s'adresser à eux. Encore une fois, les yeux bleus du priman'ak furent la source d'une grande agitation, qui fut difficile à contenir. Les kourofs étaient habitués aux excentricités de leur chef, mais ce nouveau changement d'ordre physique était très frappant. Jusque-là, ils avaient accepté les fréquentations surprenantes de leur chef, les entorses qu'il faisait aux coutumes de leur peuple, ses absences fréquentes et même son utilisation de la magie. Plusieurs se demandaient où s'arrêteraient toutes ces extravagances.

Malheureusement, le temps manquait au priman'ak pour relater les détails de son récent périple, car il devait se rendre à la réunion qu'organisait au moment même Kamélia. Il dut néanmoins raconter les grandes lignes de ce qui lui était arrivé, plus particulièrement celles concernant la nouvelle couleur de ses yeux. Lorsqu'il décrivit son combat contre l'hyperius, les kourofs furent si fiers de leur chef qu'ils ne se soucièrent plus de son regard bleu. Au contraire, il voyait maintenant cette caractéristique comme une preuve de la bravoure et de l'adresse au combat d'Ithan'ak. Il était étonnant de constater à quel point les warraks pouvaient changer rapidement d'idée, à condition qu'il soit question de faits d'armes exceptionnels, ce dont leur chef ne manquait pas.

Lorsque le priman'ak demanda à Ryan'ak de le rejoindre pour annoncer que le jeune warrak qu'il avait lui-même condamné à l'exil était de retour parmi les kourofs, de nombreuses protestations montèrent dans l'assistance.

— Il ne mérite pas notre pardon, avait immédiatement grogné un guerrier, encouragé par plusieurs de ses compatriotes.

Les kourofs n'étaient pas prêts à pardonner au jeune warrak, même si leur chef paraissait disposé à le faire. Ithan'ak n'avait jamais rencontré une telle opposition à son autorité, ce qui l'obligea à faire preuve de sévérité. En un instant, son regard bleu s'enflamma et il tira son glaive. D'un pas résolu, il avança vers le kourof qui avait le premier exprimé son désaccord. Celui-ci comprit que sa situation était précaire et s'empressa de soulever son arme, qu'il tenait déjà à la main. Les kourofs qui l'entouraient eurent à peine le temps de s'écarter que leur chef dirigeât sa lame contre le warrak à la source de la révolte à laquelle il entendait mettre fin par la force de son bras. Il échangea quelques coups avec son adversaire, qui arriva à parer chacune des attaques qui lui étaient portées. Résolu à en terminer rapidement, le priman'ak recula d'un pas et donna un coup de pied au visage de son rival, qui tomba à la renverse, échappant son arme. Sans attendre, il balaya l'air de sa lame, qui traversa la cuirasse du warrak désarmé et traça une ligne de sang sur sa poitrine, sans pour autant lui causer une blessure sérieuse.

— Cette cicatrice te rappellera ce qu'il en coûte de défier l'autorité de ton chef, déclara à haute voix Ithan'ak.

Il y avait longtemps que le chef des kourofs n'avait pas fait preuve d'autant de fermeté. Cette rigueur démontrait aux membres du clan qu'Ithan'ak ne s'était pas adouci et qu'il était toujours le puissant guerrier qu'ils avaient l'habitude de suivre. Le priman'ak expliqua tout de même qu'il avait été témoin d'un acte de sacrifice et de bravoure qui permettait au jeune warrak de prétendre être un descendant du légendaire Akum. Cette fois-ci, nul ne s'opposa au retour de celui qui portait désormais le nom de Ryan'ak.

Une fois ce problème réglé, Ithan'ak se rendit à la réunion organisée par l'ambassadrice de Lelmüd. L'hyliann avait tenu à garder la chose privée et avait restreint l'assemblée aux principaux dirigeants. Parmi eux se trouvait Ackémios, qui était à la tête des différentes forces armées. Il y avait aussi un général kalamdien, ainsi qu'un cavalier de la plume argentée. Ce dernier expliqua au priman'ak que Toran avait été blessé et qu'il le remplaçait en son absence. À sa gauche se tenait un Küranien dont le grade était incertain. Le dernier membre du petit groupe qu'avait réuni Kamélia n'était nul autre qu'Yrus'ak, qui s'était lui-même proposé, car il souhaitait faire au priman'ak un rapport clair et détaillé des activités warraks. Au curieux groupe formé par l'ambassadrice s'ajoutaient Skeip, Fork et Vonth'ak, qui accompagnaient Ithan'ak. Celui-ci faisait de son mieux pour demeurer concentré, mais il sentait son estomac se contracter chaque fois qu'il portait le regard sur son ancien capitaine. Heureusement, Yrus'ak ignorait tout de l'amour que le priman'ak éprouvait pour Mikann'ak.

— Je suis impatiente de savoir comment vous avez pu ramener Skeip à la vie, commença Kamélia, ainsi que de connaître le mystère de votre nouveau regard. J'aimerais d'ailleurs vous dire que le bleu vous sied à ravir.

L'attitude désinvolte de l'hyliann agaça Ithan'ak, dont le souvenir cruel de Mikann'ak avait mis en de mauvaises dispositions.

— Je vous expliquerai tout en temps voulu, dit-il abruptement. Dites-moi plutôt pourquoi Simcha n'est pas avec nous.

La question frappa de plein fouet l'ambassadrice. Elle ouvrit la bouche pour répondre, mais les mots restèrent coincés dans sa gorge. Ithan'ak, sans le savoir, avait abordé un sujet que Kamélia essayait désespérément d'oublier.

— Beaucoup de choses se sont passées depuis votre départ, intervint Ackémios en se rapprochant du feu pour se réchauffer les mains. Par-dessus tout, vous devez savoir que nous avons découvert l'origine des ombres meurtrières.

Cette révélation laissa pantois Ithan'ak, ainsi que le magicien, le keenox et le bosotoss qui l'accompagnaient. À présent qu'il avait toute l'attention, Ackémios décrivit méthodiquement comment il avait percé le secret des spectres de la nuit. Il fit d'abord allusion à la Guerre de l'Alliance, durant laquelle le roi Kalam et ses soldats s'étaient sacrifiés pour repousser l'envahisseur. L'hyliann d'or expliqua ensuite que cette intervention avait eu des répercussions inattendues de la part des magiciens qui avaient opéré le puissant enchantement. Plutôt que de rejoindre le monde immatériel, le roi Kalam et ses valeureux guerriers s'étaient peu à peu transformés en créatures dont l'extrême violence était alimentée par une jalousie à laquelle aucun d'eux ne pouvait se soustraire. En effet, alors que leur enveloppe charnelle devenait de moins en moins palpable, ils perdaient aussi le souvenir de leur vie passée et rageaient contre les êtres vivants, ce qu'ils avaient eux-mêmes été un jour.

— Les ombres meurtrières auraient donc environ deux mille ans, s'étonna Skeip, fasciné par ce que racontait l'hyliann d'or. À leur époque, il y avait sans aucun doute d'innombrables keenox sur le continent d'Anosios. Je me demande si je pourrais interroger l'un des spectres à ce sujet.

Ithan'ak donna un coup derrière la petite tête du rongeur, afin de lui signifier de cesser ses élucubrations.

— Si ces créatures proviennent d'un lointain passé, réfléchit tout haut Fork, comment se fait-il que nous n'ayons jamais eu connaissance de leur existence avant ces dernières années ?

Ackémios s'était lui aussi fait la même réflexion, mais il ne pouvait avancer aucune hypothèse rationnelle à ce sujet.

— Je me moque éperdument de ces détails, intervint le général kalamdien. Pour l'instant, ce qui m'importe est que le magicien blond s'est emparé d'Ymirion et que ses monstres de la nuit nous traquent sans relâche.

— Je reconnais en vous l'égocentrisme propre à votre peuple, répliqua le soldat küranien qui pointait du doigt le général. Les habitants d'Ymirion ont eu le temps de fuir la capitale avant l'arrivée de Xioltys, ce qui ne fut pas le cas à Estragot. Il n'y a pas si longtemps, c'est votre roi qui tirait les ficelles de ce perfide magicien. Sans cela, le roi Filistant et son fils ne seraient pas morts aujourd'hui.

— Cela ne prouve pas qu'ils sont morts, s'empressa d'ajouter Kamélia, d'un ton qui trahissait sa détresse.

Le Küranien avait pourtant remarquablement bien résumé les récents événements qui avaient mené Ackémios à prendre la tête des différents peuples. Ithan'ak avait maintenant un portrait global de la situation, qui ne lui plaisait guère.

— Nous savons que Xioltys et ses ombres ont pris d'assaut le palais du roi Filistant, précisa Ackémios, mais nous ignorons ce qu'il est advenu du monarque. C'est d'ailleurs pour le découvrir que Simcha nous a quittés. Malheureusement, nous n'avons reçu aucune nouvelle du prince de Küran depuis son départ.

Sans se soucier de l'intervention des hylianns, les deux hommes recommencèrent à se disputer puérilement, ce qui ne faisait qu'empirer l'humeur sombre de chacun. Agacé, Ithan'ak tira son glaive et le plaça sur la gorge du Kalamdien.

— Je n'ai pas l'habitude de me mêler des querelles qui ne concernent pas les warraks, dit-il calmement, mais je n'hésiterai pas à écarter quiconque nuira à notre objectif commun.

— Dans ce cas, demanda le cavalier de la plume argentée qui n'avait pas encore pris la parole, pourquoi ne pas nous révéler ce que vous avez fait durant les derniers mois ? J'aimerais aussi savoir comment vous êtes parvenu à ramener le keenox à la vie.

Ithan'ak accepta de baisser son arme, puis relata le périple qui l'avait conduit jusque dans les souterrains d'Asilbruck. Tout ce qu'il avait accompli depuis son départ avait pour seul et unique but de ramener Skeip à la vie, mais il ignorait encore ce qu'il devait faire du keenox.

— Je crois maintenant posséder la réponse à cette question, déclara Vonth'ak.

D'après le frêle warrak, le pouvoir mis en place pour transformer le roi Kalam et ses subalternes en soldats de pierre avait demandé une puissance et une maîtrise de la magie extraordinaire, ce qui ne pouvait être réalisé que par la coopération de nombreux magiciens expérimentés. À présent que Vonth'ak connaissait l'origine des ombres meurtrières, il savait qu'une seule chose pourrait les envoyer dans le monde immatériel, où leurs âmes auraient dû se rendre depuis fort longtemps : un dragon céleste.

— Xioltys a tenté de réaliser cet exploit à plusieurs reprises, s'inquiéta Ithan'ak. Même lorsque nous étions prisonniers dans les cachots d'Ymirion et qu'il utilisait Skeip pour traduire les anciens documents, il n'y est jamais parvenu.

Ce que disait le priman'ak était fondé, mais cette fois-ci Vonth'ak avait sur lui une longueur d'avance. Le magicien comprenait maintenant le raisonnement que s'était fait Nicadème quelques mois plus tôt. Bien qu'il n'eût rien dit, le vieil homme savait pertinemment que la seule chose qui pouvait détruire les spectres de la nuit était l'invocation d'un dragon céleste. Puisque les documents traitant de ce sujet étaient conservés à Ymirion dans une langue que lui-même ne pouvait traduire par la magie, il avait vérifié si le pouvoir d'Ithan'ak était différent, ce qui n'était malheureusement pas le cas. L'ultime solution était donc de trouver un individu apte à lire les langues anciennes sans avoir recours à la magie : un keenox. D'une façon ou d'une autre, le vieil homme avait déjà entendu parler des souterrains d'Asilbruck, souvenir qui remontait probablement à des décennies et auquel il ne croyait peut-être qu'à moitié. Quoi qu'il en soit, en ramenant Skeip à la vie, il était maintenant possible d'accéder au savoir qui permettait d'utiliser l'enchantement suprême. Xioltys avait déjà tenté de réaliser cet exploit, mais il ne possédait pas l'énergie nécessaire pour y parvenir, contrairement à Ithan'ak. En canalisant l'impressionnant pouvoir que recelait le bras droit du priman'ak, Vonth'ak était certain de réussir où le magicien blond avait échoué avant lui.

— Tout cela me semble très hypothétique, commenta Ackémios. Il y a beaucoup de place pour l'interprétation et nous ne pouvons nous risquer à laisser Skeip se faire capturer.

— L'hyliann d'or a raison, approuva Yrus'ak. La dernière fois que le rongeur a traduit des documents anciens au profit de

Xioltys, ce dernier s'est approprié le contrôle des ombres meurtrières.

Le général kalamdien et le soldat du royaume de Küran approuvaient la mise en garde du chef des sciaks, ainsi que le cavalier de la plume argentée. Même Fork éprouvait certaines réserves quant à la démarche que proposait Vonth'ak. Ce dernier, convaincu qu'Ithan'ak n'appuierait pas sa cause, se tourna vers l'ambassadrice de Lelmüd. Il était évident que celle-ci était troublée par la disparition de Simcha, car elle était beaucoup moins loquace qu'à l'habitude. Toutefois, cette tragédie personnelle l'avait rendue plus forte et disposée à faire les choix qui s'imposaient. Lorsque le magicien dirigea son regard vers elle, l'ambassadrice comprit qu'il attendait une intervention déterminante de sa part, comme elle était capable de le faire.

— Une décision aussi importante ne nous appartient pas, déclara l'ambassadrice, dont les fins traits étaient éclairés par la lueur du feu.

Elle regarda brièvement Ithan'ak, puis s'agenouilla à la hauteur de Skeip. Plutôt que d'essayer de convaincre le keenox de participer à la dangereuse mission que proposait Vonth'ak, elle le mit en garde contre les risques que cela impliquait.

— Xioltys s'est emparé d'Ymirion, souligna-t-elle, ce qui a suffi à faire fuir tous les habitants de la cité, ainsi que les soldats chargés de la protéger. Même les warraks, qui ne reculent devant rien, ont cru bon de mettre une grande distance entre eux et la capitale de Kalamdir. Il serait tout à fait normal qu'un keenox, fut-il aussi vaillant que le Pourfendeur de dragons, refuse de marcher vers le magicien blond et les spectres qui sont de nouveau sous son emprise.

La manège simpliste de l'hyliann avait suffi à attiser l'ego du rongeur, qui voyait déjà son nom synonyme de héros. Sans même hésiter un instant, Skeip déclara qu'il mettrait son don inné des langues au service de tous les habitants d'Anosios. La poitrine gonflée, il se plaça à la gauche de Vonth'ak, fier de représenter le dernier espoir du continent.

— Vous êtes très maligne, dit Ithan'ak en arquant un sourcil. À vos yeux, est-il à ce point évident que si un simple keenox accepte d'affronter sans peur le danger je ne peux faire autrement que de l'imiter ?

— Je commence à bien vous connaître, s'amusa l'ambassadrice, qui affichait un regard malicieux.

Puisqu'il n'y avait aucune autre alternative, le priman'ak dut appuyer le plan insensé de Vonth'ak. Comme on pouvait s'y attendre, Fork insista pour apporter sa contribution, qui serait certainement très utile.

— Je viens avec vous, déclara Yrus'ak, qui désirait faire sa part. Je suis d'ailleurs convaincu que tous les warraks tiendront à suivre au combat leur priman'ak.

— C'est hors de question, trancha immédiatement Ithan'ak. Si nous voulons réussir, Xioltys doit ignorer le plus longtemps possible notre arrivée. Une fois de plus, je vais devoir agir sans l'appui des guerriers que je suis chargé de diriger. Cela va à l'encontre de nos coutumes et je tiens à ce que vous ne suiviez pas mon exemple. En tant que chef des sciaks, votre devoir est de veiller sur votre clan, ce que je suis trop souvent incapable de faire.

— Vous êtes notre priman'ak, souligna Yrus'ak, car votre vision est plus large que celle d'un simple chef de clan. Les kourofs, ainsi que tous les warraks, sont conscients que vous ne pouvez vous restreindre à demeurer avec votre peuple ; le grand Kumlaïd attend de vous beaucoup plus. Un jour viendra où vous aurez le loisir de diriger vos guerriers, mais pour l'instant un devoir plus important vous appelle.

Les paroles du chef des sciaks rassurèrent Ithan'ak, qui sentait de plus en plus se creuser le gouffre qui le séparait de son peuple. Il remercia son ancien capitaine pour son soutien, puis échangea quelques politesses avec les trois hommes qui assistaient à la réunion. Le priman'ak avait recueilli toutes les informations dont il avait besoin et il souhaitait mettre fin à la réunion. La nuit était presque terminée et chacun était impatient de prendre un peu de repos. Toutefois, Ithan'ak demeura près du feu et fit subtilement signe à l'hyliann d'or de ne pas partir avec les autres. Lorsqu'ils furent seuls, le warrak s'excusa auprès d'Ackémios pour ce contretemps, car ce dernier était mort de fatigue et tenait à peine debout.

— Il y a un sujet délicat que je tenais à ne pas aborder en présence des hommes, dit Ithan'ak ; en particulier devant le général kalamdien.

— Vous souhaitez savoir si nous avons retrouvé la trace du général Karst, devina l'hyliann d'or.

L'homme au visage d'acier représentait en effet une source d'inquiétude pour le priman'ak. Le fugitif avait toujours joui d'une grande influence sur les troupes de Kalamdir, ce qui ne pouvait disparaître du jour au lendemain. Si jamais le général Karst arrivait à reprendre le contrôle de ses troupes, il serait difficile de gérer le conflit qui en découlerait. Tant que Xioltys était en vie, il était impératif que les différents peuples d'Anosios demeurent unis.

Une autre raison poussait Ithan'ak à s'informer à propos de l'homme au visage ravagé.

— J'ai pu ramener Skeip d'entre les morts, dit le priman'ak, mais Elwym nous a quittés à jamais. Je sais que les hylianns ne cultivent pas la vengeance, mais il en va autrement pour les warraks. Le moment venu, je terminerai ce que j'ai commencé à Chrysmale. Ce jour-là, le général Karst perdra davantage que son visage.

— Vos rêves de vengeance devront attendre, l'informa Ackémios. Vous n'êtes pas sans savoir que les bosotoss patrouillent au sud du continent, en bordure du désert. D'après leurs informations, un homme répondant à la description de notre ennemi a été aperçu il y a de cela environ trois mois. Il semblerait que le général Karst ait réussi à quitter le continent d'Anosios.

« J'ai du mal à imaginer la douleur qu'il doit ressentir, songea Ithan'ak, à présent qu'il ne reçoit plus les soins du docteur Claymore. Quoi qu'il en soit, ce n'est pas le genre d'homme à renoncer. Il souhaite ma mort autant que j'espère le voir goûter à ma lame. Même si cela doit prendre des années, notre affrontement est inévitable. D'ici là, je dois rester en vie, car je ne voudrais surtout pas le priver du duel qui le précipitera dans le seul endroit qui lui sied : le gouffre éternel. »

Chapitre 18

Plutôt que de rejoindre les warraks endormis, Ithan'ak se dirigea vers une petite rivière qu'il avait aperçue un peu plus tôt. Une foule d'informations se bousculaient dans sa tête et il ne pouvait s'empêcher d'échafauder différents plans qui lui permettraient d'atteindre secrètement Ymirion. Il espérait que sa promenade nocturne lui permettrait de laisser vagabonder son esprit à autre chose que la guerre.

Les étoiles brillaient de mille feux et la lune se reflétait sur l'eau qui suivait la dénivellation du terrain. Serein, le priman'ak contempla un instant les remous que provoquaient les rochers. Le son particulier qui en résultait lui rappelait le voyage qu'il avait fait à bord de *L'Ermite*, le navire dans lequel Simcha l'avait forcé à monter. Ce souvenir n'avait rien d'attrayant, car le priman'ak n'avait jamais autant souffert des effets néfastes que l'eau provoquait sur lui. Cela l'amena à prendre entre ses mains l'émyantine qu'il portait au cou. Jusqu'à récemment, cette pierre extrêmement rare l'avait prémuni de ce mal commun à tous les warraks. Malheureusement, à la suite du combat contre l'hyperius, l'émyantine semblait avoir perdu toutes ses propriétés magiques.

« À moins que son pouvoir soit maintenant en moi », pensa Ithan'ak, qui voyait son regard bleu se refléter dans l'eau.

Impatient de mettre sa théorie à l'épreuve, le priman'ak retira le pendentif, qu'il prit soin de déposer sur une large pierre plate.

Il mit un premier pied dans l'eau froide, ce qui le fit tressaillir. Jusque-là, tout allait bien, mais ce n'était pas suffisant pour conclure que son corps était libéré de son aversion pour l'eau. Lentement, il s'enfonça jusqu'à la taille, puis s'agenouilla de façon à ce que seule sa tête ne soit pas immergée ; toujours rien. Il sentait l'eau glisser le long de son corps, ce qui était pour lui une sensation qu'il n'aurait pas hésité à qualifier de plaisante. Toutefois, le courant fort lui donnait de la difficulté à maintenir son équilibre, ce qui lui rappela qu'il ne savait pas nager. Avec précaution, Ithan'ak regagna la rive, satisfait de cette expérience hors du commun.

Soudainement, le cœur du priman'ak se mit à battre comme s'il voulait s'extirper de sa poitrine, mais cela n'avait rien à voir avec la courte baignade. Paniqué, car il n'avait pas retrouvé son pendentif où il l'avait laissé, le warrak fouilla rapidement le sol de ses mains, sans découvrir autre chose que des pierres ordinaires et sans intérêt.

— Avez-vous perdu quelque chose ? demanda une voix qu'Ithan'ak connaissait bien.

Mikann'ak sortit de derrière un arbre, tenant l'émyantine dans sa main. Cela faisait des mois que le priman'ak n'avait pas vu la celfide, qui était encore plus ravissante que dans son souvenir. Sa silhouette, ses yeux, sa bouche ; tout était parfait. Malgré tout, Ithan'ak se contenta de jeter un rapide coup d'œil à la warrak, puis détourna le regard.

— Il est vrai que je suis maintenant l'épouse d'Yrus'ak, dit la celfide, mais mon cœur est vôtre à jamais. Je croyais qu'il en était de même pour vous, mais il semblerait que le simple fait de me voir est devenu trop pénible à vos yeux.

Mikann'ak ignorait tout de ce qui était arrivé à Ithan'ak durant les derniers mois, y compris sa bataille avec l'hyperius, à la suite de laquelle les yeux du warrak étaient devenus bleus. Ce changement était la véritable raison qui poussait le priman'ak à détourner le regard, car il craignait par-dessus tout la réaction de celle qu'il ne pouvait s'empêcher d'aimer. Il savait pourtant qu'il ne pourrait lui cacher ce détail indéfiniment.

— J'ai patienté durant des heures, continua Mikann'ak, en attendant le moment propice de vous approcher. Je vous observais de loin, jusqu'à ce que vous veniez à cette rivière. Je me suis empressée de vous rejoindre, mais vous aviez disparu. C'est alors que je vous ai vu, immergé jusqu'au cou. J'ai d'abord cru que l'émyantine que je vous ai offerte vous protégeait de la douleur que tous les warraks ressentent au contact de l'eau, mais je me suis rapidement aperçu qu'il n'en était rien, car le pendentif reposait sur une pierre, comme un objet de peu de valeur. J'espérais ne jamais le voir quitter votre cou. Étrangement, il semblerait qu'il se soit terni, comme les sentiments que vous éprouviez autrefois pour moi.

Mikann'ak se trompait du début à la fin. Ithan'ak faillit ne pas réfuter les mauvaises interprétations de la celfide, ce qui aurait mis un terme à leur amour interdit, mais il ne put s'y résoudre. Lentement, il leva son regard bleu vers la sciak, qui mit une main devant sa bouche pour retenir un petit cri d'étonnement.

— Vos yeux... dit-elle sans terminer sa phrase.

Le priman'ak avança vers elle, sans rompre leur contact visuel. Lorsqu'il fut assez près, il récupéra l'émyantine des mains de Mikann'ak et la remit autour de son cou.

— Le présent que vous m'avez offert ne m'a jamais quitté, dit Ithan'ak, et il ne le fera jamais, car il fait maintenant partie de moi.

Comme la celfide ne comprenait manifestement pas, le warrak lui expliqua brièvement de quelle façon il avait combattu une créature qu'il disait s'appeler un hyperius. Alors qu'il était en proie à une attaque d'une puissance magique extraordinaire, l'émyantine lui avait sauvé la vie en canalisant l'énergie de l'ennemi. Par la suite, le priman'ak s'était aperçu que les pouvoirs de la pierre étaient maintenant en lui, ce qui se traduisait par la nouvelle couleur de ses yeux.

— Vous ne faites jamais rien comme les autres warraks, le taquina la sciak, quelque peu rassurée. J'espérais que ce pendentif vous porte chance comme il l'a fait pour moi. Il semblerait qu'il ait rempli sa tâche au-delà de mes espérances. J'ignorais que cette pierre possédait de tels pouvoirs.

— D'après ce qu'on m'a dit, expliqua Ithan'ak, les émyantines réagissent différemment sur chaque être vivant.

Il regarda la pierre qui pendait sur sa poitrine, aussi terne que le plus insignifiant des cailloux. Il s'excusa sincèrement auprès de Mikann'ak pour avoir abîmé son présent.

— Je désirais que vous portiez cette pierre, lui rappela-t-elle, en signe de votre amour pour moi. À présent qu'elle vous a transmis son pouvoir, je sais que jamais vous ne m'oublierez. Je n'aurai qu'à regarder vos magnifiques yeux bleus pour savoir que vous éprouvez toujours des sentiments pour moi.

Ithan'ak, enivré par les paroles de la celfide, lui jura qu'il continuerait de porter le pendentif qu'elle lui avait confié. Cela ne fit que transporter davantage Mikann'ak, dont les lèvres s'approchaient dangereusement de celles du priman'ak.

— Vous aimer est un crime, dit-il, envers nos coutumes et envers un ami. Je ne peux aller plus loin, sous peine de souiller mon honneur encore plus que je ne l'ai déjà fait, ainsi que le vôtre.

— Je respecte et partage vos principes, répliqua Mikann'ak, car j'appartiens moi aussi au peuple des warraks. Pourtant, malgré tous mes efforts, je n'arrive pas à faire abstraction des sentiments qui me lient à vous.

La celfide paraissait sincèrement bousculée entre la culpabilité et le désir. Durant des mois, elle avait tenté d'oublier Ithan'ak et de devenir une parfaite compagne pour Yrus'ak, mais le retour de son amoureux avait balayé tous ses efforts d'un seul coup. Elle n'avait pu résister au désir de le revoir, ne serait-ce que pour qu'il la rejette une fois pour toutes.

— Je n'ai pas votre volonté, sanglota-t-elle en collant son visage sur la poitrine du priman'ak. Je ne peux vivre sans vous ; je ne veux pas vivre loin de vous.

Ithan'ak voulut la calmer, mais la vérité était qu'il était aussi désemparé que la pauvre sciak, qui essayait avec tant de mal de renoncer au warrak qu'elle aimerait à jamais. En dépit de toute sa détermination, le priman'ak ne pouvait demeurer insensible au supplice de la celfide, d'autant plus qu'il partageait sa douleur. Comme une abeille qui butine le nectar d'une fleur, il approcha ses lèvres de celles de la warrak et vint y cueillir la douce saveur qui n'avait jamais quitté ses pensées. Les deux amants savaient que ce qu'ils faisaient était mal, mais cela n'avait plus aucune importance. Ils ne demandaient que ce dernier moment d'intimité, qui serait à jamais gravé dans leur mémoire.

— Sans son honneur, un warrak n'est rien, chuchota Ithan'ak, mais c'était déjà trop tard.

Cette fois-ci, les tourtereaux allaient transgresser toutes les règles. L'honneur, les coutumes et les mœurs, tout cela n'avait plus d'importance. Au bord de la rivière, à l'abri des hauts feuillages dans lesquels ils s'étaient allongés, les deux warraks s'étreignirent charnellement. En communion l'un avec l'autre, ils savourèrent pleinement ce moment intime qui serait probablement le seul auquel ils puissent jamais aspirer. Les conséquences de leurs actes, s'ils étaient découverts, seraient monumentales, mais ils préféraient ne pas y penser. Au contraire, ils s'abandonnèrent à l'acte charnel qui les unissait.

Lorsque l'aurore illumina l'horizon, les deux amants durent se quitter pour rejoindre leur clan respectif dans la plus grande discrétion. Conscients du risque qu'ils venaient de prendre et du déshonneur qui l'accompagnait, ils firent le serment de ne plus jamais céder aux sentiments qu'ils éprouvaient l'un pour l'autre. Le souvenir de cette dernière étreinte garderait à jamais la flamme de leur amour, mais cela ne serait plus que cela : un souvenir.

Ithan'ak n'avait pratiquement pas fermé l'œil de la nuit, mais il se sentait malgré tout en pleine forme. Il était bien sûr en proie à quelques scrupules au sujet de sa conduite, ce qui ne pouvait pourtant pas ternir le moment intense qu'il venait de vivre. Toutefois, il était maintenant temps de passer aux choses sérieuses. Dans environ une heure, le priman'ak comptait partir en direction d'Ymirion, accompagné de Skeip, de Fork et de Vonth'ak. Dès son réveil, l'ambassadrice de Lelmüd avait longuement insisté pour venir avec eux, mais Ithan'ak s'était montré stoïque. Il savait que Kamélia espérait toujours retrouver Simcha en vie, espoir que le warrak ne pouvait encourager. Il fit tout de même la promesse de tout faire pour retrouver le prince de Küran, mort ou vif. La relation entre Ithan'ak et Simcha avait toujours été très complexe, ce qui n'empêchait pas le warrak de regretter la perte du pirate. Toutefois, les warraks n'avaient pas l'habitude d'afficher ouvertement ce genre d'émotions.

Suivant les ordres qu'il avait reçus, le capitaine Drel'ak avait demandé à tous les chefs de clan de se réunir, afin que le priman'ak puisse s'adresser à eux. Une fois de plus, Ithan'ak leur fit savoir qu'il ne pouvait demeurer avec eux et leur donna les détails de son plan. Plusieurs chefs protestèrent, en clamant qu'ils seraient honorés d'accompagner le priman'ak dans l'entreprise suicidaire d'où il avait peu de chance de revenir. Ithan'ak dut leur expliquer que sa stratégie reposait sur la discrétion et qu'il ne pouvait prendre le risque d'emmener ne serait-ce qu'une poignée de guerriers avec lui. Les chefs de clan ne voulaient toujours rien entendre. Yrus'ak, qui connaissait les méthodes de son ancien chef, décida d'intervenir avant qu'Ithan'ak fasse preuve d'une sévérité exemplaire.

— Qui sommes-nous pour discuter les décisions du priman'ak ? demanda le chef des sciaks. Il a obtenu le droit de commander par la force, comme le veut la coutume. Contrairement à vous tous, j'ai longuement servi sous ses ordres et je peux vous affirmer qu'aucun warrak ne connaît notre ennemi mieux que lui. Si notre rôle est de faire diversion, je l'accomplirai avec honneur.

L'intervention d'Yrus'ak avait suffi à éveiller la fierté des différents chefs, en leur suggérant que la meilleure façon d'appuyer le priman'ak était de poursuivre leur route loin de la capitale de Kalamdir. Ainsi, Xioltys continuerait d'envoyer sur eux ses spectres de la nuit et Ithan'ak aurait une chance de se faufiler jusqu'à Ymirion. Lorsque le priman'ak voulut remercier Yrus'ak pour son appui, il se sentit extrêmement inconfortable vis-à-vis de son ancien capitaine. Alors que celui-ci était d'une loyauté exemplaire, Ithan'ak l'avait trahi d'une façon atroce, en partageant son intimité avec Mikann'ak. Pour cette raison, il détourna rapidement le regard, comme s'il craignait qu'Yrus'ak puisse lire la tromperie sur son visage.

Le priman'ak tenta de retrouver sa contenance et termina son discours auprès des chefs de clan. Il leur expliqua que, si sa mission échouait, ils auraient enfin droit de foncer tête baissée vers Ymirion et de tout faire pour éliminer le magicien blond.

— J'espère que vous ne devrez pas avoir recours à cette solution draconienne, ajouta Ithan'ak, car notre peuple a suffisamment perdu de guerriers depuis notre départ de la pointe d'Antos. Quoi qu'il arrive, n'oubliez jamais notre prière de guerre, qui vous guidera dans les moments les plus sombres.

Une fois son discours terminé, Ithan'ak quitta les chefs de clan pour rejoindre Skeip, Fork et Vonth'ak à l'endroit où il leur avait donné rendez-vous. En chemin, il croisa plusieurs warraks qui ne manquèrent pas de saluer leur priman'ak, dont ils admiraient la force, l'ingéniosité et la détermination. Au moment où il s'y attendait le moins, Ithan'ak croisa le regard de Mikann'ak, qui passait dans la foule. Surpris, il s'arrêta brusquement, mais elle l'ignora délibérément, car elle était accompagnée d'Yrus'ak. Ce dernier salua une dernière fois le priman'ak, qui répondit par un faible signe de la main. Troublé par cette rencontre, Ithan'ak marcha d'un pas résolu jusqu'à la voiture de transport à laquelle Fork venait d'atteler les chevaux.

— Tout est prêt pour notre départ, dit le bosotoss, qui n'eut pour réponse qu'un grognement de la part de son ami.

Skeip et Vonth'ak étaient déjà assis dans la voiture et le keenox gesticulait en expliquant qu'il n'était pas revenu d'entre les morts pour passer tout son temps à enseigner les langues anciennes au magicien. Il était évident que Vonth'ak se retenait pour ne pas lancer un sort au rongeur, ou tout simplement l'étrangler de ses mains. Plutôt que de laisser libre cours à sa colère, comme l'aurait probablement fait Ithan'ak, le magicien s'affairait à expliquer les raisons pour lesquelles il était primordial pour lui de comprendre et même de parler les langages que seul Skeip pouvait lui enseigner. La dispute entre le warrak et le keenox s'intensifiait lorsqu'Ithan'ak fit irruption dans la petite cabine.

— J'espère que je n'aurai pas à endurer vos querelles durant tout le voyage, pesta-t-il en se laissant tomber sur l'un des deux bancs, à côté du rongeur.

La rude intervention du priman'ak suffit à faire taire les deux antagonistes. Lorsqu'Ithan'ak était de mauvaise humeur, quelle qu'en soit la raison, mieux valait ne pas l'importuner. Toutefois, Skeip n'était pas d'une nature silencieuse et il ne lui fallut qu'une minute ou deux avant de recommencer son babillage. Irrité, Ithan'ak poussa un long soupir et sortit de la cabine pour aller rejoindre Fork. Le bosotoss, trop grand pour prendre place dans la voiture avec ses acolytes, venait tout juste de s'asseoir à l'avant, d'où il pouvait diriger les chevaux.

— On dirait que je vais avoir un compagnon de voyage, se réjouit-il en voyant apparaître Ithan'ak. J'en suis ravi, car même avec ce moyen de transport la route est longue jusqu'à Ymirion.

— Tant mieux, dit le priman'ak. Cela nous donnera le temps de penser à la façon dont nous allons nous y prendre pour tromper la vigilance de Xioltys. Durant la journée, il ne peut faire appel aux ombres meurtrières, mais nous serions mal avisés de sous-estimer le magicien blond.

Fork approuva le commentaire du warrak, puis s'empara des sangles pour ordonner aux chevaux d'avancer. Ceux-ci obtempérèrent et les épaisses roues en bois de la voiture commencèrent à tourner. À partir de ce moment, Ithan'ak ne cessa de réfléchir à un moyen d'entrer subrepticement dans Ymirion et à l'inévitable combat que ses compagnons et lui-même devraient livrer au magicien blond. S'ils en sortaient victorieux, ce qui était loin d'être certain, ils pourraient ensuite tenter d'invoquer un dragon céleste et envoyer les spectres de la nuit dans l'antre d'Asilbruck, où ils auraient dû se rendre deux mille ans plus tôt.

Ithan'ak était conscient que ce qu'il espérait réussir était une utopie, mais il n'avait aucune autre solution. Il était maintenant prêt à tenter le tout pour le tout afin d'en finir avec Xioltys et les ombres meurtrières. Sous le regard de Kumlaïd, il vaincrait ou périrait en essayant ; il n'y avait aucune autre issue possible.

CHAPITRE 19

À l'est de la muraille d'Ymirion poussait en abondance une plante incolore qui avait la propriété d'absorber la lumière du soleil comme aucun autre organisme végétal ne pouvait le faire. Ses longues tiges translucides, lorsqu'elles étaient exposées assez longtemps à l'astre du jour, devenaient si brillantes qu'elles paraissaient faites de métal.

L'abunda, le nom donné à cette plante, était un dérivé de l'ancien langage kandail et signifiait *joyaux des dieux*. Malgré le nom flatteur qu'on leur avait attribué, les abundas n'avaient aucune propriété marchande, nutritive ou curative, hormis pour un certain mammifère, qui les dévorait comme des friandises lorsqu'il avait la chance d'en trouver. C'est d'ailleurs ce qui avait amené un duo de bünchas à approcher l'infranchissable enceinte de la capitale de Kalamdir. Ces animaux, un peu plus petits qu'un cheval et dont la tête était presque aussi recourbée qu'un cercle, n'avaient pas l'habitude d'approcher des villages et encore moins des villes, car ils représentaient une proie de choix pour les chasseurs. En effet, une fois apprêtée, leur viande était un véritable délice, très convoitée, et on pouvait en obtenir un bon prix. Même après la désertion d'Ymirion, il avait fallu plusieurs jours aux deux bêtes pour quitter le couvert de la forêt afin de se repaître des abundas tant convoitées par leur espèce.

Alors qu'elle mâchait lentement son festin, la femelle entendit un bruit et se figea, ce qui alerta son compagnon. À nouveau, le bruit caractéristique d'une branche qui craque sous un pied retentit dans la forêt. Même si les arbres étaient considérablement éloignés, il n'en fallait pas plus aux deux bünchas pour déguerpir à une vitesse qui était de loin supérieure à celle que pouvaient atteindre les chevaux.

Ce qui avait fait fuir les deux magnifiques bêtes n'était nul autre que Fork, qui était beaucoup moins agile en forêt que ses acolytes. Le colosse, habitué à évoluer dans le désert, n'avait pas l'habitude de retenir son pas lourd, qui était amorti par le sable.

— J'espère que tu seras moins bruyant lorsque nous serons dans la capitale, le sermonna Ithan'ak. D'ailleurs, je me demande si nous ne devrions pas attendre demain avant de nous y aventurer. La nuit tombera bientôt et il est possible que Xioltys ait conservé un certain nombre d'ombres meurtrières auprès de lui.

— Tu as probablement raison, approuva Vonth'ak. Le magicien blond est suffisamment intelligent pour savoir que quelqu'un viendra le défier. Il serait en effet plus sage d'attendre le matin, afin de disposer de tout le temps nécessaire pour nous rendre jusqu'au palais. Même durant la journée, nous devrons certainement affronter les mesures de protection mises en place par notre ennemi.

— Heureusement que le Pourfendeur de dragons est avec nous, rigola Fork, qui désirait détendre l'atmosphère.

— Je crois que tu peux maintenant me poser, répliqua solennellement le keenox, qui était juché sur les épaules du colosse. Je devrai bientôt soustraire au danger le continent d'Anosios, ce pour quoi je dois d'abord prendre un peu de repos. Je me demande qui s'occupera de transmettre notre histoire aux générations futures. Peut-être fera-t-on quatre statues en notre honneur. Il faudrait qu'on exagère respectueusement ma taille.

Je ne crois pas qu'il y ait une grande malhonnêteté à changer ce petit détail.

Plus que jamais, Ithan'ak était hérissé par le jacassement incessant du keenox. Il en venait presque même à se demander comment il avait pu regretter la mort de l'insouciant personnage qui l'empêchait constamment de réfléchir. Cependant, il devait admettre que Skeip avait plus d'une fois prouvé sa valeur, ce qui lui avait valu une place de choix dans l'entourage du priman'ak. S'il survivait à ce qui les attendait le lendemain, Ithan'ak honorerait la promesse qu'il avait faite au rongeur et partirait avec lui à la recherche d'autres keenox.

Exténués par le long trajet qu'ils avaient parcouru depuis la cité souterraine des svilts, les quatre compagnons mangèrent rapidement et s'endormirent dès qu'ils s'allongèrent. À l'abri des regards, tapis dans la forêt, même les ombres meurtrières ne viendraient pas troubler leur sommeil, sinon dans leurs rêves.

* * *

De toutes parts, on pouvait entendre des hurlements de peur et de douleur. L'odeur du sang frais se répandait dans l'air, alors que le nombre de cadavres ne cessait d'augmenter. La mort n'épargnait personne sur son passage. Hommes, warraks, hylianns, y compris les femmes et les enfants. Les spectres de la nuit tuaient sans distinction. La panique générale avait gagné les différents peuples, qui ne possédaient pas les moyens de repousser la vague meurtrière qui déferlait sur eux. Ce qu'il subissait n'avait rien d'une simple attaque, comme celle à laquelle il avait récemment fait face. Cela avait davantage l'allure d'une boucherie, d'une extermination.

Entassés dans l'enceinte invisible du Diphamtriorphe, les femmes et les enfants regardaient mourir l'un après l'autre les braves qui tentaient de les défendre. Malheureusement, ce cercle de protection était limité et une infime minorité pouvait y avoir recours. Parmi les warraks, seuls les enfants en bas âge y avaient été envoyés. Tous ceux aptes à combattre, incluant les femmes, luttaient pour leur survie. C'était en effet une question de vie ou de mort. Si rien ne changeait, le nombre de survivants se limiterait bientôt aux privilégiés qui étaient à l'abri du Diphamtriorphe.

Comme mesure de protection, la plupart des warraks s'étaient adossés à l'un de leur semblable et agitaient continuellement leur arme, dans le but de repousser un ennemi qu'ils ne pouvaient pas voir. Les Kalamdiens et les hylianns avaient adopté une technique similaire, en formant des cercles de cinq ou six soldats. Malgré toute leur détermination, leurs rangs ne cessaient de diminuer.

Au bout d'un moment, un certain nombre de combattants avaient remarqué que le Diphamtriorphe ne représentait pas seulement un atout défensif. En effet, lorsqu'une ombre meurtrière s'approchait trop près du monument, elle devenait aussi perceptible que n'importe quel être vivant. La meilleure description qu'on pouvait en faire était celle d'un homme qui n'aurait jamais cessé de vieillir, sans pour autant avoir été complètement dévasté par le temps. Leur peau était terne, creusée par de longues rides qui déformaient leur visage. Leurs mains paraissaient faibles et semblaient sur le point de se briser sous le poids des épées qu'elles portaient. Les soldats du lointain roi Kalam n'étaient plus qu'un pâle reflet de ce qu'ils avaient un jour été.

La vision de ces créatures était à la fois terrifiante et rassurante, car malgré leur laideur elles devenaient réelles. Les combattants voyaient enfin le visage de leurs ennemis, ce qui leur redonnait du courage. Avec vigueur, ils pourfendaient de leur lame les spectres de la nuit, qui se volatilisaient sous leurs yeux. Toutefois, ces créatures décharnées, qui avaient déjà connu la mort, ne pouvaient être détruites par le seul contact du métal tranchant. Les coups qui se seraient avérés mortels aux êtres vivants n'étaient pour elles qu'un simple désagrément. Au bout de quelques minutes, elles reprenaient forme près de l'endroit où on les avait pulvérisées et continuaient à répandre le sang de ceux qui tentaient de les repousser.

Affublée d'un glaive trop grand et trop lourd pour sa taille, qu'elle avait probablement pris à un guerrier mort au combat, Mikann'ak faisait de son mieux pour protéger un groupe d'enfants qui n'avaient pu se mettre à l'abri dans le périmètre sécuritaire qu'offrait le Diphamtriorphe. Avec courage, la celfide avait terrassé l'une des créatures de la nuit. Partout, elle voyait des guerriers agonisants, certains réclamant leur arme qu'ils ne pouvaient atteindre. Dominé par des créatures invincibles, le champ de bataille était devenu un lieu de désespoir, dont les horreurs de la guerre atteignaient un niveau indescriptible.

— Restez derrière moi, dit Mikann'ak, qui désirait barrer le passage à un spectre qui avançait vers elle et les enfants.

Vaillamment, elle agita sa lame devant le soldat qui avait vécu près de deux mille ans auparavant. Ce dernier n'affichait aucune expression particulière, comme si toute émotion avait depuis longtemps quitté son âme. D'un geste rapide, il leva son épée et la dirigea de façon à frapper sa proie en plein cœur, mais celle-ci réussit à bloquer le coup mortel. Mikann'ak sentit son glaive vibrer entre ses mains, alors que son ennemi s'apprêtait à frapper de nouveau. Cette fois-ci, elle n'eut pas le temps d'éviter le coup, qui lui fit pousser un cri de douleur étouffé.

* * *

Ithan'ak rugit à pleins poumons, ce qui le tira du sommeil, ainsi que ses compagnons. Des gouttes de sueur perlaient sur sa fourrure grise et il tremblait de tout son corps. Consternés, Fork,

Skeip et Vonth'ak observèrent le priman'ak, qui fixait droit devant lui, comme s'il repassait une à une les images qui s'étaient introduites dans son sommeil.

— Ils sont attaqués, dit-il en continuant de fixer le vide.

— Je crois que tu as fait un mauvais rêve, lui dit Fork d'un ton paternel. Je suggère que nous tentions de nous rendormir. Demain, nous aurons besoin de toutes nos forces.

— Ce n'était pas un rêve ordinaire, objectiva Ithan'ak, qui regardait maintenant le bosotoss.

Dans la pénombre, les yeux bleus du warrak étaient perçants et d'une grande intensité. Cela reflétait de façon excellente son esprit vif et combattif. Agité, il se tourna vers Vonth'ak et lui demanda s'il était responsable de cette vision.

— Je ne t'ai rien fait prendre qui aurait pu agir sur ton sommeil, dit le magicien. À quoi as-tu rêvé exactement ?

— À un massacre, répondit Ithan'ak. Tous les nôtres, ainsi que les hommes et les hylianns, étaient attaqués par les ombres meurtrières, près du Diphamtriorphe. Chacun luttait pour sa propre survie, mais il n'y avait rien à faire. La mort était partout et rien ne pouvait l'arrêter.

— Réfléchis bien à la question suivante, l'avertit Vonth'ak. Dans ton rêve, pouvais-tu percevoir les odeurs ?

— Seulement le parfum caractéristique du sang, répondit le priman'ak.

— Dans ce cas, détermina le magicien, tu as véritablement eu une vision, car les simples rêves n'ont pas d'odeur. Puisque je ne t'ai donné aucune potion, et que d'après ce que je connais de toi tu n'es pas doté du don de clairvoyance, il est logique de penser que tu as vu une scène du présent.

— Tu veux dire que ce qu'a vu Ithan'ak se déroule actuellement ? demanda Skeip, soudainement plus alerte.

Le keenox ne s'était pas complètement réveillé lorsqu'il avait entendu le cri du priman'ak. D'une oreille distraite, il avait écouté les échanges autour de lui, agacé par tout ce tumulte provoqué par un simple cauchemar.

— Skeip, dit le priman'ak, nous allons devoir devancer notre entrée dans Ymirion. Sans ton aide, il nous sera impossible d'invoquer un dragon céleste et tous ceux qui ont cru en nous mourront. Est-ce que je peux compter sur toi pour ne pas nous perdre de vue et rester à l'écart de Xioltys ?

Le warrak parlait au rongeur comme à un enfant de qui on attend qu'il agisse en adulte. Il voulait être certain que le keenox comprenait bien toutes les implications que représenteraient ses gestes.

— J'ai déjà connu la mort, déclara Skeip d'un ton plus sérieux que jamais. À vos côtés, je n'ai pas peur d'affronter le magicien blond et ses ombres. Cependant, j'ai omis de demander au dieu des âmes si j'étais réellement le dernier des keenox. Par conséquent, je ne peux risquer de quitter ce monde sans avoir assuré la survie de ma race. Je ferai tout ce qui est nécessaire pour que tu n'aies pas à venir me chercher de nouveau jusque dans les souterrains d'Asilbruck.

Ithan'ak fut très satisfait de la réponse du keenox. Fork était lui aussi content du rongeur et lui tapota l'épaule un peu trop durement au goût de Skeip. De son côté, Vonth'ak ne paraissait pas aussi enthousiasmé que ses compagnons.

— Pénétrer de nuit dans Ymirion n'est pas très avisé, commenta le magicien. Nous serons à la merci des ombres meurtrières. C'est d'ailleurs pour cette raison que nous devions attendre le lever du jour. Si nous mourons, cela ne viendra pas en aide à tous ceux qui comptent sur nous. Je crois que nous devrions attendre l'aurore.

— Si nous ne réagissons pas immédiatement, rugit Ithan'ak, ils seront tous morts bien avant le lever du soleil. J'ignore si c'est la peur ou l'égoïsme qui dicte tes paroles, mais elles sont intolérables. Nous devons mettre un terme aux activités de Xioltys et nous devons le faire maintenant, même si je dois t'y forcer.

— Ce ne sera pas nécessaire, répliqua Vonth'ak, qui s'attendait à une réaction de ce genre de la part du priman'ak. Je tenais simplement à évoquer le fait que nos chances de succès sont très réduites en opérant de nuit. À présent que mon avertissement est donné, nous pouvons y aller.

Le comportement du magicien, peu commun pour un warrak, avait toujours déconcerté Ithan'ak. La façon de penser de Vonth'ak ne s'appuyait sur aucun principe guerrier relié à la bravoure et à l'honneur. Même s'il avait développé certaines amitiés qui l'avaient mené à évoluer, le magicien avait toujours comme seul et unique but d'augmenter sa connaissance de la magie, afin de pouvoir redonner à celle-ci la place qu'elle avait perdue depuis des siècles. C'était probablement la seule façon pour Vonth'ak d'enfin trouver sa place dans le monde.

Il fallut un moment aux quatre compagnons pour atteindre la grande porte d'Ymirion. Ils furent étonnés de constater que celle-ci était ouverte et sans protection. De l'endroit où ils étaient, on pouvait voir la plus longue rue de la cité, bordée de commerces abandonnés. La capitale de Kalamdir, la plus grande ville du continent, était complètement déserte. Cela avait quelque chose de peu rassurant, comme si un piège invisible guettait les intrus qui osaient y pénétrer. Hormis l'abandon, il n'y avait aucun indice laissant croire qu'un magicien et ses créatures de la nuit s'étaient emparés de la cité.

— Xioltys aurait-il déjà quitté la ville ? s'interrogea Fork. S'il y était toujours, il me semble qu'il aurait probablement bloqué l'accès en refermant la grande porte.

— Je ne suis pas d'accord, le contredit Vonth'ak. Je crois qu'il souhaite notre venue, ou celle de quiconque oserait vouloir le défier. Il est certainement avide de démontrer l'étendue de son pouvoir ; il a besoin de prouver qu'il ne craint rien ni personne. Le rejet et l'incompréhension mènent souvent à ce besoin de dominer et de soumettre les autres par la force.

Le warrak semblait savoir exactement de quoi il parlait, comme s'il avait lui-même vécu ce qu'il décrivait. Pour la première fois, Ithan'ak eut l'impression de vraiment connaître et de comprendre le magicien. Dans le passé, Vonth'ak avait sans doute lui aussi connu une période d'aigreur et d'agressivité, dont il s'était sorti en se fixant l'ambitieux projet de redonner ses lettres de noblesse à la magie.

Pour atteindre le château, il suffisait de suivre la rue principale, qui menait directement à une seconde fortification. En temps normal, Ithan'ak aurait fait preuve de prudence en empruntant les rues secondaires, dans le but de masquer sa présence. Malencontreusement, il ne pouvait s'offrir le luxe de prendre de telles précautions. À chaque instant, les ombres meurtrières faisaient de nouvelles victimes parmi les clans warraks et leurs alliés. Le priman'ak avait donc décidé de miser sur la rapidité d'exécution plutôt que sur la discrétion.

Ymirion était une ville démesurément grande et il leur fallut un bon moment pour se rendre jusqu'en son centre, même en effectuant une ligne droite. Éclairés par la lune, les bâtiments et les monuments avaient un aspect blanchâtre, ce qui n'était pas sans rappeler la cité d'Ostencil.

À l'exception de la vermine qui rampait ici et là dans les rues, la capitale de Kalamdir paraissait figée dans le temps. Les habitants s'étaient enfuis avec tant de hâte qu'ils avaient laissé sur place leurs différentes besognes. Sur des cordes, suspendues entre deux maisons, des vêtements flottaient dans le faible vent qui circulait comme un voleur. Sur le trottoir, des enfants avaient laissé les personnages en bois avec lesquels ils jouaient. Une charrette avait été abandonnée dans une ruelle perpendiculaire à la grande rue, dans laquelle différentes variétés de fruits pourrissaient.

— Cet endroit donne la chair de poule, commenta Fork, qui jetait des regards dans tous les sens. À chaque intersection, j'ai l'impression que les spectres de la nuit vont nous attaquer sans crier gare.

Le sentiment du bosotoss était partagé par Skeip, qui s'était placé entre Ithan'ak et le colosse. Derrière lui, Vonth'ak fermait la marche, prêt à réagir au moindre signe de danger.

Lorsqu'ils arrivèrent enfin à la seconde fortification qui avait pour but d'interdire l'accès au château, ils se heurtèrent à une grille dont le mécanisme ne pouvait être activé que de l'intérieur. Même Fork, avec sa force monumentale, ne pouvait soulever un poids aussi important. Ithan'ak demanda à Vonth'ak s'il pouvait utiliser sa magie pour détruire cet obstacle gênant. Le magicien affirma en être capable, mais refusa de le faire. Selon lui, la moindre intervention magique avertirait Xioltys de leur présence. Il valait donc mieux utiliser cette solution en dernier recours. De toute évidence, à partir de cet endroit, Xioltys tenait à conserver un minimum de protection et il valait mieux redoubler de prudence.

Pendant que ses compagnons discutaient du meilleur moyen pour passer de l'autre côté du mur, Skeip inspectait les environs de façon nonchalante. Il avait toujours conscience du danger, ce qui ne l'empêchait pas d'être curieux. Cette fois-ci, Ithan'ak ne pourrait lui reprocher son insouciance, car il fit une découverte fort utile. Content de lui, le keenox revint vers la grille en portant une échelle suffisamment longue pour passer par-dessus le mur.

— Où as-tu déniché cela ? demanda Ithan'ak, surpris par la trouvaille du keenox.

Skeip pointa une maison contre laquelle on avait appuyé une série d'échafaudages. L'habitation, qui subissait d'importantes réparations, n'était pas très éloignée, ce qui n'empêcha pas le priman'ak de lancer un regard réprobateur au rongeur. Pour sa défense, ce dernier lui tendit l'échelle que ses petites pattes avaient du mal à soulever. Le warrak admit que Skeip avait eu un coup de génie, puis lui intima l'ordre de ne plus s'éloigner. Le keenox accepta le compliment, qu'il jugeait amplement mérité.

Une fois le mur passé, il était aisé d'atteindre le long escalier qui menait à l'entrée du château. Encore une fois, l'absence d'opposition déconcerta les intrus, qui entrèrent dans le plus grand silence à l'intérieur du palais. Avec un peu de chance, ils espéraient trouver ce qu'ils cherchaient dans les appartements du magicien blond. Skeip se rappelait avoir lu à haute voix le volume traitant de l'invocation d'un dragon céleste et il était certain de pouvoir le retrouver rapidement, s'il y était. Toutefois, il ne se souvenait plus du chemin qui menait au sanctuaire de Xioltys. Ithan'ak, qui ne s'y était rendu qu'une seule fois, sous le couvert d'un enchantement d'invisibilité, eut beaucoup de difficulté à se rappeler le trajet. Il dut revenir plus d'une fois sur ses pas.

Alors qu'ils parcouraient les nombreux couloirs du palais royal, les quatre compagnons prenaient mille précautions pour dissimuler leur présence. Fork devait constamment prendre garde à retenir son pas lourd, ce qui lui donnait une allure plutôt maladroite. Encore une fois, il n'y avait aucune trace des ombres meurtrières ou du magicien blond. L'endroit était peut-être complètement désert, mais il valait mieux continuer d'être prudent. Ithan'ak se souvenait maintenant davantage de sa brève intrusion dans le palais et il avançait d'un pas plus assuré. En bas d'un petit escalier, il leva la main pour faire signe à ses camarades de faire halte. Il pointa du doigt une porte que Skeip reconnut immédiatement.

— C'est ici, chuchota Ithan'ak en tirant lentement son glaive.

Fork poussa le keenox derrière lui et resserra sa prise sur sa puissante massue. Quant à Vonth'ak, il hésitait à réunir l'énergie nécessaire pour lancer un sortilège, de peur que l'ennemi perçoive sa présence. Le priman'ak approcha de la porte, tout en réfléchissant à la meilleure façon de faire irruption de l'autre côté. Il y avait la méthode douce, qui consistait à tourner délicatement la poignée et à entrer subrepticement. Ce n'était pas celle qu'il préférait. Au contraire, il décida d'utiliser la méthode propre aux warraks. Avec force, il donna un coup de pied dans la porte et bondit à l'intérieur de la pièce qui s'offrait à lui. Il pivota à toute vitesse sur lui-même pour s'assurer qu'il n'y avait aucun danger, puis fonça vers une seconde pièce. Derrière lui, Vonth'ak examinait déjà les lieux, pendant que Fork poussait Skeip devant lui pour refermer la porte.

— Il y a ici un véritable trésor de connaissances, s'étonna le magicien. Je vais devoir revenir y jeter un coup d'œil quand tout sera terminé ; si nous sommes toujours en vie...

Ithan'ak avait fini d'inspecter les lieux et il était impatient de trouver le bouquin que Skeip était chargé de traduire. Il fallut un bon moment au keenox pour retrouver le volume, qui était dissimulé sous une pile de livres rédigés dans une écriture hors de portée de Xioltys.

— Es-tu bien certain que tu as le bon livre ? l'interrogea Vonth'ak, qui aurait donné n'importe quoi pour maîtriser les langues aussi aisément que le keenox.

Skeip tournait les pages rapidement, sans prendre le temps de lire ce qui y était écrit. Les titres des diverses rubriques ne l'intéressaient pas, car il recherchait une image qui avait marqué son esprit. Lorsqu'il arriva à la bonne page, il pointa le dragon qui y était dessiné.

— Voilà ! s'exclama-t-il. Je savais bien que j'arriverais à le retrouver. Vous êtes vraiment très chanceux d'avoir réussi à me ramener à la vie. Quoique j'avoue en être moi aussi très satisfait.

Vonth'ak n'était pas d'humeur à supporter les commentaires du keenox. Il empoigna ce dernier par la nuque et le tira jusqu'à une table de travail où il s'assit avec lui. Ithan'ak et Fork ne s'opposèrent pas à la rudesse du magicien, car ils considéraient eux aussi que la situation était précaire et qu'il valait mieux ne pas perdre de temps. Comme il l'avait fait pour Xioltys, Skeip lut tout ce qui se rapportait à l'invocation d'un dragon céleste. Le texte n'était pas excessivement long, mais il était considérablement ardu, même une fois traduit.

Dès que le rongeur eut terminé sa première lecture, Vonth'ak lui demanda de revenir sur quelques passages dont il n'était pas certain d'avoir saisi le sens. De plus, il y avait des phrases qu'il devait mémoriser et maîtriser parfaitement. Même en additionnant les pouvoirs d'Ithan'ak aux siens, il doutait maintenant de pouvoir réussir là où Xioltys avait lamentablement échoué à plusieurs reprises.

— Nous ne pouvons pas nous attarder ici toute la nuit, s'impatienta le priman'ak. Xioltys pourrait arriver d'un moment à l'autre et nous serions impuissants contre les spectres qu'il contrôle. À chaque minute que nous laissons filer, des dizaines et peut-être même des centaines de valeureux combattants périssent sous le regard du Diphamtriorphe.

Le warrak fut frappé par ses propres paroles, qui lui rappelaient le visage de Mikann'ak. Dans son rêve, la celfide avait adopté le regard caractéristique que les individus affichent avant de mourir. C'était plus que pouvait en supporter Ithan'ak. Il essaya de penser à autre chose, mais les images de son rêve refusaient de quitter son esprit. Autre que la sciak, un détail le tourmentait sans arrêt. D'après ce qu'il savait, le Diphamtriorphe était doté d'un puissant enchantement qui établissait un périmètre de sécurité à l'intérieur duquel il était impossible de combattre ou de verser le sang. Pour cette raison, les ombres meurtrières ne pouvaient y pénétrer. Mais Ithan'ak était perplexe

— Mais oui, le zimz ! s'écria-t-il, comme si la réponse l'avait frappé d'un seul coup.

Vonth'ak et Skeip levèrent un instant les yeux du bouquin qui occupait leur attention, alors que Fork s'approchait du priman'ak pour s'assurer qu'il allait bien.

— Je m'en souviens maintenant, continua le warrak. Le zimz reflète à la perfection la réalité et même les ombres meurtrières ne peuvent se soustraire aux effets de ce métal rare.

Vonth'ak était trop absorbé par l'enchantement qu'il tentait de comprendre pour prêter l'oreille aux paroles d'Ithan'ak. Irrité qu'on interrompe son exercice de mémorisation, il poussa un soupir et replongea son attention dans le bouquin. Comme il était avide d'en apprendre davantage sur la nouvelle forme de magie qu'il découvrait, l'aura argentée qui l'entourait devenait de plus en plus intense. Inconsciemment, le magicien réunissait une certaine quantité d'énergie. Il n'en fallait pas davantage pour attirer l'attention du nouveau maître des lieux.

La porte s'ouvrit et claqua violemment contre le mur. Aussitôt, Ithan'ak pivota sur lui-même en traçant un arc avec sa lame, qui fendit l'air sans rien toucher. Cependant, le warrak avait ressenti une infime vibration remonter jusque dans le pommeau de son glaive.

— Je crois que j'ai touché quelque chose, dit-il en fixant l'embrasure de la porte ; peut-être une ombre.

Quelques secondes s'écoulèrent, durant lesquelles il n'y eut aucune autre manifestation étrange ou menaçante. Le priman'ak était convaincu qu'il avait bel et bien touché un spectre de la nuit et, d'après ce qu'il avait vu dans son rêve, la sombre créature ne tarderait pas à revenir.

— Suivez-moi ! cria-t-il d'une façon si viscérale que ses compagnons obéirent sur-le-champ.

Le priman'ak fonça à toute vitesse dans les couloirs, comme si une armée complète était à ses trousses, ce qui d'une certaine façon était vrai. La salle du trône, dont le sol était entièrement recouvert de zimz, était le seul endroit d'où il pourrait rivaliser avec l'ennemi, qui cesserait d'être invisible. Ithan'ak sentait que les spectres de la nuit n'étaient pas loin. Il avait agrippé un poignet de Skeip et tirait le rongeur, qui ne touchait presque plus le sol. Heureusement, le couloir principal du château menait directement à la grande salle d'audience, qui n'était plus très loin.

Hors d'haleine, Ithan'ak et ses amis arrivèrent au centre de la salle du trône, où ils purent enfin s'arrêter de courir.

— Les voilà, dit le priman'ak, dont le regard n'avait plus rien de bleu.

CHAPITRE 20

De toutes parts, des ombres meurtrières apparaissaient et se plaçaient de façon à former un cercle autour de leurs proies. Comme s'était rappelé Ithan'ak, le sol en zimz révélait l'apparence des anciens héros, qui avaient un jour servi sous les ordres du légendaire roi Kalam. Leurs regards creux et vides n'avaient plus rien d'humain. Il était difficile de concevoir que ces créatures de la nuit avaient un jour été de valeureux combattants qui avaient donné leurs vies pour leur patrie. Maigres, ternes et sans émotion, ils n'inspiraient même plus la pitié, seulement le dégoût.

— Pensiez-vous réellement infiltrer ce château sans que je m'aperçoive de votre présence ? demanda Xioltys, qui sortait d'un passage situé derrière le trône. En temps normal, vous ne seriez jamais arrivés jusqu'ici, mais j'étais absorbé par mon travail.

Quelques minutes plus tôt, le magicien blond était complètement en transe, dirigeant le carnage qui avait lieu à plusieurs jours de marche d'Ymirion. Depuis sa guérison, ses pouvoirs avaient considérablement augmenté. En effet, il était désormais apte à commander les ombres meurtrières sans avoir à se déplacer. Il lui suffisait de se concentrer sur ce que voyaient les créatures sous ses ordres et d'influencer leurs actes. Tout cela était plus ou moins précis, mais il obtenait néanmoins des résultats plus que satisfaisants.

— Nous sommes venus mettre fin à ta soif de pouvoir, déclara Ithan'ak, qui refusait de s'avouer vaincu.

Malgré les spectres de la nuit qui resserraient leur étreinte, il se tenait dignement au centre de la salle, l'arme au poing.

— Je doute que vous soyez en position de me menacer, ricana Xioltys, qui s'assit sur le trône. Vos vies sont entre mes mains, tout comme celle du prince de Küran. Lui aussi croyait arriver à me vaincre ; quelle bêtise !

Fork fut le premier à apercevoir Simcha, fixé au mur comme un vulgaire tableau. Les bras du pirate étaient partiellement enfoncés dans la pierre. En vérité, le pauvre homme était carrément imbriqué dans le mur, duquel dépassaient ses membres et sa tête. Il était trop faible pour parler, mais il n'était pas inconscient. Même dans la pénombre, son visage reflétait la douleur et la malnutrition.

— Ne suis-je pas clément de lui avoir laissé la vie sauve ? demanda Xioltys, amusé par la réaction de ses adversaires. Si vous renoncez immédiatement à combattre, je serai assez magnanime pour vous laisser la vie sauve et rejoindre ce prince déchu.

— Je préférerais pourrir dans le gouffre éternel plutôt que de m'avouer vaincu, répliqua sèchement Ithan'ak. Je suis certain que c'était aussi le choix de Simcha. Combien de temps comptes-tu le maintenir en vie ?

— Aussi longtemps que possible, répondit Xioltys, car il peut encore m'être très utile. D'ailleurs, je ne vois pas pourquoi je devrais me justifier puisque vous serez bientôt morts.

Ce que venait de dire Xioltys avait retenu l'attention de Vonth'ak, qui réfléchissait à toute vitesse. Sans l'aide de Skeip ou d'un manuel, il croyait avoir compris une partie de l'information que détenait le magicien blond. Il ne pouvait en être certain, mais il devait tenter sa chance.

— Comment un homme peut-il avoir une âme si noire ? demanda-t-il tout en avançant vers Xioltys. Quel chemin si ardu peut mener à de si funestes ambitions, au point de désirer tout détruire autour de soi ?

Le warrak continuait d'avancer vers le trône, tout en accusant le jeune homme blond.

— Assez ! tonna Xioltys qui s'était levé. Je n'ai pas à entendre de telles remontrances. Tu ignores par où j'ai dû passer. La vie m'a fait des promesses qu'elle n'a pas su tenir. Durant des années, j'ai attendu patiemment l'opportunité de prendre ce qui me revenait. Bientôt, grâce à mes serviteurs de la nuit, j'aurai éliminé tous les individus en mesure de s'opposer à moi. Je réussirai là où Limius a échoué et j'étendrai mon autorité à tout le continent d'Anosios.

Vonth'ak fit quelques pas de plus, en répliquant qu'un seul homme, fut-il magicien, ne pouvait aspirer à un si grand dessein. Il était enfin à une distance raisonnable pour tenter de mettre en pratique sa théorie. En un éclair, il fit apparaître une flèche de feu entre ses mains, qui s'envola d'elle-même aussi vite qu'un véritable projectile. Le warrak, qui maîtrisait parfaitement l'élément de feu, avait agi suffisamment rapidement pour que Xioltys ne puisse pas contrecarrer le sortilège. Ce dernier eut le réflexe de lever un voile de protection devant lui, ce qui était parfaitement inutile. Il n'était pas la cible du sortilège lancé par Vonth'ak.

La flèche de feu fonçait directement vers le cœur de Simcha. Voilà la trahison à laquelle Nicadème avait fait allusion plusieurs mois plus tôt. Lorsque Xioltys avait déclaré qu'il souhaitait garder l'homme borgne en vie le plus longtemps possible,

Vonth'ak avait subitement compris de quoi il retournait, comme si son instinct de warrak s'était enfin manifesté en lui, après tant d'années de silence. Quoi qu'il en soit, il avait deviné la raison pour laquelle le roi Kalam et ses soldats s'étaient malgré eux transformés en créatures de la nuit.

La magie, dans sa grande complexité, pouvait souvent présenter certaines lacunes, même pour les plus grands maîtres. De toute évidence, une raison quelconque avait empêché les soldats de pierre de gagner le monde immatériel, ce que les magiciens de l'époque n'avaient pas prévu. En voyant Simcha prisonnier de Xioltys, qui ne faisait généralement pas de quartier, Vonth'ak s'était douté que le pirate devait cette clémence à un aspect purement pratique, probablement lié aux ombres meurtrières. En jumelant cette information à la prédiction de Nicadème, le warrak avait compris qu'il devait trahir Simcha pour réduire en poussière les spectres qui erraient depuis près de deux mille ans sur le continent. Il n'en était pas certain, mais son hypothèse était que le roi Kalam et ses soldats ne pourraient jamais accéder au monde immatériel tant que la lignée du monarque perdurerait. Skeip, lorsqu'il avait traduit pour Xioltys le sortilège permettant de contrôler les ombres, avait dû lire un passage à ce sujet. Par la suite, le magicien blond avait probablement épluché les manuscrits pour retrouver l'arbre généalogique du défunt souverain et avait découvert que les royaumes de Kalamdir et de Küran avaient fréquemment uni leur sang par le passé. Simcha était donc un descendant de Kalam et son existence empêchait les ombres meurtrières de rejoindre le monde immatériel.

La flèche, sans pitié, allait atteindre la poitrine de Simcha lorsqu'elle explosa dans les airs, comme si elle avait frappé un mur invisible. Vonth'ak, qui ne s'attendait pas à cela, tourna son regard vers Xioltys, qui lui souriait sadiquement.

— Bien essayé, dit-il avec condescendance. Heureusement que mon trophée de chasse est protégé par un puissant enchantement. Je suis véritablement surpris que tu aies compris ce que signifiait la vie de cet homme. As-tu eu recours aux services de traduction de notre sympathique keenox ?

— Il y a certaines choses qui n'ont pas besoin d'être expliquées pour être comprises, répliqua Vonth'ak. Il me suffisait de raisonner de la même façon que ton esprit tordu. Toutefois, une question demeure toujours sans réponse : n'était-il pas risqué d'éliminer le roi Limius, le dernier descendant direct du roi Kalam ?

Ithan'ak ne comprenait absolument rien à la discussion des deux magiciens, comme il n'arrivait pas à saisir la raison pour laquelle Vonth'ak avait tenté d'assassiner Simcha. Puisque son compagnon semblait savoir ce qu'il faisait, le priman'ak fit signe à Fork et à Skeip d'attendre de voir la suite des événements.

— J'étais depuis longtemps décidé à tuer cet idiot de Limius, avoua Xioltys d'un ton qui trahissait la rage qu'il entretenait pour le suzerain. Il était possible qu'en mourant il emporte avec lui les ombres meurtrières, mais c'était un risque que j'étais disposé à prendre. D'après mes recherches, le roi Filistant faisait lui aussi partie de la longue lignée de Kalam. Comme je l'espérais, tant que le souverain de Küran demeurerait en vie, les spectres de la nuit continueraient d'errer dans le monde matériel et seraient soumis à mes ordres. Voilà la raison pour laquelle j'ai filé jusqu'au château d'Estragot dès que j'ai récupéré mes pouvoirs. Je devais capturer et maintenir en vie le monarque de Küran, dont l'existence était étroitement liée aux ombres meurtrières. Le vieillard, au crépuscule de sa vie, n'en avait plus que pour quelques années, ce qui était fort contrariant. Quelle fut ma surprise lorsque Simcha vint à son secours et que je découvris que ce vulgaire pirate était en réalité l'héritier du trône de Küran ! Avec aisance, je fis de cet idiot mon esclave et me débarrassai de son père. Il me fallut plusieurs jours pour le couvrir d'un enchantement de protection assez coriace pour le mettre à l'abri d'une attaque comme cette flèche de feu qui l'aurait tué sur le coup. Tant que Simcha sera en vie, rien ne pourra m'empêcher de dominer le continent ; peut-être même davantage.

Tout était maintenant clair pour Ithan'ak. Vonth'ak avait tenté d'assassiner Simcha dans le but de mettre un terme au carnage des ombres. Pour le bien de tous, le magicien avait trahi un ami, comme l'avait prédit Nicadème, mais cela n'avait pas eu l'effet escompté. Le pirate était toujours en vie et Xioltys avait pleinement le contrôle de la situation.

Le cercle mortel que formaient les spectres de Xioltys se refermait peu à peu sur les opposants du magicien blond et il ne semblait y avoir aucun moyen de renverser la situation. Selon Ithan'ak, la priorité était de mettre Xioltys hors d'état de nuire.

— Occupe-toi de ce scélérat, dit-il à Vonth'ak. Nous allons retenir les ombres meurtrières aussi longtemps que possible.

Le priman'ak bondit vers l'avant et dirigea sa lame contre deux spectres, afin de créer un passage pour Vonth'ak. Ce dernier, qui réunissait déjà l'énergie nécessaire à un premier sortilège, fonça vers les marches qui menaient au trône royal.

Xioltys n'était pas effrayé par le warrak, mais il était conscient que la bataille n'était pas gagnée d'avance. Il jeta un rapide coup d'œil vers Ithan'ak et Fork, dont toute l'attention était portée sur les ombres meurtrières qui s'acharnaient sur eux. Il n'y avait rien à craindre de leur part. Quant à Skeip, il était recroquevillé entre les deux combattants, visiblement effrayés.

— Tes amis ne tiendront pas très longtemps contre mes spectres, dit le magicien blond. Lorsque l'un d'eux est détruit, il se rematérialise peu de temps après ; rien ne peut les anéantir. Même si tu arrivais à me vaincre, il te faudrait de nombreuses heures pour lever l'enchantement qui protège le prince de Küran, et les ombres meurtrières auraient raison de vous bien avant ce délai.

— La mort de Simcha n'est pas le seul moyen de détruire ces créatures, répliqua Vonth'ak, mais cela ne te concerne en rien. Bientôt, tu pourriras auprès du roi Limius dans le gouffre éternel.

Brusquement, le warrak leva une main vers le haut, de laquelle jaillit un corridor d'air rougeoyant qui frappa le plafond, juste au-dessus de son adversaire. Celui-ci, qui s'attendait à une attaque directe contre lui, n'avait pas prévu la manœuvre de Vonth'ak. Plusieurs pierres se décrochèrent du toit et tombèrent tout autour de lui. En aussi peu de temps, il était impossible pour Xioltys d'utiliser ses pouvoirs pour bloquer cette pluie mortelle qui s'abattait sur lui. Poussé par l'adrénaline, il roula sur le sol et évita de justesse une pierre qui lui aurait aisément broyé la tête ou la cage thoracique. Malgré tous ses efforts, le magicien blond ne possédait pas l'agilité nécessaire pour s'en sortir indemne. Alors que Xioltys venait à peine de se relever, un lourd bloc de pierre fracassa son épaule, l'entraînant de nouveau au sol. Il ne saignait pas, mais il ressentait une douleur effroyable. Incapable de contenir la souffrance qui martelait son épaule, il poussa un cri de rage qui n'avait rien d'humain.

La partie du plafond qui s'était effondré avait créé un voile de poussière qui empêchait Vonth'ak de voir ce qui était arrivé à son rival. Le warrak croyait l'avoir vu s'effondrer, mais il n'était certain de rien. Avec de la chance, Xioltys était mort, mais c'était peu probable. Au mieux, il était gravement blessé. La concentration de Vonth'ak était à son apogée, alors qu'il avançait prudemment vers les décombres. Il ne se risqua même pas à vérifier comment s'en sortaient ses compagnons face aux ombres meurtrières. Il entendait des lames s'entrechoquer, ce qui signifiait qu'ils étaient toujours en vie.

Xioltys avait réussi à dégager sa jambe prise sous un rocher. Elle n'était pas cassée, mais un filet de sang coulait d'une entaille à son mollet droit. Le magicien blond se sentait humilié d'avoir été si aisément blessé. Écumant de rage, il se releva et dégagea une énergie si intense qu'elle dissipa le voile de poussière.

Dès qu'il vit son adversaire se relever, Vonth'ak leva une main, dans laquelle apparut un grand cercle plat, dont le rebord était plus tranchant qu'une lame finement aiguisée. Des dents pointues se formèrent tout autour du cercle qui tournait de plus en plus rapidement. Au bout d'une ou deux secondes, lorsqu'il jugea être prêt, le warrak dirigea sa création en direction de Xioltys. Ce dernier, qui venait à peine de retrouver l'équilibre, dut se jeter une nouvelle fois au sol, évitant de justesse d'être scié en deux.

Comme il perdait peu à peu le contrôle de la situation, le magicien d'Ymirion décida d'utiliser le sortilège qu'il avait déjà tenté contre Vonth'ak. Sans même se relever, il joignit ses mains, puis sépara ses doigts, dégageant la nuée bleue mortelle pour les warraks. Avec précision, il dirigea le nuage diffus vers son adversaire, qui recula de quelques pas.

— Il n'est pas très avisé d'utiliser deux fois le même sort contre un magicien, dit le warrak.

Il prononça un sortilège dans une langue inconnue, qu'il avait répété au cas où Xioltys tenterait la même attaque que lors de leur affrontement précédent. Aussitôt, la nuée bleue dirigée par le magicien blond fut traversée par une longue langue de feu. L'eau contenue dans le sort de Xioltys se volatilisa avant même d'avoir incommodé Vonth'ak.

Xioltys, une fois de plus surpris par l'habile réaction du warrak, eut tout juste le temps de séparer les mains afin d'éviter d'être brûlé par la langue de feu qui remontait jusqu'à lui. Tout cela était très fâcheux et intensément offensant. Le moment était venu pour lui d'utiliser les grands moyens. Dans un cri de rage, il rassembla tout son pouvoir dans son poing droit, qu'il cogna à trois reprises contre le sol, parmi les débris. À chaque coup, une onde de choc s'en dégagea, obligeant Vonth'ak à mettre une main par terre pour ne pas tomber. Cela n'était qu'un simple effet secondaire de ce que le magicien blond s'apprêtait à réaliser. Même après que les trois ondes furent dissipées, le sol continua à trembler, comme durant un faible tremblement de terre. Une à une, les pierres qui entouraient Xioltys s'élevèrent dans les airs et commencèrent à tournoyer autour de lui. Le vortex s'intensifia rapidement, jusqu'à ce que les pierres en faisant partie adoptent une teinte verdâtre. De toute évidence, Xioltys avait l'intention d'utiliser un enchantement de protection à des fins offensives.

Vonth'ak n'avait jamais vu ce genre de magie auparavant, même lorsqu'il était l'apprenti d'Antos. Xioltys avait une grande capacité à innover et à manipuler la magie de façon à créer ses propres enchantements et sortilèges. Refusant de se laisser impressionner, le warrak se concentra et posa une main sur le sol. Une fine couche de glace apparut sur les pierres qu'il avait touchées, s'étendant en direction du magicien d'Ymirion. Vonth'ak espérait que la glace suffirait à déstabiliser le vortex de son rival.

Lorsque les deux forces magiques se rencontrèrent, l'homme et le warrak redoublèrent d'efforts pour supplanter l'autre. Le givre avait recouvert certains rochers à la base du vortex que Xioltys avait peine à maîtriser. Toutefois, puisqu'il s'agissait avant tout d'un enchantement de protection, la glace finit par se rompre et Vonth'ak ne put maintenir plus longtemps son sortilège. Alors que le warrak tentait de trouver un moyen de percer le tourbillon qui entourait Xioltys, ce dernier avança rapidement et coinça son adversaire dans un coin.

Le vortex approcha dangereusement de Vonth'ak, l'obligeant à couvrir ses yeux avec son bras. Une première pierre percuta son coude, à partir duquel une douleur aigüe remonta jusqu'à sa main. L'instant d'après, un second caillou, plus gros, le frappa violemment aux côtes. Le warrak n'était plus en mesure d'utiliser la magie pour se défendre et se contentait de se recroqueviller pour éviter d'être lapidé.

Couvert de plaies, Ithan'ak luttait sans relâche pour repousser les ombres meurtrières, qu'il lui était impossible de détruire. Chaque fois qu'il éliminait l'un des spectres, celui-ci se rematérialisait quelques minutes plus tard. Le warrak n'avait encore aucune blessure grave, mais il était certain que cela ne durerait pas. Heureusement, Fork était à ses côtés, agitant son énorme massue pour tenir l'ennemi à distance. Entre les deux guerriers, Skeip s'était octroyé la gestion des opérations et il était étonnamment efficace. Comme il ne combattait pas, le keenox avait tout le temps voulu pour observer le déplacement des ombres et en informer ses deux protecteurs. Lorsqu'il en avait le temps, il jetait un coup d'œil vers les deux magiciens qui s'affrontaient du haut des marches, à l'autre bout de la grande salle. Dès le début des hostilités, Vonth'ak avait pris l'avantage, allant jusqu'à plaquer Xioltys au sol à deux reprises. Malheureusement, le magicien blond ne s'était pas avoué vaincu et c'est maintenant Vonth'ak qui se trouvait en fâcheuse position.

— Vonth'ak a des ennuis, s'alarma le keenox impuissant. Nous devons lui venir en aide, sans quoi il sera réduit en miettes.

Ithan'ak avait bien entendu l'avertissement du rongeur, mais il était lui-même fort occupé. Toutefois, si Vonth'ak venait à mourir, il n'y aurait plus aucun moyen de détruire les ombres meurtrières ; sans compter que Xioltys serait toujours un obstacle. Fork, qui s'était fait la même réflexion, recommanda au priman'ak de venir en aide à Vonth'ak.

— C'est de la folie ! répliqua Ithan'ak. Tu n'arriveras jamais à tenir seul contre ces créatures.

— Si tu n'y vas pas maintenant, s'entêta le bosotoss, nous serons tous bientôt morts. Il faut détruire Xioltys pendant qu'il est encore temps. Je vais faire de mon mieux pour retenir les spectres.

Le priman'ak savait que son vieil ami avait raison. Il hésita encore un instant, puis donna quelques coups de glaive pour se frayer un passage à travers le cercle mortel qui ne tarderait pas à se refermer sur Fork. Au pas de course, il se dirigea vers les marches, qu'il gravit d'un bond, atterrissant près du vortex créé par le magicien blond. Ce dernier se délectait de voir Vonth'ak malmené par les nombreuses pierres qui molestaient sa chair et ses os. Toutefois, il ne manqua pas l'arrivée d'Ithan'ak, qui cherchait un moyen de pénétrer le tourbillon de pierres verdâtres qui entourait son ennemi.

— Tu ne peux rien contre moi, l'avertit Xioltys. Ma magie est beaucoup trop puissante pour un simple guerrier tel que toi. Je peux voir l'aura argentée qui entoure ton bras droit, mais je devine que tu n'as aucune idée de la façon de mettre à profit ton pouvoir.

Ithan'ak devait admettre que le magicien d'Ymirion avait raison. En prenant soin d'éviter les pierres qui volaient dans sa direction, le priman'ak observait attentivement l'enchantement qui le maintenait à distance. Conscient que Fork devait être submergé par les ombres meurtrières, il fit une première tentative pour anéantir la défense de son rival. En tenant fermement son glaive, il essaya de percer le vortex et de toucher Xioltys par la même occasion. Malheureusement, dès que sa lame percuta un rocher, le warrak perdit le contrôle de son arme, qui s'envola jusqu'à ce qu'il percute un mur.

Ithan'ak fit quelques pas en arrière et lança un regard vers Fork. Le bosotoss était couvert de sang et avait peine à soulever son arme. Assailli de toutes parts, il poussait un cri chaque fois qu'il balançait sa massue, comme si ce mouvement lui déchirait les côtes. Tout allait si rapidement que le priman'ak ne remarqua même pas l'absence de Skeip.

Xioltys était quant à lui pris d'une frénésie meurtrière, comme un prédateur alléché par l'odeur du sang. Il n'avait plus rien du jeune garçon insouciant qui s'amusait avec ses camarades au bord de la rivière. À présent, il se réjouissait de la souffrance des autres, comme s'il souhaitait se venger pour tout ce qu'il avait lui-même enduré.

Une pierre avait frappé la tête de Vonth'ak, qui gisait entre les débris. Le magicien blond concentrait maintenant toute son attention sur Ithan'ak, à qui il réservait le même sort. Le warrak n'avait plus d'arme, autre que les pouvoirs que lui avait confiés le dieu de la guerre. Dans le passé, il lui était arrivé de maîtriser cette force qu'il connaissait encore très mal, sans vraiment savoir comment il avait opéré. Il ne lui restait plus qu'à espérer pouvoir réitérer cet exploit.

Comme le lui avait enseigné Nicadème, le priman'ak se concentra afin de réunir dans son bras une source d'énergie suffisante pour ce qu'il souhaitait accomplir. Ce travail était pour lui très ardu et très complexe, mais ce n'était pas le plus difficile. En effet, le véritable défi consistait à maîtriser puis à modeler cette énergie, ce qui était la base de la magie. Sans prêter attention à son bras pourvu d'une aura argentée, Ithan'ak fit de son mieux pour accumuler un maximum d'énergie en un minimum de temps. Xioltys, toujours entouré de son vortex, se rapprochait dangereusement de lui. À court de temps, le priman'ak libéra d'un seul coup toute la puissance qu'il avait concentrée en un seul point. Comme il s'y attendait, cette manœuvre fut pour lui atrocement douloureuse, au point qu'il crut que son bras était broyé par des mâchoires gigantesques.

La déflagration frappa de plein fouet le tourbillon de pierres qui entourait le magicien. Celui-ci faillit perdre pied et son vortex ondula de façon inquiétante, menaçant de s'effondrer sur lui. De longues coulisses de sueur apparurent sur le front et dans le cou de Xioltys, alors qu'il mettait tout en œuvre pour reprendre le contrôle des pierres. L'obstination du magicien d'Ymirion avait selon lui toujours été sa principale qualité. Dans un effort presque surhumain, il maîtrisa une partie des pierres, de façon à former un bouclier entre lui et le warrak. Plutôt que de reformer le vortex en entier, il concentra ses forces sur son ennemi, qu'il souhaitait mettre hors d'état de combattre le plus rapidement possible.

Comme Vonth'ak avant lui, Ithan'ak utilisait ses bras pour protéger sa tête, mais le reste de son corps était complètement à la merci des pierres, qui le frappaient si durement qu'il n'arrivait plus à tenir debout. La douleur était trop intense pour qu'il sache s'il était gravement blessé.

Plus rien ne pouvait arrêter Xioltys, qui était en plein contrôle de ses pouvoirs. À sa gauche, Vonth'ak n'avait toujours pas repris connaissance. Lorsqu'il en aurait terminé avec Ithan'ak, ce qui ne tarderait pas, le magicien blond comptait bien s'assurer que Vonth'ak ne lui cause plus jamais d'ennuis. Par la suite, il n'aurait plus qu'à laisser ses spectres mettre en pièces le bosotoss, ainsi que la misérable armée qui offrait un semblant de résistance près du Diphamtriorphe. Cette perspective donna davantage d'ardeur à Xioltys, qui maltraitait Ithan'ak avec un plaisir non dissimulé. Alors qu'il s'apprêtait à en finir avec le warrak, il sentit une piqûre dans son dos. D'un seul coup, les pierres sous son contrôle s'effondrèrent sur le sol. Le souffle court, il tomba à genoux, sans comprendre ce qui lui était arrivé. Secoué par des spasmes, il tourna la tête et aperçut Skeip, agrippé au pommeau d'un glaive beaucoup trop grand pour lui. La lame avait pénétré la chair du magicien près du cœur, sans traverser de l'autre côté du corps.

— Un keenox m'a vaincu, dit tout bas Xioltys en cherchant son souffle. Un misérable keenox...

Le magicien blond se sentait engourdi et sa vision était brouillée. Dans un murmure, il demanda à Skeip de retirer la lame, mais le rongeur n'en fit rien. Trop bouleversé pour faire quoi que ce soit, le keenox fixait le sang qui coulait le long du glaive.

— Je n'avais pas le choix, s'excusa-t-il, davantage pour lui-même que pour le magicien.

Xioltys savait qu'il ne lui restait plus beaucoup de temps avant d'être emporté par la mort. Dans une tentative désespérée, il croisa les bras et essaya d'accumuler l'énergie nécessaire pour diminuer la gravité de sa blessure. Une faible lueur verte apparut au creux de sa main, mais c'était bien loin d'être suffisant. Obstiné, il persévéra, mais il était trop tard. Debout devant lui, Ithan'ak le regardait de ses yeux rouges et sévères. Sans rien dire, il leva la jambe et appuya son pied sur la poitrine de Xioltys.

— Tu peux lâcher le glaive, dit-il à Skeip, qui était déjà assez remué.

Le keenox s'exécuta et le pommeau toucha le sol. Lentement, le priman'ak mit davantage de poids sur sa jambe, jusqu'à ce que la pointe du glaive transperce la poitrine de son ennemi. Les yeux de Xioltys se figèrent, puis tout son corps s'affaissa sur les pierres qui reposaient tout autour de lui. Le magicien d'Ymirion était mort.

— Tu nous as tous sauvés, dit Ithan'ak en mettant sa main sur l'épaule de Skeip. Tu mérites de t'appeler le Pourfendeur de dragons.

Cette remarque ramena le keenox à la réalité, lui arrachant un sourire empli de fierté. Pour la première fois, il sentait qu'Ithan'ak était vraiment fier de lui, mais il ne put savourer ce moment très longtemps. Fork, à bout de force, poussait de terribles rugissements en luttant pour sa survie. Les ombres meurtrières lui avaient infligé de nombreuses blessures et continuaient de le tourmenter, bien qu'elles ne soient plus sous l'emprise de Xioltys. Le bosotoss n'était d'ailleurs pas le seul à subir les attaques incessantes des spectres de la nuit.

À l'est d'Ymirion, sur les plaines de Kalamdir, le nombre de morts augmentait sans cesse. Pendant un court instant, les ombres avaient cessé d'attaquer, mais cela n'avait pas duré. D'une façon plus désordonnée, elles avaient repris l'assaut, ne laissant aucun répit aux combattants épuisés. Cette fois-ci, il était inutile de compter sur l'aube pour venir à leur secours, car la lune n'en était qu'à la moitié de sa course.

Ryan'ak, comme tous ses semblables, combattait fougueusement les ombres qui revenaient continuellement à la charge. Le jeune guerrier, encore loin d'avoir atteint l'âge où les warraks sont au sommet de leur force, faisait tout de même preuve d'une grande adresse, qui ne passait pas inaperçue. Plusieurs kourofs s'étaient ralliés à lui et suivaient ses directives, grâce auxquelles leur groupe n'avait presque pas subi de pertes. Exténués, ils continuaient d'agiter leurs armes. Sans l'avoir prémédité, Ryan'ak se démarquait au combat, ce à quoi aspiraient tous les warraks. Il n'avait qu'à continuer ainsi pour s'assurer une bonne position sociale dans le clan. C'est ce qu'il avait l'intention de faire lorsqu'il remarqua un groupe de femmes et d'enfants qui n'avaient pu trouver refuge près du Diphamtriorphe.

— Cette fois-ci, murmura pour lui-même Ryan'ak, je ne commettrai pas la même erreur que durant la précédente attaque des ombres.

Le jeune warrak informa de son départ les kourofs qui combattaient à ses côtés, puis se dirigea vers le groupe en difficulté. Son intention était de guider ces gens loin des combats, où ils seraient en sécurité. Malheureusement, cette action ne serait vue de personne et ne le couvrirait pas de gloire. Alors qu'il pourfendait les spectres qui se dressaient devant lui, Ryan'ak se remémorait ce qu'il avait appris d'Ithan'ak. Selon ce dernier, un véritable guerrier savait faire preuve de sacrifice.

— Suivez-moi ! dit-il aux femmes et aux enfants perdus au milieu des combats.

Ryan'ak usait de son glaive pour éliminer temporairement les ombres qui l'empêchaient d'avancer. Toutefois, au fur et à mesure qu'il s'éloignait du Diphamtriorphe, les spectres de la nuit retrouvaient leur invisibilité. Heureusement, ces créatures étaient avant tout attirées par le tumulte des combats, ce qui laissait une chance de fuir au groupe guidé par le jeune warrak.

Lorsqu'il jugea s'être assez éloigné, Ryan'ak se retourna et observa la scène désastreuse qui se déroulait au loin. Les cris d'effroi et de douleur l'emportaient sur le bruit du métal qui s'entrechoquait. Il n'y avait rien d'autre à voir que la mort qui se rassasiait des malheureux combattants, sans leur laisser la moindre chance de survie. Bientôt, il ne resterait plus que des cadavres de warraks, d'hommes et d'hyliann. Seuls ceux qui avaient la chance de se trouver dans le périmètre de protection du Diphamtriorphe survivraient.

Incapable de supporter plus longtemps cette désolation, Ryan'ak détourna le regard. À sa grande surprise, il aperçut la silhouette d'un homme qui se dressait un peu plus loin sur sa gauche.

— Restez ici, recommanda-t-il au groupe sous sa protection. Je serai de retour dans quelques minutes.

Curieux, le jeune warrak se dirigea vers l'homme qui s'était mis à genoux. Il s'aperçut qu'il s'agissait du docteur Claymore, qui avait plus d'une fois prêté main-forte à Ithan'ak.

— Que faites-vous là ? demanda Ryan'ak, d'une façon plus rude qu'il ne l'aurait souhaité.

— J'exerce mon métier, répondit le petit homme, sans détourner le regard de son patient.

En s'approchant, le warrak constata que le blessé n'était nul autre qu'Ackémios, l'hyliann d'or. Celui-ci était inconscient et sa peau dorée semblait beaucoup plus pâle qu'à l'habitude. Ses habits étaient déchirés et couverts de sang. Le docteur avait appliqué plusieurs bandages sur les différentes parties du corps de l'hyliann, dont les blessures étaient multiples et profondes.

— Survivra-t-il ? demanda Ryan'ak, qui éprouvait une certaine tristesse.

Le jeune warrak avait souvent vu la mort de près. Pourtant, l'idée de voir mourir le dernier hyliann d'or lui paraissait affreuse. Le monde s'en trouverait changé à jamais.

— En temps normal, dit le petit homme aux cheveux grisonnants, il me serait facile de maintenir cet hyliann en vie. Malheureusement, je n'ai à ma disposition que quelques bandages, du fil à coudre et une paire de ciseaux. Dans ces circonstances, je crains que mon talent ne soit pas suffisant, mais tout cela n'a plus d'importance.

Claymore leva la tête pour observer le massacre qui continuait au loin.

— Bientôt, tous ces gens seront morts, dit-il d'un ton résigné. Les survivants, pourchassés sans relâche par les ombres meurtrières, en viendront à regretter d'être en vie. La désolation et l'affliction s'installeront sur le continent d'Anosios et peut-être même sur toute la surface de Nürma. Malgré tout cela, je ne pourrai renoncer à vivre, car on aura plus que jamais besoin de mes soins.

Le docteur se tourna pour la première fois vers le jeune warrak qui se tenait derrière lui.

— Lorsque tout sera détruit, dit-il, il ne restera plus que ces cris de douleur atroces qui hanteront nos esprits. Dans ce nouveau monde, aurez-vous le courage de continuer à vivre ?

Les propos de Claymore étaient défaitistes, mais Ryan'ak devait admettre qu'ils étaient aussi réalistes. Le jeune warrak porta son regard sur l'hyliann d'or qui était au gouffre de la mort et comprit que le docteur avait raison : les ombres meurtrières continueraient leurs ravages et rien ne pourrait jamais les arrêter.

CHAPITRE 21

Ithan'ak avait demandé à Skeip de s'occuper de Vonth'ak, pendant qu'il se portait au secours de Fork. Le keenox, incapable de réveiller le magicien, craignit pendant un instant qu'il soit mort. Affolé, il posa deux doigts sur le poignet du warrak et constata que le pouls était normal. Rassuré, le rongeur tenta une nouvelle fois d'éveiller Vonth'ak, sans y parvenir. Embêté, il ouvrit la sacoche qu'il s'était procurée avant de quitter Ostencil et en sortit les quelques herbes qu'il avait ramassées durant ses récents déplacements. Il les tria rapidement, jusqu'à ce qu'il trouve celle dont il avait besoin. La feuille brune que tenait le keenox n'avait aucune valeur sous sa forme actuelle. Toutefois, il suffisait de la broyer pour qu'elle dégage une toxine qui aiguisait les sens. Lorsque ce fut fait, le rongeur approcha les morceaux déchiquetés près du nez de Vonth'ak. Comme Skeip l'espérait, le magicien ouvrit instantanément les yeux.

— Qu'est-il arrivé ? demanda le warrak en se relevant péniblement.

Il fixa le cadavre de Xioltys en essayant de remettre de l'ordre dans ses idées.

— C'est moi qui l'ai tué, annonça fièrement Skeip, dont les remords s'étaient évanouis.

Le magicien doutait que l'affirmation du rongeur fût exacte, mais il n'avait pas le temps de s'y attarder. Ithan'ak avait rejoint

Fork et tentait de protéger le bosotoss, qui était blessé et au bord de l'épuisement.

— Vonth'ak ! hurla la voix rauque de Simcha, qui désirait attirer l'attention du magicien.

Le prince de Küran était toujours prisonnier du mur, incapable de faire le moindre mouvement. Cependant, il était maintenant entièrement lucide, comme si la mort de Xioltys lui avait rendu une partie de sa vitalité.

— Nous devons lui venir en aide, dit Skeip en tirant sur la manche de Vonth'ak.

Le magicien repoussa le keenox, en soulignant qu'Ithan'ak et Fork étaient en bien plus grand danger. La priorité était d'écarter les ombres afin que leurs amis puissent reprendre leur souffle.

— Vonth'ak ! hurla de nouveau le pirate. Tu dois me tuer pour mettre fin à cette boucherie. Je sais que tu en as la trempe.

Le warrak hésita un instant, puis se dirigea au pas de course vers Simcha.

— Comme moi, dit l'homme borgne, tu es capable de prendre une décision logique lorsque cela s'impose. Ma mort sauvera probablement des milliers de vies et délivrera Kalam et ses soldats de leur errance sans fin dans ce monde qui n'est plus le leur.

— Non ! s'écria Skeip.

Le rongeur ne pouvait supporter l'idée de laisser tuer volontairement un ami.

Sourd aux lamentations du keenox, Vonth'ak leva les bras et un filet argenté s'en échappa, enveloppant la bulle de protection qui entourait toujours Simcha. De toute évidence, Xioltys avait tout mis en œuvre pour préserver l'homme borgne de la mort.

L'enchantement qu'il avait opéré était d'une grande complexité et il était impossible de l'annuler rapidement. Vonth'ak tenta tout de même d'y mettre un terme ; sans succès.

— Cela prendrait des heures pour rompre la protection dont tu bénéficies, dit Vonth'ak. Ithan'ak et Fork ne tiendront jamais aussi longtemps. Notre seul espoir est d'invoquer un dragon céleste.

— Xioltys a tenté plus d'une fois d'y parvenir, dit Simcha, sans provoquer autre chose que des cataclysmes.

— Skeip m'a traduit ce dont j'avais besoin, répliqua Vonth'ak. De plus, j'ai accès à une source d'énergie que le magicien blond ne possédait pas. Lorsque Kumlaïd a conféré des pouvoirs à Ithan'ak, il a fait mention d'une menace qui plane sur le continent d'Anosios. Il est maintenant temps pour Ithan'ak d'accomplir la volonté du dieu de la guerre.

— Dans ce cas, dit Simcha, il faut vous mettre à l'abri des spectres. Derrière le trône, sur la gauche, il y a un passage qui débouche sur un long couloir. Au bout, vous trouverez une porte qui mène à l'une des tourelles du château. Un escalier en colimaçon vous conduira jusqu'en haut.

— Très bien, dit Vonth'ak. Si nous survivons à cette épreuve, ce qui est peu probable, nous reviendrons te chercher.

Sans plus de cérémonie, le magicien fit demi-tour et incita Skeip à le suivre. La première étape était de permettre à Ithan'ak et Fork de battre en retraite. Puisque le zimz révélait la présence des ombres meurtrières, le magicien était apte à les combattre. Il ignorait si ces créatures étaient sensibles à la magie, mais il n'avait aucune autre option. Cette fois-ci, plutôt que de réunir dans ses mains l'énergie nécessaire pour lancer un sortilège, il ferma les yeux et répéta plusieurs fois les mêmes mots dans sa tête. Du point de vue de Skeip, le warrak n'obtenait aucun résultat, mais le rongeur ne tarda pas à découvrir qu'il se trompait.

Tout autour d'Ithan'ak et de Fork, des lames de glace semblables à des stalagmites sortirent du sol, formant de façon temporaire un corridor de protection.

— Venez ! leur intima Vonth'ak en agitant la main.

Ithan'ak obligea Fork à passer devant, en lui recommandant de prendre garde aux ombres meurtrières qui mettaient déjà en pièces les lames de glace formées par Vonth'ak. Ce dernier guida le groupe vers le passage dont lui avait parlé Simcha, puis jusqu'au bout du couloir où se trouvait la porte de la tourelle.

Hors de la grande salle d'audience, il était impossible d'apercevoir les spectres de la nuit, qui ne tarderaient pas à les rejoindre. À toute vitesse, les quatre compagnons passèrent de l'autre côté de la porte qu'Ithan'ak bloqua à l'aide de deux madriers prévus à cet effet.

— J'espère que cela saura les retenir un moment, dit-il en essuyant la sueur qui coulait jusque dans ses yeux.

Lorsqu'ils arrivèrent au bout de l'escalier en colimaçon, une trappe munie d'un cadenas empêchait l'accès à l'extérieur. Malgré ses blessures, Fork réussit à arracher les pentures en un coup d'épaule.

Depuis la tourelle, il était possible de voir la cité d'Ymirion en entier, plongée dans la pénombre. La nuit était encore profonde et les étoiles dorées et argentées tapissaient le ciel.

— Elwym est là-haut et veille sur nous, dit Skeip qui cherchait du courage.

Le keenox craignait que d'un instant à l'autre les spectres de la nuit traversent la porte et montent les escaliers, qui étaient la seule issue possible. Fork se chargea d'occuper l'attention du rongeur en lui demandant de prendre soin de ses nombreuses blessures. Le bosotoss, qui ne tenait plus debout, s'était adossé au parapet. Skeip, aussitôt concerné par l'état de santé du colosse, sortit une longue écharpe de sa sacoche, qu'il déchira en plusieurs morceaux pour en faire des bandages.

— Heureusement que j'avais fait des provisions, dit-il en s'agenouillant près de Fork.

Vonth'ak avait mémorisé chaque mot que nécessitait l'invocation d'un dragon céleste, mais il était loin de se sentir à la hauteur de la tâche qui l'attendait. Nerveux, il répétait les gestes qu'il devait faire, en y associant les phrases qu'il devait prononcer.

— Il n'y a pas de temps à perdre, dit Ithan'ak en tirant le magicien par le bras. Les ombres ne tarderont pas à arriver jusqu'ici.

Vonth'ak voulut répliquer, mais il savait que le priman'ak avait raison. Même s'il ne se sentait pas prêt, il fallait amorcer l'invocation dès maintenant.

Comme il l'avait fait d'innombrables fois, le magicien commença par accumuler toute l'énergie qu'il lui était possible de réunir. Par la suite, il répéta à haute voix une série de mots pour activer l'invocation. Au bout d'un moment, l'aura argentée qui entourait le warrak devint si intense qu'Ithan'ak dut détourner le regard.

Un vent violent s'était levé et prenait rapidement des allures d'ouragan. Jusque-là, Vonth'ak paraissait en contrôle de la situation. À l'écart, Ithan'ak attendait le moment où il devrait prêter main-forte au magicien. Sans raison particulière, il leva les yeux et s'aperçut que le ciel adoptait peu à peu la teinte argentée propre à la magie. Lorsque la voûte céleste fut entièrement transformée, Vonth'ak demanda l'appui du priman'ak.

— Je ne peux pas tenir plus longtemps, dit le magicien. J'ai besoin de tes pouvoirs.

Comme prévu, Ithan'ak posa sa main droite sur l'épaule de Vonth'ak et entama la collecte d'énergie, qu'il transféra directement au magicien. Au début, le flux était si puissant que Vonth'ak faillit perdre connaissance, mais Ithan'ak rectifia rapidement la situation en se concentrant davantage. Lentement, une ouverture apparut dans le voile argenté qui masquait les étoiles. En même temps, l'ouragan devint de plus en plus violent, comme si la nature était déséquilibrée. Certains arbres furent emportés comme de vulgaires brindilles. Les toitures s'envolèrent une à une et certaines maisons furent complètement mises en pièces.

— Es-tu certain de ne pas avoir perdu le contrôle ? questionna Ithan'ak, qui devait élever la voix pour se faire entendre.

Pour toute réponse, Vonth'ak lui demanda de transmettre davantage d'énergie. Le priman'ak sentait des picotements, presque une brûlure, dans sa main, mais il persista à transmettre un flux d'énergie constant à Vonth'ak.

L'ouverture dans le ciel avait maintenant une circonférence aussi grande que la cité d'Ymirion. En son centre, le museau d'une créature gigantesque apparut, puis ce fut la tête en entier. Le dragon céleste, argenté, était à la fois magnifique et terrifiant. Ses crocs et ses cornes lui donnaient un aspect menaçant, contrairement à ses yeux qui inspiraient la sagesse et la magnanimité.

À ce stade, Vonth'ak avait déjà accompli quatre ou cinq fois plus que ce qu'il espérait. Il se sentait sur le point de défaillir, mais il devait persévérer. Tant que le dragon céleste n'aurait pas traversé en entier l'ouverture, le magicien devait continuer de l'attirer dans le monde matériel.

— Encore plus d'énergie, dit-il à Ithan'ak, qui faisait de son mieux pour répondre à la demande.

Vonth'ak sentait que son corps était sur le point de se briser, ce qui ne l'empêcha pas de continuer. Il faisait face au plus grand défi de toute sa vie et il n'avait pas l'intention d'abandonner. Malgré les signes d'épuisement inquiétants que lui envoyait son corps, il maintenait le flux d'énergie qui nourrissait l'arrivée du dragon céleste. L'effort qu'il fournissait était si intense qu'il sentait ses veines sur le point d'éclater.

— Je ne peux plus tenir, dit-il, sans pour autant rompre l'invocation.

Le magicien commença à tressaillir, puis tomba à genoux. Sa vision devenait floue et il avait à peine connaissance de ce qu'il faisait. En même temps, l'ouverture par laquelle était apparu le dragon céleste commença à rétrécir. L'ouragan s'intensifia, allant même jusqu'à mettre à terre une partie de l'indestructible mur d'enceinte d'Ymirion. Peu à peu, la cité était réduite en miettes, incluant les maisons, les pavés et les fortifications. Seul le château demeurait à peu près intact, bien que son effondrement devenait inévitable.

Ithan'ak, impuissant, observait l'ouverture se fermer sur le dragon céleste. Tout s'écroulait autour de lui, mais il n'osait pas rompre le lien qu'il avait établi avec Vonth'ak. Il tint encore un moment, puis comprit que tout était terminé. Invoquer un dragon céleste était une folie qui ne se réaliserait jamais. Par sa faute, en plus des spectres de la nuit, le continent serait ravagé par un cataclysme dont il était difficile d'imaginer l'ampleur des dégâts. Le priman'ak allait briser le lien qu'il entretenait avec Vonth'ak lorsqu'une main agrippa son bras et le retint fermement.

— Je vous déconseille de le lâcher, l'avertit Nicadème, qui se tenait juste à côté du warrak. Que diriez-vous si nous continuions ensemble cette invocation ? Je crois que votre ami a déjà fait plus que sa part.

Ithan'ak était consterné par l'arrivée impromptue et inespérée du vieil homme. Sans prononcer un seul mot, il signifia à Nicadème qu'il était prêt à continuer. Le château était maintenant en bonne partie détruit et il n'y avait aucune seconde à perdre. Par un procédé inconnu du priman'ak, le vieux magicien pris le contrôle de l'invocation entreprise par Vonth'ak. Il aida ensuite Ithan'ak à retirer sa main de l'épaule de son compagnon pour la mettre sur la sienne.

— Maintenez un flux continu d'énergie, recommanda le vieux magicien. Voyons si mes leçons vous ont appris quelque chose.

Nicadème ignorait les mots nécessaires à l'invocation, mais il n'en avait pas besoin. À présent que le passage vers le monde matériel était ouvert, il ne lui restait plus qu'à l'agrandir et à le maintenir, ce qui n'était toutefois pas une mince affaire.

Une fois le transfert bien établi, Ithan'ak leva les yeux au ciel et constata que l'ouverture avait cessé de diminuer. Le dragon céleste avait de plus en plus d'espace pour passer, mais cela était encore insuffisant. Comme Vonth'ak avant lui, Nicadème demanda au priman'ak de lui transmettre davantage d'énergie, ce qui lui permit de poursuivre l'invocation.

Lorsque le passage fut assez grand, le dragon céleste apparut en entier dans le ciel. Cette créature, faite de pure magie, était maintenant complètement dorée. Son long corps onduleux se déplaçait dans le ciel comme un serpent et n'avait pas besoin d'ailes pour voler.

— Comment vais-je faire pour raconter ce que j'ai vu ? s'interrogea Skeip, qui s'était approché d'Ithan'ak.

— Il n'y a aucun mot pour décrire une telle magnificence, répondit le warrak. Il y a certaines choses qu'il faut voir pour comprendre. Quoi qu'il en soit, nous avons réussi.

Le warrak poussa un long soupir de fatigue. De violentes bourrasques de vent frappaient la tourelle et Ithan'ak devait user de toutes ses forces pour demeurer en équilibre.

— N'ayez pas l'air si abattu, lui dit Nicadème. Vos compagnons et vous-même avez réussi ce que je croyais impossible. Il est maintenant temps d'en profiter.

Le vieil homme prononça quelques mots dans une langue que seul Skeip put comprendre. Le dragon céleste, qui s'était jusque-là contenté de planer dans le ciel, fit volte-face et fonça à toute vitesse vers la tourelle. Ithan'ak, Skeip, Vonth'ak et Fork se recroquevillèrent, alors que Nicadème observa le magnifique spectacle qui s'offrait à lui.

La créature magique adopta une forme de plus en plus étroite, jusqu'à ce qu'elle ne ressemble plus qu'à un long flux d'énergie, puis s'engouffra dans la trappe au centre de la tourelle. L'escalier en colimaçon s'illumina et la porte de bois située à sa base vola en éclats. Pendant un bref instant, alors qu'ils étaient traversés par le dragon céleste, les défunts soldats qui étaient devenus malgré eux des créatures meurtrières eurent droit à une dernière bouffée d'air frais avant de gagner le monde immatériel.

Lorsque le dragon céleste réapparut dans le ciel, il avait repris son apparence d'origine. Le travail pour lequel on l'avait invoqué n'était pas terminé et il prit son envol vers l'est, en direction du Diphamtriorphe. À son arrivée, des centaines de morts jonchaient la plaine, nourrissant la terre de leur sang. Les survivants, qui continuaient de combattre sans relâche, allaient enfin pouvoir déposer leurs armes qui étaient depuis longtemps devenues trop lourdes.

Les ombres meurtrières, comprenant que l'heure de leur délivrance était enfin arrivée, cessèrent de s'acharner sur les mortels. Alors que tous observaient le dragon céleste qui descendait vers eux, une paix improbable s'installa sur le champ de bataille. L'un après l'autre, les héros d'un lointain passé quittèrent le monde dans lequel ils avaient trop longtemps erré, y compris le légendaire roi Kalam. Ahuris, les survivants avaient peine à croire ce qu'ils voyaient.

Une fois sa tâche accomplie, le dragon céleste retourna vers le château d'Ymirion, qui était sur le point de s'effondrer. Alarmé par les inquiétantes secousses sous ses pieds, Ithan'ak essaya d'aider Fork à se lever, ce qui était peine perdue.

— Le revoilà, annonça Nicadème, qui observait l'horizon.

La tourelle fut soudainement bercée d'une lumière dorée, chaude et aveuglante. La dernière chose que vit Ithan'ak fut l'énorme gueule du dragon céleste qui les avala comme s'ils n'étaient qu'une poussière.

CHAPITRE 22

Étendu dans l'herbe, Ithan'ak ouvrit les yeux et vit de gros nuages blancs se déplacer dans un ciel bleu radieux. Le jour s'était levé. Il resta immobile un instant, savourant les rayons du soleil qui réchauffaient son corps. Il ne s'était pas senti aussi bien depuis fort longtemps et il n'arrivait pas à comprendre la raison pour laquelle il était si détendu. Au bout d'un moment, il se rendit compte qu'une délicieuse mélodie parvenait à ses oreilles. Un chant plus apaisant que tout ce qu'il avait entendu jusque-là. Intrigué, il se leva et constata que Fork, Skeip, Vonth'ak et même Simcha étaient debout tout près de lui, cherchant eux aussi d'où provenait la radieuse mélodie. L'homme borgne était en mauvais état, mais il était suffisamment solide pour se tenir sur ses jambes. De toute évidence, l'intervention du dragon céleste lui avait rendu une partie de ses forces.

— Où sommes-nous ? demanda le priman'ak, qui ne décelait aucune trace de la cité d'Ymirion.

Pour toute réponse, il ne vit que des visages aussi déboussolés que lui-même. Sur sa gauche, un ruisseau s'échappait d'un petit boisé dont il pouvait voir les deux extrémités. Devant lui, l'herbe s'étendait à perte de vue, ce qui n'était pas sans rappeler les plaines de Kalamdir. Lorsqu'il fit demi-tour, il aperçut Nicadème qui se tenait au sommet d'une colline derrière laquelle provenait le chant intensément reposant.

Ithan'ak s'assura que Simcha allait bien, puis fit signe à ses compagnons de le suivre. Il se dirigea vers le vieux magicien. Depuis l'endroit où se tenait Nicadème, on pouvait voir distinctement le Diphamtriorphe, qui était à l'origine du mystérieux chant. Tout autour de la statue, les survivants s'affairaient à panser leurs blessures et à rassembler les nombreuses victimes qu'avaient faites les ombres meurtrières. Curieusement, ce spectacle n'avait rien de triste, comme si la mélodie suffisait à compenser la perte des êtres chers dans le cœur des survivants.

En écoutant plus attentivement, Ithan'ak s'aperçut qu'il comprenait parfaitement chacun des mots qui composaient la mélodie, bien que ceux-ci provinrent d'une langue qui lui était étrangère. Il se demanda pendant un court instant s'il avait maintenant la même capacité que Skeip, puis comprit qu'il s'agissait sans doute d'un puissant phénomène magique. Le chant du Diphamtriorphe faisait l'éloge du roi Kalam et de ses soldats en relatant le courage et le sacrifice dont ils avaient un jour fait preuve.

— À présent que Kalam et les siens ont trouvé le repos, dit Ithan'ak, un chant glorieux a fait place à la mélancolique mélodie qui durait depuis des siècles.

— En effet, approuva Nicadème, mais ce n'est pas tout.

D'un geste lent et posé, le magicien invita le warrak à se taire et à écouter ce qui allait suivre. Aussi incroyable que cela parût, le chant relatait maintenant le récent exploit d'Ithan'ak et de ses compagnons, dont l'histoire était désormais liée à celle du légendaire roi Kalam. Même Skeip, qui avait joué un rôle d'une importance capitale, faisait l'objet de louanges, que le keenox lui-même ne put s'empêcher de bonifier.

Le petit groupe écoutait attentivement le chant du Diphamtriorphe, jusqu'à ce qu'Ithan'ak se tourne vers le vieil ermite.

— Je n'aurais jamais cru que vous nous viendriez en aide, dit le priman'ak à l'intention du vieux magicien. Je vous croyais devenu depuis longtemps indifférent aux problèmes du monde extérieur.

— C'était vrai, admit Nicadème, à un point que vous auriez peine à imaginer. Lorsque je vous ai envoyé chercher les souterrains d'Asilbruck, j'étais convaincu que vous n'y parviendriez jamais, car cet endroit relevait davantage du mythe que de la réalité. Vous n'imaginez pas ma surprise lorsque j'ai découvert que vous aviez ramené le keenox à la vie. À ce moment précis, j'ai entrevu la possibilité d'obtenir le pardon des dieux pour la lâcheté dont j'avais fait preuve bien des décennies auparavant.

— Dans ce cas, intervint Vonth'ak, pourquoi n'êtes-vous pas venu à notre aide avant que nous soyons au bord du gouffre ?

— Il vous serait impossible d'imaginer ce que quitter ma demeure représentait pour moi, répondit Nicadème. Je ne m'étais pas aventuré dans le monde extérieur depuis des siècles. Pendant longtemps, trop longtemps peut-être, je me suis interrogé sur le rôle que je devais jouer dans cette lutte contre Xioltys et ses spectres. Ce n'est que lorsque tout espoir fut envolé que j'ai compris enfin qu'il était impératif que je ne commette pas la même erreur que durant l'Érodium, en abandonnant à leur sort ceux qui avaient besoin de mon aide.

— Heureusement que vous êtes intervenu, l'encouragea Skeip, car je ne suis pas encore prêt à retourner dans les souterrains d'Asilbruck. Avant tout, je dois partir à la recherche d'une keenox, avec qui je vais assurer la prospérité de ma race. D'ailleurs, je regrette d'avoir négligé de demander au dieu des âmes où je pourrais la trouver, si elle existe.

— J'en suis certain, le réconforta Ithan'ak. Qui plus est, je n'ai pas oublié la promesse que je t'ai faite à ce sujet.

Les oreilles de Skeip se dressèrent sur sa tête et il ouvrit les yeux grands. Il n'était pas certain de savoir à quoi le priman'ak faisait référence. Ce dernier rappela au rongeur qu'il lui avait juré de l'accompagner dans sa recherche de keenox qui seraient susceptibles d'habiter sur d'autres continents.

Fork, Vonth'ak et Simcha avaient du mal à croire qu'Ithan'ak avait vraiment l'intention de délaisser son clan pour partir à l'aventure avec Skeip. Ils soupçonnaient qu'une autre raison poussait le warrak à agir ainsi, mais ils jugèrent plus avisé de ne pas poser de questions. De plus, le priman'ak avait déjà changé de sujet en proposant à Nicadème de le présenter aux représentants des différents peuples. Comme il s'y attendait, le magicien déclina l'offre, en affirmant qu'il était troublant pour lui d'être loin de sa demeure et qu'il n'avait plus l'habitude d'être en société. Vonth'ak lui demanda s'il pouvait venir avec lui, ce qui était aussi hors de question. Pour l'instant, le vieil ermite avait besoin de retrouver la solitude à laquelle il était habitué. Un jour, peut-être, il accepterait de transmettre sa sagesse aux magiciens qui viendraient vers lui, mais il n'était pas encore prêt. Ce trait de caractère rappelait à Vonth'ak les années qu'il avait passées auprès d'Antos. Il était évident que les magiciens étaient réticents à communiquer le savoir qui était si difficile à acquérir. Peut-être était-ce parce que ces dangereuses connaissances devaient être obtenues par le labeur et la souffrance. Quoi qu'il en soit, Vonth'ak était bien décidé à être différent de ses prédécesseurs. À présent que Xioltys était mort et que les ombres meurtrières appartenaient au passé, il n'avait plus aucune raison de demeurer dans la communauté des warraks. Au contraire, il souhaitait se retirer dans un endroit tranquille où il pourrait enseigner à des enfants qui présenteraient certaines aptitudes pour la magie. Il se concentrerait sur cette tâche, en attendant le retour de Skeip. En effet, le magicien comptait toujours sur le keenox pour déchiffrer les anciens livres de magie, dont plusieurs se trouvaient toujours dans le repère d'Antos.

Depuis qu'il avait été transporté près du Diphamtriorphe par le dragon céleste, Fork n'avait pas prononcé un seul mot. Paisible, il écoutait les conversations et réfléchissait tranquillement à un détail qu'il n'arrivait toujours pas à comprendre.

— Les ombres meurtrières, dit-il enfin, étaient en réalité les âmes du roi Kalam et de ses soldats, qui n'avaient pu gagner le monde immatériel. Si c'est bien le cas, pourquoi n'avions-nous jamais dû faire face à ces spectres auparavant ?

Nicadème sourit en entendant la question du bosotoss, sur laquelle il s'était récemment penché. Ses recherches l'avaient amené à découvrir un secret dont il ne connaissait même pas l'existence. Selon lui, la raison pour laquelle les spectres de la nuit ne s'étaient pas manifestés depuis un temps ancestral était qu'ils étaient simplement tenus à l'écart. Durant les siècles qui avaient suivi la Guerre de l'Alliance, les magiciens étaient arrivés à concevoir un enchantement capable de diriger les défunts héros, qui s'étaient transformés en créatures sanguinaires. Les plus anciens magiciens s'étaient partagé cette tâche, jusqu'à ce qu'ils soient presque tous exterminés durant ce que les générations suivantes nommèrent l'Érodium.

— Quoi qu'il en soit, précisa Nicadème, il semblerait qu'Antos ait continué de maintenir à distance les ombres meurtrières jusqu'à sa mort, car ce fut à ce moment qu'apparurent les premiers signes de leur retour. Quant à moi, j'ignorais comment prendre le contrôle de ces créatures et j'étais persuadé que ce savoir était depuis longtemps perdu. Jamais je n'aurais cru qu'un livre traitant de ce sortilège dormait dans la bibliothèque d'Ymirion.

— Je crains que Xioltys ait détruit cet ouvrage, intervint Simcha. J'ai eu l'occasion de le fréquenter durant mon séjour à Ymirion et je peux vous affirmer qu'il n'était pas du genre à partager son savoir.

Nicadème parut contrarié d'entendre qu'une telle source de connaissances était perdue à jamais. Il déclara avoir besoin de repos et se prépara à se dématérialiser pour regagner sa demeure. Ithan'ak voulut le remercier une dernière fois pour son aide, mais le magicien avait déjà disparu. Il était maintenant temps d'aller constater l'ampleur des dégâts que la nuit avait laissés derrière elle.

Les différents clans warraks, qui s'étaient regroupés à l'écart des autres peuples, étaient extrêmement fiers de saluer le retour du priman'ak. Chacun d'entre eux avait entendu le chant du Diphamtriorphe, dans lequel étaient racontés les récents exploits d'Ithan'ak. Certains warraks allèrent même jusqu'à se bousculer pour apercevoir le guerrier qui faisait honneur à leur race. Mikann'ak, qui avait reçu une sévère blessure à l'épaule, s'était elle aussi faufilée pour apercevoir le priman'ak. Ce dernier fut soulagé de constater que celle qu'il aimait était toujours en vie, même s'il ne pouvait lui accorder toute l'attention qu'il aurait souhaité. Plus que jamais, Ithan'ak avait l'appui des différents chefs de clan. Cela lui donnait une confiance dont il avait grand besoin, car il s'apprêtait à leur annoncer une nouvelle qui risquait de ne pas être très bien accueillie.

Une fois qu'il eut calmé l'enthousiasme de ses semblables, et après avoir reçu plusieurs vagues d'applaudissements, le priman'ak entama un discours passionné concernant l'acharnement et le courage des warraks. Il ne manqua pas de mentionner la bravoure des Kalamdiens, des Küraniens et des cavaliers de la plume argentée, sans oublier les hylianns. Pour la première fois depuis qu'ils s'étaient exilés sur la pointe d'Antos, les warraks avaient véritablement l'impression d'êtres libres. Bientôt, les différents clans emprunteraient des chemins différents et la vie reprendrait son cours.

À présent que la guerre était terminée, Ithan'ak conservait son titre de priman'ak, bien que cette fonction fût beaucoup moins cruciale au sein de son peuple. Il savait cependant qu'il serait difficile d'annoncer son départ pour une période de temps qui risquait de s'échelonner sur quelques années. Au début, cette révélation fut sujette à de nombreuses protestations, jusqu'à ce qu'il décrive en détail la raison de cette absence prolongée. Il savait qu'en expliquant qu'il s'agissait d'une question d'honneur et du respect de la parole donnée il arriverait à faire comprendre ses motifs, ce qui fut bien le cas. Toutefois, ce n'était qu'une partie de la vérité. En effet, le priman'ak se sentait soulagé de s'exiler hors du continent d'Anosios, car il cherchait à fuir quelque chose. Il ne pouvait s'empêcher de penser à la nuit durant laquelle Mikann'ak s'était abandonnée à lui, alors qu'elle était désormais unie à Yrus'ak. L'honneur d'Ithan'ak en avait été irrémédiablement entaché, ce qui l'incitait à partir avec Skeip dans le but de s'éloigner. Quoi qu'il en soit, les warraks se plièrent une fois de plus à la décision du priman'ak, ce qui était suffisant pour l'instant.

Dès que son discours fut terminé, Ithan'ak se rendit auprès de son clan, car il avait encore beaucoup de choses à régler avant son départ. D'abord, il répéta les raisons qui le poussaient à partir, comme s'il sentait le besoin de se justifier une nouvelle fois. Par la suite, il demanda au capitaine Drel'ak de s'approcher et il le désigna comme son remplaçant. Comme l'un des subordonnés d'Ithan'ak était mort durant la nuit précédente, Drel'ak était libre de choisir un nouveau capitaine.

— Nombreux sont les guerriers qui ont fait preuve de courage face aux ombres meurtrières, dit le substitut qui prenait sa tâche au sérieux. Plusieurs d'entre eux mériteraient d'obtenir ma confiance, mais l'un d'eux s'est particulièrement démarqué. Avant tout, il faut savoir que la bravoure n'est pas le seul atout d'un guerrier. Le sacrifice est aussi essentiel, car notre clan ne pourrait connaître la victoire si nous étions tous attirés par le prestige. Pour cette raison, j'invite Ryan'ak à s'avancer, afin d'être reconnu de tous comme l'un de mes capitaines.

Le jeune warrak, qui n'était jusqu'à récemment qu'un paria, ne s'attendait absolument pas à un tel signe de reconnaissance. Embarrassé, il se traça un chemin parmi les kourofs, qui l'observaient d'un air incertain. Même Drel'ak n'était pas convaincu d'avoir fait le bon choix, d'autant plus qu'il n'y avait jamais eu un capitaine aussi jeune dans le clan, hormis Ithan'ak. Ce dernier félicita à haute voix le remplaçant pour son choix éclairé, ce qui suffit à dissiper le malaise qu'avait causé la candidature de Ryan'ak.

Alors qu'il obtenait des honneurs qu'il n'était pas certain de mériter, le jeune warrak eut une pensée pour Kalë'ak. La perte de son ami avait été un coup dur pour Ryan'ak, mais il considérait cette épreuve comme une leçon de la vie. Il avait l'intention d'adopter les principes selon lesquels avait vécu son compagnon, en particulier la pondération et le dévouement. Avec le temps, ces principes permettraient au jeune warrak d'obtenir le respect de tous les membres de son clan.

Une fois qu'Ithan'ak eut rempli ses devoirs envers son clan, il partit à la recherche de Fork, de Skeip et de Simcha. Comme il s'y attendait, le pirate discutait avec l'ambassadrice de Lelmüd, pendant que Skeip racontait ses exploits aux hyliann qui prenaient plaisir à l'entendre. Quant à Fork, il était assis dans l'herbe et regardait autour de lui d'un air distrait, comme s'il ne se sentait pas à sa place. Le priman'ak devinait que le bosotoss était impatient de retourner dans le désert, où il pourrait enfin reprendre le cours de son existence paisible. C'est vers lui qu'il se dirigea en premier.

— Ackémios, l'hyliann d'or, est mort, dit le colosse d'un ton neutre. J'ai l'impression que le monde auquel j'appartiens depuis des décennies est sur le point de changer.

Ithan'ak dirigea son regard vers Kamélia, qui serrait Simcha dans ses bras, à la recherche de réconfort. Le pirate était indubitablement mal à l'aise, ce qui ne l'empêchait pas de consoler l'hyliann. Après ce qu'il avait récemment vécu, il était lui-même ravi d'avoir quelqu'un sur qui veiller, ce qui lui permettait d'oublier la souffrance et le désespoir que Xioltys lui avait fait endurer, sans oublier la perte de son père, avec qui il venait tout juste de renouer.

— Nous avons connu bien des moments difficiles, dit Ithan'ak, et nous mettrons du temps à panser nos blessures physiques et morales. Pourtant, je ne peux m'empêcher de penser que tout cela nous a menés à la chute du royaume de Kalamdir. Celle-ci marquera certainement un tournant dans l'histoire d'Anosios et signifiera la fin d'une longue succession de tyrans.

Ce que disait le warrak était vrai. Le changement n'était pas nécessairement une mauvaise chose, bien qu'il obligeait les individus à trouver de nouveaux points de repère. Il fallait savoir s'adapter pour survivre dans un monde en constante évolution. Fork en était conscient, ce qui ne l'empêchait pas de vouloir retrouver le désert immuable auquel il appartenait. Il guiderait Ithan'ak et Skeip dans les dunes de sable, jusqu'à ce qu'ils atteignent les terres du sud-est, où ils continueraient leur périple sans le bosotoss.

Ithan'ak demanda à Fork s'il avait vu le docteur Claymore, car il souhaitait le remercier au nom des nombreux warraks qui lui devaient la vie. D'après le colosse, le petit homme avait demandé à ce qu'on amène les plus graves blessés à l'écart, afin de leur prodiguer les soins adéquats. Alors que le priman'ak s'apprêtait à s'y rendre, Simcha et Kamélia vinrent à sa rencontre.

Les yeux de l'ambassadrice étaient rouges et boursouflés, ce qui était le signe qu'elle avait beaucoup pleuré. Toutefois, découvrir que Simcha était toujours en vie lui avait redonné des couleurs et elle esquissait même un certain sourire. Elle félicita d'abord Ithan'ak pour tout ce qu'il avait accompli, en précisant que les hylianns ne manqueraient pas d'ajouter ces exploits à leurs archives. Le warrak répondit poliment que ce n'était pas nécessaire, car son nom était déjà chanté par le Diphamtriorphe, ce qui était déjà trop pour son ego. Simcha ne manqua pas de se moquer de l'humilité d'Ithan'ak, ce qui détendit l'atmosphère.

En réalité, l'homme et l'hyliann souhaitaient annoncer quelque chose d'important au priman'ak. Selon eux, les récents événements étaient une source de déstabilisation pour leurs peuples respectifs et il était important d'assurer une certaine stabilité dans le but de maintenir la paix. Pour cette raison, ils avaient décidé d'unir leurs vies. Ithan'ak, qui connaissait depuis longtemps les sentiments que partageaient le prince de Küran et l'ambassadrice de Lelmüd, fut amusé de constater qu'ils cherchaient à déguiser leur amour en démonstration politique. Toutefois, il ignorait qu'il devrait lui aussi y participer.

— Vous savez qu'Ackémios était mon ancêtre, souligna Kamélia. Ce soir, son âme gagnera le firmament, ajoutant une dernière étoile dorée à ce magnifique tapis scintillant qui illumine la nuit. Au même moment, je souhaite que vous présidiez la cérémonie qui marquera une nouvelle ère pour les Küraniens et les hylianns.

Ithan'ak fut grandement étonné par cette requête, jusqu'à ce qu'il comprenne tout ce que cela impliquait. Pendant un instant, il avait oublié que Kamélia était d'abord et avant tout une ambassadrice. En demandant au priman'ak de présider la cérémonie, elle souhaitait démontrer aux warraks que le nouveau roi de Küran et l'ambassadrice de Lelmüd les considéraient comme leurs alliés. Comme il estimait que cela pouvait être une bonne chose, Ithan'ak accepta l'offre de Kamélia, en précisant qu'il partirait dès la fin de la cérémonie.

Durant le reste de la journée, le priman'ak s'occupa de différentes affaires qui requéraient son attention. Entre autres, il s'était entretenu avec Vonth'ak au sujet des élèves que ce dernier souhaitait recruter. Le magicien avait même trouvé des candidats parmi les warraks. Le priman'ak n'y voyait aucune objection, à condition que les chefs de clan acceptent de confier l'éducation des élus à Vonth'ak.

À plusieurs reprises, Ithan'ak croisa Yrus'ak, qui ne tarissait pas d'éloges au sujet de son ancien chef de clan. Cette loyauté était insupportable pour le priman'ak, qui avait transgressé toutes les règles en s'unissant charnellement à Mikann'ak. Heureusement, Yrus'ak ne soupçonnait rien de cette trahison, ce qui n'empêchait pas Ithan'ak de se sentir infiniment coupable. Il lui tardait de prendre la direction du sud en compagnie de Fork et de Skeip, afin d'entreprendre un long voyage qui lui permettrait peut-être d'effacer sa culpabilité.

Lorsque la lune fut haute dans le ciel, les hylianns rendirent un dernier hommage à Ackémios en le glorifiant d'un chant en son honneur. Par la suite, ils se regroupèrent près d'une petite colline, où l'ambassadrice de Lelmüd devait unir sa vie à celle de Simcha, le nouveau roi de Küran. Ithan'ak, qui se tenait entre les futurs époux, récitait les mots qu'on lui avait demandé de prononcer, en y ajoutant sa touche personnelle. Non loin de lui, Fork, Skeip et Vonth'ak assistaient de près à la cérémonie. Le priman'ak se sentait calme et serein, jusqu'à ce qu'il aperçoive Yrus'ak qui tenait contre lui Mikann'ak. Jusque-là, il s'était débrouillé pour éviter la celfide, ce qui lui avait permis de conserver son sang-froid. Un seul regard avait suffi à lui poignarder le cœur. En un instant, il se remémora tous les moments doux qu'il avait partagés avec elle. Ce qu'ils avaient fait représentait un manquement grave à l'honneur, mais il ne regrettait rien. D'une façon ou d'une autre, il trouverait le moyen d'oublier, puis ne recommencerait plus jamais.

Comme il l'avait annoncé, Ithan'ak refusa de participer aux festivités qui suivirent la cérémonie. Il félicita une dernière fois Simcha et Kamélia, puis demanda à Fork de l'aider à dénicher le keenox qu'ils devaient accompagner. Lorsqu'ils découvrirent Skeip occupé à enseigner la danse à une poignée de warraks maladroits, ils ne purent s'empêcher d'éclater de rire. Le rongeur n'y porta pas attention et encouragea ses élèves à continuer de s'entraîner.

Le keenox n'aimait pas ce départ précipité et aurait préféré continuer à festoyer. Il supplia littéralement Ithan'ak d'attendre le lendemain pour partir, ce qui était hors de question pour le warrak.

— N'oublie pas la raison de notre voyage, lui rappela le priman'ak. Ton devoir est de trouver d'autres keenox et d'assurer la pérennité de ta race. Y aurais-tu déjà renoncé ?

À contrecœur, Skeip accepta de rassembler ses affaires. Alors que le trio s'apprêtait à partir, Vonth'ak vint les saluer. Le magicien était quelque peu troublé par leur départ, mais il savait que cela ne durerait pas. Bientôt, il serait accaparé par la nouvelle tâche qu'il s'était confiée. Il souhaita bonne chance à chacun des voyageurs et fit promettre à Skeip de lui rendre visite aussitôt qu'il serait de retour. D'ici là, il irait récupérer les nombreux manuscrits qu'il avait laissés sur la pointe d'Antos et qui attendaient toujours d'être traduits.

Immobile, dans l'herbe haute qui ondulait dans le vent, Vonth'ak observa le curieux trio s'éloigner. En voyant Skeip marcher entre Ithan'ak et Fork, il pensa que le rongeur ne pouvait être mieux entouré pour entreprendre la quête qui le mènerait vers des contrées inconnues, où la puissante lame du priman'ak marquerait certainement son passage.

Épilogue

Depuis plus de trois jours, une pluie cinglante s'acharnait sur le voyageur, dont les vêtements étaient depuis longtemps entièrement trempés. Heureusement, il n'avait pas à se traîner les pieds dans la boue, car il chevauchait un magnifique destrier que lui avait donné le nouveau roi du royaume de Küran. Le docteur Claymore n'avait jamais été très à l'aise sur un cheval, mais celui-ci lui convenait parfaitement. Robuste et petit, l'animal était à l'image de son maître.

Quelques jours plus tôt, un warrak s'était présenté à la demeure de Claymore. Le guerrier réclamait l'assistance du docteur pour une affaire dont il ne pouvait rien dire. Tout cela était très mystérieux, d'autant plus que très peu de gens savaient où le petit homme avait établi sa demeure. Cette précaution avait pour but de protéger le docteur d'un éventuel retour du général Karst. On était toujours sans nouvelles de l'homme au visage d'acier et Claymore savait que seul l'anonymat pouvait lui offrir une certaine sécurité. Malgré tout, chaque fois qu'on cognait à sa porte, il s'attendait à voir entrer le général, réclamant les soins dont il avait besoin pour soulager la douleur constante qui lui martelait la tête.

Quoi qu'il en soit, le warrak avait tant insisté que Claymore n'avait eu d'autre choix que de céder à sa demande. Sa seule condition était que le guerrier veille sur sa maison durant son absence. Le petit homme s'était donc dirigé vers un petit village du nom de Souata, près duquel le clan des sciaks avait établi son campement. D'une façon ou d'une autre, Yrus'ak avait réussi à convaincre Simcha ou Kamélia de révéler l'endroit où se terrait le docteur. Il ne restait plus qu'à espérer que tout ce remue-ménage soit justifié.

Lorsque le docteur se présenta au campement des sciaks, un capitaine l'escorta auprès d'Yrus'ak. Ce dernier paraissait à la fois inquiet et mal à l'aise. Claymore voulut savoir s'il y avait plusieurs blessés et quel était leur état, ce qui rendit le chef des sciaks encore plus embarrassé. Ce n'est que lorsque le docteur devint véritablement irrité que le warrak lui révélât enfin les motifs pour lesquels il l'avait fait venir. En vérité, c'était la compagne d'Yrus'ak qui avait exigé l'assistance de Claymore.

— Est-elle très souffrante ? demanda le docteur. Comme j'ignorais ce qui m'attendait, j'ai apporté toute une panoplie d'outils et de remèdes. Je trouverai certainement de quoi la soigner.

Yrus'ak parut une nouvelle fois inconfortable. Il avoua que Mikann'ak ne paraissait pas malade, mais qu'elle avait néanmoins exigé de voir le docteur. Sans rien ajouter, il invita Claymore à pénétrer sous la tente où était allongée son épouse, qui voulut rester seule avec le petit homme. Lorsqu'il vit le ventre proéminent de la warrak, Claymore s'inquiéta immédiatement pour l'enfant qu'elle portait.

— Que puis-je faire pour vous aider ? demanda-t-il gentiment. Semble-t-il y avoir un problème avec la grossesse ?

— Le bébé va très bien, le rassura Mikann'ak. Ce n'est pas pour cette raison que je vous ai fait venir.

Cette fois-ci, Claymore ne comprenait plus rien. Conscient qu'il devait y avoir une explication logique, il attendit patiemment que la warrak explique ce qu'elle attendait de lui.

— Je sais que vous avez un don pour comprendre le corps humain, dit Mikann'ak, de même que l'anatomie des warraks et des autres races. D'après mes sources, vous seriez même en mesure de connaître avec exactitude le moment où l'enfant a été conçu.

Claymore, qui avait eu l'occasion d'observer plusieurs warraks enceintes depuis qu'il n'était plus l'esclave du général Karst, confirma qu'il était apte à déterminer l'âge du fœtus. Cette requête était très inhabituelle de la part de Mikann'ak, d'autant plus que son époux ne semblait pas en être informé. Le petit homme devinait ce qui pouvait pousser la future mère à agir ainsi, mais il décida de se taire.

Avec doigté, il posa ses mains sur le ventre de la warrak et procéda à un examen approfondi. Il utilisa même un appareil de son invention, qui permettait d'entendre le cœur du bébé. Au bout d'un moment, il déclara que Mikann'ak portait un fils en parfaite santé. Ce diagnostic plut à la warrak, mais ce n'était pas la raison pour laquelle elle avait fait venir le docteur.

— Il a environ cent vingt-trois jours, dit-il en voyant la pointe d'impatience sur le visage de la warrak. Je peux me tromper d'une journée ou deux. Je suis désolé de ne pouvoir être plus précis.

La précision que venait de lui apporter le petit homme était bien assez pointue pour Mikann'ak. Elle avait enfin la réponse à la question qui la tenaillait depuis maintenant plusieurs mois.

Voyant que sa présence n'était plus requise, Claymore sortit de la tente et expliqua à Yrus'ak qu'il avait soigné sa compagne et qu'elle ne courait plus aucun danger. Ce mensonge était nécessaire, car le docteur se doutait de la raison pour laquelle la celfide souhaitait tant connaître la date de conception de son enfant.

Le chef des sciaks remercia Claymore pour son assistance, puis pénétra dans sa tente pour voir comment se portait Mikann'ak. Celle-ci paraissait sereine, comme si on lui avait enlevé un poids qu'elle portait depuis longtemps sur les épaules. Elle savait maintenant avec certitude qu'Ithan'ak était le père de l'enfant qu'elle portait. Quoi qu'il arrive, le warrak qui allait naître représenterait l'union du priman'ak et de la celfide. Cette pensée donnait à Mikann'ak le courage d'affronter l'avenir, loin de celui qu'elle aimait. Chaque fois qu'elle porterait les yeux sur son enfant, elle saurait qu'Ithan'ak l'avait un jour aimée et que rien ne pourrait effacer l'unique nuit où elle s'était abandonnée à lui. Un jour, son fils combattrait peut-être aux côtés de son père, mais les deux guerriers n'en sauraient rien. Ensemble, ils prononceraient l'Ominiak, jusqu'à ce que leurs yeux deviennent rouges et que toutes les fibres de leurs corps n'aspirent qu'à une seule chose : combattre.

Lexique

Lieux

Anosios : Continent de Nürma, isolé par des océans et un désert.

Chrysmale : Ville sans juridiction située à la frontière des royaumes de Kalamdir et de Küran.

Estragot : Lieu où se trouve le palais du roi Filistant.

Grownox : Forêt où vit en ermite le magicien Nicadème.

Kalamdir : Le plus grand royaume d'Anosios, majoritairement habité par des hommes qui sont maintenant sans roi.

Küran : Gouverné par le roi Filistant, c'est le seul royaume habité par les hommes qui n'a pas été annexé à Kalamdir.

Lelmüd : Ce royaume est une gigantesque forêt habitée par les hyliann. C'est là que réside leur haut conseil.

Locktar : Situé dans le royaume de Kalamdir, ce gigantesque labyrinthe est en réalité une prison d'où se sont échappés les warraks. Une grande bataille entre les Kalamdiens et les warraks a eu lieu près de cet endroit.

Nürma : Planète à laquelle est associée la plus haute divinité vénérée par les habitants d'Anosios.

Pointe d'Antos : Péninsule enneigée située au nord du continent, où le magicien Antos vécut jusqu'à sa mort. Les warraks, auparavant reclus dans cette contrée hostile, l'ont désertée pour regagner le reste du continent.

Vallée de Grick : Royaume des nains.

Ymirion : Capitale de Kalamdir, abritant le palais royal.

Peuples

Bosotoss : Colosses mesurant deux fois la hauteur d'un homme. Ils vivent généralement dans le désert, possèdent un sixième sens pour l'orientation, ainsi que la capacité d'établir à distance une forme de communication limitée avec ceux de leur race.

Glurpèdes : Race sous-développée provenant des marécages. Ils ont l'apparence de crapauds hideux et visqueux à la forme humanoïde.

Hylianns : Cousins des hommes. Plusieurs caractéristiques physiques, comme leur peau argentée, les rendent faciles à reconnaître. Ils habitent généralement en forêt.

Kalamdiens : Nom donné aux hommes peuplant le royaume de Kalamdir. Leur armée a connu de lourdes pertes durant la bataille des ombres.

Keenox : Petites créatures insouciantes ressemblant à des rongeurs. Leur race est en voie d'extinction. Ils parlent toutes les langues, y compris celles des animaux.

Kourofs : Warraks appartenant au clan d'Ithan'ak.

Küraniens : Nom donné aux hommes peuplant le royaume de Küran. La plupart d'entre eux sont des paysans. Ils ont combattu aux côtés des warraks durant la bataille des ombres.

Warraks : Farouches guerriers dont le physique s'apparente au loup. Leurs yeux sont généralement verts, mais ils deviennent rouges lorsque les warraks sont submergés par la rage ou la soif du combat. Ils ont dû unir leurs forces à celles de leurs ennemis, les Kalamdiens, afin de survivre à l'attaque de Xioltys et des ombres meurtrières.

Personnages

Ackémios (Hyliann) : Il a délaissé le haut conseil des hylianns pour rechercher l'origine des ombres meurtrières.

Claymore (Homme) : Docteur ayant voué sa vie à ce qu'il appelle l'art de la médecine.

Elwym (Hyliann) ; Jeune hyliann originaire de la forêt d'Eswalm. Il a été tué par le général Karst durant la bataille des ombres.

Filistant (Homme) : Roi du royaume de Küran et père de Simcha.

Fork (Bosotoss) : Plus social que ceux de sa race, il est un vieil ami d'Ithan'ak.

Horl'ak (Warrak) : Capitaine du clan des kourofs.

Ithan'ak (Warrak) : Priman'ak et chef du clan des kourofs. Il a eu la chance de communiquer avec le dieu de la guerre, Kumlaïd, qui a doté son bras droit d'une grande puissance magique. Il a récemment retrouvé l'Ominiak, la prière de guerre des warraks. L'émyantine qu'il porte au cou lui permet d'entrer en contact avec l'eau.

Kalë (Warrak) : Jeune apprenti du clan des kourofs et ami fidèle de Ryan.

Kamélia (Hyliann) : Ambassadrice de la forêt de Lelmüd.

Karst (Homme) : Général en chef du royaume de Kalamdir. À la suite d'une altercation avec Ithan'ak, la moitié de son visage a été ravagée. Sans l'intervention du docteur Claymore, il serait décédé. Il est prêt à tout mettre en œuvre pour se venger d'Ithan'ak.

Kran'ak (Warrak) : Avant d'être tué par Ithan'ak, il était le priman'ak et le chef du clan des sciaks.

Limius (Homme) : Défunt roi du royaume de Kalamdir. Ce tyran a été trahi par Xioltys et le docteur Claymore lui a donné le coup de grâce.

Mikann'ak (Warrak) : Elle appartient au clan des sciaks. Sa fourrure colorée, plutôt que grise comme la plupart des warraks, en fait d'elle une celfide. Bien qu'elle ait été contrainte d'unir sa vie à celle d'Yrus'ak, elle est toujours amoureuse d'Ithan'ak.

Nicadème (Homme) : Magicien vivant reclus dans la forêt de Grownox.

Ryan (Warrak) : Jeune apprenti du clan des kourofs et ami fidèle de Kalë.

Simcha (Homme) : Prince du royaume de Küran. Il a récemment repris contact avec son père et dirigé les Küraniens durant la bataille des ombres.

Sintoriens (Hommes) : Gardes personnels du roi Limius. Seulement trois d'entre eux ont survécu à la bataille des ombres.

Skeip (Keenox) : Rongeur espiègle qui a été tué par le général Karst durant la bataille des ombres.

Toran (Homme) : Chef des cavaliers de la plume argentée. Il a récemment recouvré son honneur en portant secours aux warraks durant la bataille de Locktar et en combattant les Kalamdiens durant la bataille des ombres.

Vonth'ak (Warrak) : Magicien, ancien élève d'Antos. Sa principale motivation est le rétablissement de la magie. Il ne peut malheureusement plus compter sur Skeip pour arriver à ses fins.

Xioltys (Homme) : Magicien d'Ymirion adopté par le roi Limius. Il a découvert le moyen de contrôler les ombres meurtrières. Vonth'ak a drainé presque toutes ses forces durant la bataille des ombres.

Yrus'ak (Warrak) : Ancien bras droit d'Ithan'ak, il est le nouveau chef du clan des sciaks et l'époux de Mikann'ak.

Panthéon des dieux

Hélisha : Déesse de la sagesse et de la connaissance.

Konorph : Dieu des moissons et de la végétation, et amant de Nürma.

Kumlaïd : Dieu de la guerre.

Kylien : Dieu berger.

Nalia : Déesse de l'air.

Nenya : Déesse de la mer.

Nürma : La terre bienfaitrice et la plus haute divinité.

Marquis imprimeur inc.

Québec, Canada
2011